還生鏢師

환생표사 1

1판 1쇄 발행 | 2022년 12월 30일

펴낸이 | 권태완 우천제
펴낸곳 | (주)케이더블유북스
편집자 | 한준만, 박병권, 이다혜
디자인 | 정예현

출판등록 | 2015-5-4 제25100-2015-43호
KFN | 제3-9호

주소 | 서울시 구로구 디지털로31길 38-9, 401호
전화 | 070-8892-7937 **팩스** | 02-866-4627 **E-mail** | fantasy@kwbooks.co.kr

ISBN 979-11-404-1038-5 04810
　　　979-11-404-1037-8 (set)

차례

1장
나는 쟁자수였다

길을 막고 나선 자들은 백여 명의 말 탄 칼잡이들이었다.

숱하게 이 길을 오갔지만, 저들은 오늘 처음 보는 얼굴들이었다. 인근에 새로 산채를 연 녹림인지, 표물을 노리고 멀리서 원정 온 마적들인지는 대화를 해보아야만 알 수 있다.

"진평."

"하명하십시오."

"전낭을 들고 나를 따른다."

"알겠습니다."

"나머지 표사들은 모두 무기를 점검하고 만약의 경우에 대비하도록. 유사시 쟁자수들은 상자수의 지시를 따른다."

상자수란 짐꾼을 뜻하는 쟁자수들 중에서도 가장 경험이 많고 노련한 우두머리를 말한다.

그리고 지금은 그게 나았다.

간단한 지시를 끝낸 금라도(金羅刀) 가불염이 진평이라는 젊고 손 빠른 표사와 함께 말을 탄 채 상대편 진영으로 또각또각 나아갔다.

"형님, 괜찮을까요?"

내 다음 서열인 쟁자수가 슬그머니 어깨를 붙이며 물어왔다.

"절강성에서 천룡표국의 깃발을 보고도 함부로 칼부림을 벌일 만큼 간 큰 도적들은 많지 않아. 게다가 노련한 가불염 표두님께서 직접 표행을 이끌고 계시잖나."

올해 예순 살인 가불염은 평생을 표국 일로 잔뼈가 굵은, 그야말로 백전노장의 노표두였다. 그라면 어떤 문제도 해결할 수 있을 것이다.

"역시 그렇겠죠?"

"그래도 혹시 모르니 다들 박도를 준비하도록."

쟁자수들이 싸움을 하면 얼마나 할 것이냐만, 그래도 양측이 모두 격돌하는 상황에선 머리 하나가 아쉬운 법이다.

그때였다. 갑자기 적 진영에서 두 개의 은빛이 번쩍였다. 동시에 협상을 하러 갔던 가불염과 진평의 머리가 거짓말처럼 어깨에서 뚝 떨어졌다.

"이런 미친!"

백여 명의 말 탄 적들이 지축을 뒤흔들며 달려왔다. 표사들도 도검을 뽑아 들고는 마주 달려 나갔다.

가장 피하고자 했던 일이 결국 터지고 말았다.

"쳐라!"

적장은 가불염조차 단칼에 목을 떨어뜨릴 정도의 고수, 거기다 수적

열세까지 있고 보니 싸움은 순식간에 기울어졌다. 피가 허공에 뿌려지고 살점이 사방으로 난무하길 한참, 오십 명이나 되었던 표사들은 고작 대여섯 명 정도로 줄어들었다. 그마저도 한칼씩 먹어 언제 목이 떨어질지 몰랐다.

쟁자수들도 나를 비롯해 열 명으로 줄었다. 모두 박도를 들고는 있지만, 공포에 질려 감히 휘두를 생각조차 못 했다. 이번 표행이 처음인 어린 쟁자수들은 바지에 오줌까지 지리며 벌벌 떨고 있었다.

그중 하나가 지금 막 비적이 휘두른 칼에 맞아 가슴이 쩍 벌어졌다.

"빌어먹을!"

이 정도면 싸움은 끝났다. 표사로서, 그리고 쟁자수로서 해야 할 일은 다 했다. 더 이상의 저항은 의미가 없었다.

나는 박도를 버리고 표물을 실은 짐마차로 뛰어 올라갔다. 이어 정체불명의 적들을 향해 발작적으로 외쳤다.

"그만해, 이 개새끼들아!"

그리고 구석에 놓아두었던 커다란 항아리를 꺼내 발아래 표물 상자로 힘껏 던졌다.

철퍽!

항아리가 깨지며 역한 기름 냄새가 코를 찔렀다. 횃불을 만들기 위해 상시 싣고 다니는 석유 항아리였다.

재빨리 품속에서 화섭자를 꺼내 불을 붙였다. 화르륵 소리와 함께 노란 불꽃이 일고 연기가 머리 위로 솟아 올라갔다.

"모두 칼질을 멈춰. 안 그러면 이 마차를 불태워 버리겠다. 물러서! 물러서란 말이야! 씨발놈들아!"

내 서슬에 비적들이 잠시 칼질을 멈추고 한 걸음씩 물러났다.

잠깐 사이에 표사는 모두 죽고 살아남은 사람은 쟁자수만 나까지 열 명이었다.

"왜 욕을 하고 그러세효오."

스무 살이나 되었을까? 이런 일을 하기엔 지나치게 젊은 비적 하나가 피 묻은 칼을 어깨에 척 올리고는 건들건들 다가왔다.

"좆밥은 꺼지고 대가리 나와!"

"저 호로……."

"그만!"

묵직한 음성과 함께 곤충처럼 생긴 장년인이 말을 몰아왔다. 흉측한 얼굴에 박힌 섬뜩한 눈빛이 보기만 해도 오금이 저렸다. 가불염과 진평의 목을 단칼에 날려 버린 바로 그자였다.

"원하는 게 무엇이냐?"

"남은 사람들을 보내줘."

"고작 마차 열 대 중 한 대를 볼모로?"

"돌아가는 꼴을 보아하니 우리가 운송하는 표물이 무엇인지 알고 온 자들 같은데, 그래 맞아. 이 표물은 예부좌시랑을 지내고 낙향하시는 왕인엽 대인의 서책들이야. 그중 한 대에 수천 년 전 공자께서 고대의 부적들을 직접 쓰고 엮은 것으로 추정되는 죽간본 한 보퉁이가 있지. 자, 내가 어느 마차에 올라탔을까?"

곤충의 얼굴이 돌덩이처럼 굳어졌다.

"이제 협상할 마음이 좀 생기셨나?"

"불은 금방 끌 수 있다."

팡! 팡!

나는 딛고 올라선 나무 상자를 발로 서둘러 밟아 부숴 버렸다.

부서진 상자 사이로 석유가 잔뜩 묻어 줄줄 흐르기까지 하는 죽간본 보퉁이를 높이 치켜들었다. 그리고 화섭자를 갖다 대는 시늉을 하며 말했다.

"반쯤 타다 만 죽간본을 갖다 주려고? 너희를 사주한 새끼가 그래도 좋대?"

"눈치가 빠른 놈이로군."

"평생 눈칫밥을 먹고 살았지."

놈의 눈이 잠시 내 짧은 왼쪽 다리에 머물렀다.

"절름발이인가?"

"개소리 말고 어쩔 거야!"

화섭자가 절반이나 줄었다. 한시라도 빨리 쟁자수들을 떠나보내야 했다.

곤충 얼굴이 비적들을 향해 고개를 끄덕였다. 비적들이 옆으로 물러났고, 자유의 몸이 된 쟁자수 아홉 명이 우물쭈물 내 눈치를 보았다.

"지금부터 내가 하는 말을 잘 들어. 이놈들은 목격자를 없애기 위해 끝까지 너희를 추적해 살인멸구하려 들 거야. 우르르 몰려가지 말고 뿔뿔이 흩어져. 말이 쫓아올 수 없도록 우거진 야산이나 강 쪽으로 도망쳐야 해. 아무도 쫓아오지 않는 것 같아도 하루는 더 방심하지 말고 도망쳐. 알아들었으면 지금 가. 어서!"

"형님은 어쩌고요!"

"쳐보면 몰라서 그런 말을 해? 헛소리 말고 빨리 애들 데리고 꺼져. 빨리 가란 말이다. 이 멍청한 새끼들아!"

"형님……!"

"미안해할 것 없어. 나도 죽기 싫지만, 하필 내가 상자수다 보니 어쩔 수 없이 이러는 거야. 그게 우리 규칙이니까."

쟁자수들은 눈물을 훔치며 도망치기 시작했다.

손에 든 화섭자는 이제 거의 바닥 난 상태였다. 나는 그때까지 왼쪽 손에 들고 있던 죽간본을 재빨리 품속에 집어넣었다. 이어 소맷자락을 입으로 물어뜯어 천 뭉치를 만든 다음 화섭자의 불을 옮겨 붙였다.

"다가오기만 해! 엉?"

슬그머니 다가오던 비적들이 움찔 놀라며 다시 물러났다. 나는 소맷자락에 옮겨붙은 불로 놈들을 위협하며 시간을 최대한 끌었다.

"왜 다들 말을 타고 도망가지 않는 거지?"

아까 그 곤충이 다시 물었다. 나는 저만치 가파른 산속으로 꽁지가 빠져라 흩어지는 쟁자수들을 힐끗 바라본 후 말했다.

"쟁자수들은 말을 탈 줄 모르니까."

"너도 쟁자수인가?"

"그렇다."

"기지도 뛰어나고 기백도 있고. 표사가 되었으면 제법 이름을 날렸을 것 같은데 왜 고작 쟁자수 노릇을 하고 있는 거지?"

"무공이 변변치 않아서 말이지."

"다리 때문인가?"

"그것과는 상관없는 일이야."

"하긴 그것도 대단하군. 그런 다리로는 쟁자수 노릇 하는 것도 쉽지 않았을 텐데 말이야. 아니, 어떤 의미에선 더 어려웠을 수도 있었겠어."

"내게 관심이 많은가 봐. 왜, 살려서 수하로 거두시게? 월급만 두둑이 준다면야 한번 생각해 볼 수도 있고."

"천만에. 잠시 네놈의 시선을 끈 거야."

순간, 툭 하는 느낌과 함께 불 뭉치를 든 내 손목이 잘려 나갔다. 그걸 허공에서 누군가가 발등으로 툭 쳐내더니 이번엔 무언가 화끈한 것이 등을 뚫고 들어와 가슴으로 튀어나왔다. 칼이었다.

나는 앞으로 푹 고꾸라졌다.

"빨리 쟁자수들을 쫓아라!"

"죽간본을 빼앗아라!"

십수 명이 말을 달려 사라지는 게 보였다. 대여섯 놈이 죽간본을 빼앗기 위해 마차에 올라탔다.

'그렇게는…… 안 될걸.'

비록 표행은 실패했지만 가는 길에 남의 밥상에 재를 한번 뿌려줄 수는 있을 것 같았다. 나는 아직 남은 팔로 마지막까지 품속에 숨겨두었던 작은 화섭자를 몰래 꺼냈다.

그때, 비적 하나가 죽간본을 빼앗기 위해 발등으로 내 몸을 홱 뒤집었다.

순간 커지는 비적의 눈동자.

"너희는 이제 좆 됐어. 씨발놈들아. 크크크."

화르륵!

불씨는 내 가슴으로 옮겨붙더니 순식간에 거대한 괴물이 되어 마차와 여섯 비적들까지 전부 집어삼켜 버렸다.

지나온 삶이 주마등처럼 스쳐갔다. 찢어지게 가난했던 어린 시절, 어려운 살림에도 나를 가르치기 위해 학당에 보내셨던 어머니, 절름발이가 어떻게 쟁자수를 하겠냐며 비웃던 사람들…….

내 평생 소원은 멋진 말을 타고 표물을 호송하는 표사가 되는 것이었다. 그러나 절름발이에 변변한 무공조차 익히지 못했던 나는 허드렛일만 하는 쟁자수로 살았다. 무려 30년 동안이나.

단 하루도 고단하지 않았던 날이 없었다. 이제는 좀 편안히 쉴 수 있으려나.

'한데 왜 이렇게 안 죽지?'

몸은 또 왜 이렇게 차갑고.

온몸이 불타고 있으니 미치도록 뜨거워야 하지 않나? 그런데 반대로 뼛속까지 시릴 만큼 한기가 찾아들었다.

순간, 첨벙! 하는 물소리에 나도 모르게 눈을 번쩍 떴다.

'저게 뭐지?'

뭔 사람처럼 생긴 것이 파란 하늘을 배경으로 물살을 헤치며 나를 향해 날아왔다. 아니, 헤엄쳐 왔다.

그러고는 나풀거리는 내 머리카락을 덥석 움켜잡더니 다시 제가 온 곳으로 끌고 가기 시작했다.

'뭔 놈의 환영이 이렇게 생생하지?'

2장
내가 호구로 환생했다고요?

"공자님, 정신 차리십시오!"

철썩! 철썩!

나를 물 밖으로 끌어낸 사내는 새파랗게 질린 얼굴로 뺨을 치고 가슴을 꾹꾹 눌러댔다.

'그, 그만해!'

죽어라 고함을 질렀지만 나오라는 목소리는 나오지 않고 금방 잡힌 개불처럼 물만 쭉쭉 뿜어댔다.

"공자님, 제발 정신 차리십시오!"

철썩! 철썩!

'그만해. 나 안 죽었어!'

사내의 두 눈에서 닭똥 같은 눈물이 뚝뚝 떨어졌다. 그는 나의 죽음을 진심으로 슬퍼하고 있었다.

그런데 아무래도 내가 아는 놈 같은데. 이름이 장삼이었던가?

철썩! 철썩!

"그만하라고 새끼야!"

"엇! 공자님!"

"우웨엑!"

나는 먹은 적도 없는 온갖 고기 건더기들을 술과 함께 한 바가지나 토해냈다.

머지않아 칼 든 무인들이 마차와 함께 도착했고, 나를 강제로 태워서는 어딘가로 끌고 갔다.

결론부터 말하자면 나는 죽었다. 아니, 살아났다. 그것도 내가 아닌 다른 사람의 몸을 빌려서. 거울에 비친 내 모습은 새파랗게 젊은 데다 얼굴까지 기생오라비 뺨치게 잘생겼다.

무엇보다 팔다리가 멀쩡했다. 전생에서 절름발이 쟁자수 노릇을 하며 평생을 뼈 빠지게 고생만 하다가 죽은 나로서는 축복도 이런 축복이 없었다…… 라고만 하기에는 이 몸뚱어리의 주인은 항주에서 모르는 사람이 없을 정도로 호구 등신에 반푼이었다.

"예? 내가 호구 이정룡이라고요?"

"이제야 정신이 드십니까?"

이 몸뚱어리의 주인은 실로 엄청난 신분의 소유자였다. 절강성에서 가장 큰 표국인 '대(大)천룡표국(天龍鏢局)'의 사공자 이정룡이었으니 말이다.

그는 표왕(鏢王) 이종산이 늘그막에 자신을 시중들던 젊고 아름다운 시녀와의 사이에서 얻은 아들로, 시녀는 그를 낳은 후 죽어버렸다. 잘 못 섞인 피 한 방울이 준마의 혈통을 망친다더니 이정룡이 딱 그 짝이었다.

그는 하필 모든 게 외탁을 했다. 번지르르한 얼굴에 팔다리만 시원하게 쭉쭉 뻗었을 뿐 천하의 둔재였다. 무공을 수련할 때의 몸놀림은 나무토막이 따로 없고, 글공부할 때의 머리는 돌 그 자체였다. 그는 어떤 대법과 훌륭한 스승으로도 타고난 통 멍청이는 어쩔 수 없다는 걸 보여준 걸어 다니는 증거였다.

후계 경쟁에서 일찌감치 제외된 그는 밖으로만 나돌았다. 집안에서야 누구 하나 인정해 주는 사람 없는 천덕꾸러기 신세였지만, 밖에서만큼은 천룡표국 사공자의 신분은 여전히 위력적이었다. 그는 항주에서 가장 비싸다는 기루들의 화수분이었고, 숱한 도박장들이 앞다투어 반기는 호구였으며, 그런 곳에 기생하는 파락호들의 마르지 않는 돈주머니였다.

그런 그가 어느 날 그만 서호에 뛰어들었다. 이유는 어린 시절부터 짝사랑했던 여자의 집안에서 그의 셋째 형님을 딱 꼬집어 매파를 보내왔기 때문이다.

하지만 이 모든 것들은 30여 년 전, 그러니까 내가 천룡표국의 신입 쟁자수였을 때 일어난 일들이었다.

한데 내가 그 이정룡으로 환생했다면…….

"내 나이가 지금 몇이오?"

"왜 자꾸 존댓말을 하세요? 무섭게. 저 장삼입니다. 공자님 몸종 장삼이."

"내 나이가 몇이…… 냐?"

"스물두 살. 그야말로 꽃 같은 나이시죠. 고작 여자한테 차였다는 이유로 목숨을 끊기에는 너무나 아까운."

틀림없다. 나는 30년 전으로 거슬러 올라가 서호에 뛰어들어 목숨이 끊어지기 직전의 이정룡으로 환생한 것이다. 아니, 목숨이 끊어진 이후의 이정룡이라고 해야 하나?

"하아…… 어떻게 이런 일이……."

"대충 기억이 돌아오셨으면 빨리 표왕부로 가보셔야 합니다. 공자님께서 정신을 차리는 대로 끌고 오라는 국주님의 엄명이 있었습니다."

호랑이 가죽을 비스듬히 깔고 앉은 노인이 나를 내려다보고 있었다. 작은 체구에도 불구하고 흡사 산을 마주하는 것 같은 압박감의 저 노인이 바로 천룡표국의 주인인 표왕 이종산이다. 사사롭게는 내가 들어간 이 몸뚱어리의 아비.

전생의 내 마지막 나이와 고작 대여섯 살밖에 차이 나지 않을 만큼 젊은 모습이지만 범접하기 힘든 기도와 지혜로운 눈동자는 여전했다.

"올해 네 나이가 몇이더냐?"

"쉰두 살입니다."

"……?"

"스, 스물두 살입니다."

"소문이 사실이더냐?"

"예?"

"무슨 말을 하는지 모르지 않을 터인데."

셋째 형님과 혼담이 오가는 여자 때문에 죽으려 했던 게 사실이냐고 묻는 것이다. 천룡표국의 사공자로 환생했다고 내심 좋아라 했더니, 이게 이런 식으로 꼬이는구나.

"헛소문입니다."

"헛소문?"

"그렇습니다."

"하면 왜 목숨을 끊으려 했더냐?"

"그것도 사실이 아닙니다. 술에 취해 호숫가를 걷다가 발을 헛디뎠을 뿐입니다."

"그 아이를 마음에 둔 게 아니었다고?"

이것까지 거짓말을 할 순 없다. 상대를 속이려면 1할의 거짓에 9할의 진실을 섞어야 한다. 지금은 여자에 대한 이정룡의 마음이 9할의 진실이다.

"좋아했습니다."

"……?"

"하지만 그건 철없던 시절의 일, 지금은 눈곱만큼의 감정도 없습니다. 백번 양보해서 좋아한다고 해도 고작 여자 때문에 죽을 정도로 어리석지 않습니다. 제가 뭐가 아쉬워서요."

정말 내가 하고 싶은 말이다. 이정룡은 대체 뭐가 아쉬워 호수에 뛰어들어 죽으려고 했을까?

슬쩍 눈치를 보니 표왕의 눈빛이 칼날처럼 날아와 내 눈을 쑤셔댄다. 그래도 끝까지 최선을 다해 시치미를 떼야 한다.

"하면 셋째의 혼담을 이어가도 상관없겠구나?"

"물론입니다. 소자가 셋째 형님을 위해 매파 노릇을 하겠습니다. 아버지께서도 아시다시피 저와 조영영 소저는 같은 서원에서 동문수학한 사이가 아닙니까? 남녀가 유별하다고는 하나 우리는 강호법을 따르는 무림세가이니 소자가……."

쾅!

방바닥만 한 대리석 탁자가 부서질 듯 울어댔다.

"미욱한 놈!"

표왕이 허공에 대고 한 손을 가볍게 뿌렸다. 그러자 탁자에 놓여 있던 두 뼘가량의 단검이 살아 있는 것처럼 튀어 오르더니 갑자기 내 얼굴을 향해 날아왔다.

쒜애액…… 텅!

단검은 인중을 약간 남겨두고서 갑자기 망치에라도 맞은 듯 뚝 떨어지더니 발밑에 꽂혀 꼬리를 파르르 떨었다. 놀란 나는 하마터면 오줌을 지릴 뻔했다.

"나약한 범도 범이다. 하지만 싸우지 않는 범은 범이 아니다. 하물며 싸워보지도 않고 제 목숨부터 끊는 범이 있다는 얘길 나는 들어본 적이 없다. 그건 비루한 개돼지조차 하지 않는 짓이야."

대체 뭐라는 거야.

"네 나이 이제 겨우 스물두 살이다. 앞으로 얼마나 더 살지 모르나 힘든 일이 닥칠 때마다 자결을 시도해 나와 표국을 망신시킬 것이 뻔할 터. 그럴 바에야 지금 그 칼로 내 앞에서 죽어라. 하면 내 너를 정성 들여 장사 지내주마."

한 마디 한 마디 칼로 자르듯 뚝뚝 끊어지는 음성. 머리끝이 쭈뼛 서며 등에서 식은땀이 흘렀다.

'이거 내가 생각했던 전개가 아닌데?'

전생에서 저 끄트머리 서열의 쟁자수로 살아서인지 시퍼런 서슬을 뿜어내는 표왕이 내게는 염라대왕처럼 보였다.

'침착해야 한다.'

내가 사공자 이정룡으로 환생한 이상 앞으로 표왕과의 지속적인 만남은 피할 수 없다. 그렇다면 적응을 해야 한다. 나아가 그와의 관계를 개선해야 한다.

'하지만 어떻게……?'

무릎 꿇고 싹싹 빌어볼까? 새끼손가락을 잘라 바치며 다시는 그런 멍청한 짓을 않겠다고 혈서라도 써볼까?

그러다 문득, 발아래 꽂혀 있는 단검의 광채가 눈에 들어왔다. 싯누런 황금을 정교하게 세공해 만든 손잡이, 붉은 수실 한가운데 부엉이 눈깔처럼 박혀 있는 야광주……. 고작 단검일 뿐인데 왜 저렇게 치장을 했는지 모르지만, 손잡이의 황금과 야광주만 하더라도 엄청난 보물이었다.

'저런 건 얼마나 할까?'

순간, 퍼뜩 떠오르는 생각이 있었다.

그래, 한 번 죽기까지 한 내가 무엇을 두려워하랴. 자고로 공격이 최선의 방어이며 장군은 명군으로 받으라고 했다.

"그거 아십니까?"

"……?"

"지난 20여 년 동안 아버지께서 소자에게 무언가를 하사하신 게 이번이 처음이라는 거요. 한데 그게 목숨을 끊으라는 칼이로군요."

"……!"

정말 그런지는 모른다. 다만 전생에서 사공자의 장례식 때 하인들이 수군대던 게 기억나서 한번 질러본 것이다. 한순간 눈꼬리가 씰룩하는 표왕을 보니 사실인 모양이었다.

나는 바닥에 한쪽 무릎을 꿇고는 두 손으로 공손히 단검을 뽑아 품속에 갈무리하며 말했다.

"이 칼은 언젠가 소자가 스스로 목숨을 끊을 일이 있을 때 아버지를 생각하며 반드시 요긴하게 쓰도록 하겠습니다. 그럼 이만."

말을 끝낸 나는 허락도 받지 않고 뒤돌아섰다. 그러고는 최대한 자연스럽게, 그러면서도 꽁지가 빠지도록 도망쳤다. 당황한 표왕의 눈길이 뒤통수를 뜨겁게 지져대는 게 느껴졌다.

'그런데 관계 개선은?'

에라 모르겠다. 다음에 하자.

"방금 저놈이 내게 맞선 거 맞지?"

"그렇게 보였습니다."

조금 떨어진 곳에서 말없이 서 있던 오십 줄의 장년인이 말했다. 장대한 체구에 험상궂은 인상의 그는 총표두 곽석산이었다.

"허, 지렁이도 밟으면 꿈틀한다더니."

"예전의 정룡을 생각하면 큰 변화입니다."

"고작 한 번 반항한 걸로 무슨 큰 변화씩이나. 달달 떨고 있는 두 다리를 못 봐서 그런 소리를 하는 겐가?"

솔직히 말하면 곽석산도 이정룡이 마루에 오줌을 지릴 줄 알고 조마조마했다. 한데 마지막 순간에 그렇게 빠져나갈 줄이야.

"아까운 운철검만 빼앗겼군."

"아들에게 갔으니 아주 잃은 것은 아니지요."

"그거야 놈이 잘 간수했을 때 얘기고. 노름방에서 돈 대신 잡혔다가 물건의 진짜 가치를 알아본 자들에게 빼앗기지나 않으면 다행이지."

"회수를…… 할까요?"

"훔치기라도 하려고?"

"물건이 물건이다 보니."

"그냥 놔둬. 빼앗기면 제 놈 복이 그것뿐인 게지."

천만의 말씀이다. 운철검이 어떤 물건인데 표왕이 쉽게 포기할까. 만약 누군가 빼앗아 가더라도 세상 끝까지 찾아가 도로 빼앗아 올 위인이다. 천룡표국의 정보력을 이용하면 일도 아니었다.

"한데 내가 지난 20년 동안 놈에게 아무것도 준 게 없다는 말이 사실인가?"

"사실입니다."

"한 번도?"

"그렇습니다."

"단호하군."

"사실이니까요."

"다른 아이들에게는?"

"수시로 좋은 말과 보검을 하사하셨지요."

"그건 놈이 허구한 날 기루와 도박장을 들락거리며 재물을 탕진했기 때문이야. 그동안 제 형들은 땀 흘려 일하며 돈을 벌었어. 상벌이 분명해야 가풍이 바로 서는 법. 벌을 주지 않은 것만으로도 크게 봐준 것임을 알아야지."

표왕의 목소리가 살짝 격앙되었다. 그럴수록 곽석산은 차분한 음성으로 말했다.

"열 손가락 길이가 어찌 다 똑같을 수 있겠습니까? 저마다 길고 짧은 차이가 나는 것은 제각각의 쓰임새가 있기 때문이 아닐는지요."

"어째 자네마저 나를 힐난하는 것처럼 들릴까?"

"정룡은 다른 형제들과 달리 힘이 되어주는 외가가 없지 않습니까. 어렸을 때 잠시 무공을 가르쳐 준 정으로 속하가 이럴 때 한입 보태어 주는 것이니 너무 나무라지 마십시오."

"힐난하는 게 맞군."

"정룡에게도 기회를 한번 줘보시지요. 이를테면 표국 일들 중 사소한 것들을 맡겨본다거나 하는 것 말입니다."

"표국 일에 사소한 것이 있었던가?"

돌연 표왕의 눈동자에 사나운 불꽃이 일었다. 자네마저 나를 힐난하느냐고 따질 때에도 보이지 않았던 모습.

곽석산은 얼른 두 손을 맞잡고 고개 숙였다.

"속하가 실언을 했습니다."

그제야 표왕의 눈동자에서 불꽃이 사라졌다.

"무슨 말을 하고 싶은지는 알겠네. 그러나 남이 쥐여주는 기회는 기회가 아니야. 간절한 욕심이 일어 스스로 움켜쥐어야 비로소 진짜 내 것이 되는 게지."

"명심하겠습니다."

"총표두가 그렇게까지 나오니 기회는 아니지만 가르침을 하나 내려볼까나? 전당에 일러 앞으로 일 년 동안은 놈에게 단 한 냥도 내어주지 말라고 이르게. 제 놈이 그동안 누구 덕에 호의호식하며 살았는지 뼈저리게 깨달을 수 있도록 말이야."

지금까지 이정룡이 수없이 눈 밖에 나는 짓을 했어도 돈줄을 끊은 적은 없다. 오히려 화수분이 따로 없을 만큼 철저하게 방치했었다.

얼핏 벌을 주는 것 같지만 이건 시험이다. 손발을 묶은 다음 그 반응을 지켜보려는 시험. 그래서 이건 기회다. 표왕은 못난 행동만 일삼던 넷째 아들에게서 무언가 변화의 기운을 읽은 것이 틀림없다.

"명대로 하겠습니다. 그리고…… 수향문(水鄕門)에서 다시 매파를 보내왔습니다. 약혼이라도 해두는 것이 어떻겠냐고 말입니다. 병룡이와 청화부인께서도 진작 마음을 정하신 것 같고, 이제는 정식으로 답을 주어야 하지 않겠습니까?"

수향문은 이병룡과 딸을 혼인시켜 주고 싶다며 매파를 보내온 바로 그 문제의 문파다. 그 후 이정룡이 서호에 몸을 던지는 바람에 잠시 이야기가 미루어졌었다.

"수향문주가 몸이 달았군."

"수향문 정도면 그리 나쁜 혼처는 아닙니다. 문주는 인품이 고매하여 흠모하는 무림인들이 많고, 여식 또한 현숙한 데다 용모까지 빼어나기로 정평이 나 있습니다."

"인품이 고매한 것은 돈이 되지 않으며, 흠모하는 무림인들이 많은 것은 돈 나갈 일이 많다는 뜻이지. 그리고 처의 미모는 크게 해로운 법일세."

재력이 있고 나서야 가문도 있다는 것이 평소 표왕의 지론이기는 했다. 그래서 천룡표국은 부(富)와 무(武) 중에서 항상 부에 비중을 두고 성장해 왔다.

하지만 지금의 대답은 어딘지 모르게 궁색하게 느껴졌다. 천룡표국의 재산이 얼마인데 찾아오는 무림인들에게 돈 쓰는 것을 아까워할까.

"혹 사람들이 수군거리는 것 때문에 그러십니까?"

"천하인들이 태산을 말하지만, 태산은 조금도 닳는 법이 없네. 사람들이 뭐라고 지껄이든 내가 신경이나 쓸 것 같은가?"

"하면······."

"묶어놓는다고 다 부부가 되나. 당장 급한 일도 아니니 좀 더 지켜보자고 답신을 보내게."

"수향문주는 거절을 당했다고 여길 것입니다."

"그래서 나더러 그 늙은이의 눈치라도 보라고?"

"최대한 예를 갖춰 답신을 보내겠습니다."

곽석산은 사사롭게는 의형제까지 맺으며 30년 넘게 표왕을 보필했다. 이제는 눈빛만 보고도 그가 무슨 생각을 하는지 안다고 자부할 수 있었다.

표왕에게는 네 명의 아들이 있었다. 전부 다른 어머니를 두었지만 사공자 이정룡의 어머니를 제외하고는 모두가 정식으로 맞이한 부인들이었다. 각자 다른 어머니, 힘 있는 외가들, 엄청난 표국의 재산……. 세 명의 형제들은 처음부터 전쟁을 치를 수밖에 없는 운명을 안고 태어났다. 그리고 운명대로 삼 형제 모두 언젠가 치러야 할 전쟁을 위해 열심히 입지를 다져가고 있었다.

첫째와 둘째는 벌써부터 표국 내에서 자신들을 주군으로 여기는 세력도 만들었다. 셋째는 무림의 친구들을 사귀는 데 많은 힘을 쏟았다. 언젠가 그가 비상하려 할 때 무림의 친구들은 큰 힘이 되어줄 것이다.

한데 넷째는 기루와 도박장을 전전하는 것으로도 모자라 여자 때문에 목숨까지 끊으려 했다. 그것도 형과 혼담이 오가는 여자 때문에. 이러니 아비로서 어찌 화가 나지 않겠는가.

그러나 단지 화가 나기만 한다면 아비라 할 수 있을까? 부모란 그런 것이 아니다.

'어찌 다친 손가락을 다시 깨물랴.'

"아까부터 왜 자꾸 왔다 갔다 하십니까? 신발은 또 왜 그렇게 쳐다보시는 거고요. 똥이라도 묻었습니까?"

장삼이 마당을 쓸다 말고 내게 물었다. 왜 여기까지 와서 하인 노릇을 하고 있는지 모를 정도로 풍채가 좋은 그는 생긴 것과 달리 천성이 순하고 정이 많았다.

"신발이 아니라 다리를 보는 거야."

"다리는 왜요?"

"나 걷는 거 이상하지 않아?"

"어떻게 말입니까?"

"한쪽으로 기우뚱거리지 않냐는 거지."

"평소와 똑같습니다."

"평소와?"

"평소처럼 거만해 보입니다."

"그렇군. 평소와 같군. 흐흐흐."

나도 모르게 웃음이 실실 흘러나온다.

무려 52년을 절룩거리며 걸었다. 그 불편함과 따가운 시선과 서러움을 보통 사람들은 절대로 알 수가 없다.

빗자루를 든 채 나를 게슴츠레 바라보는 장삼의 이마 위에 '저 인간이 미쳤나?'라고 떠오른 글씨가 보이는 듯했다.

아무래도 좋았다. 죽은 줄 알았는데 살아났고, 꽃다운 젊음에, 멀쩡한 두 다리도 가졌으니 나는 이제 더 바랄 것이 없었다.

"오늘이 며칠이냐?"

"시월 열이튿날입니다."

"가을 날씨답게 청명하군."

"날씨도 풍광도 연중 가장 좋을 때죠."

"한 바퀴 할까?"

"또 도박장에 가시려고요?"

장삼이 가자미눈을 떴다. 이정룡이 이 자식이 어떻게 살았는지 다시 한번 상기시켜 주는 대답이었다. 이런 인식들을 하나씩 바꾸어 갈 일이 까마득했다.

"그러지 말고 당분간은 외출을 삼가시죠. 며칠 전 일도 있으려니와 이제는 돈 나올 곳도 없잖습니까?"

"무슨 말이야?"

"조금 전 전당에서 연락이 왔습니다. 앞으로 사공자님께는 표국 내 식당에서 하루 세끼 공짜로 제공하는 것 외에는 그 어떤 지원도 없애라는 국주님의 엄명이 계셨답니다."

천룡표국 사람들은 표왕의 직계 혈족을 일컬어 용혈(龍血)이라 불렀다. 대표적으로 갑·을·병·정의 천간 순서를 따서 이름 지은 이갑룡, 이을룡, 이병룡, 이정룡의 네 아들이 있었다.

전당은 이들 용혈이 입고, 먹고, 쓰는 등 살아가는 데 필요한 모든 경제적 지원을 해주고 관리하는 곳이었다. 한데 그걸 표왕이 막아버린 것이다.

"노인네가 생각보다 쪼잔한 데가 있군."

"이제 어떻게 사실 겁니까?"

"왜, 전당의 지원이 끊어졌다고 굶어 죽기라도 할까 봐?"

"공자님의 미래에 관해 말씀드리는 겁니다. 주제넘게 들리실지 모르겠지만 언제까지 이렇게 지내실 순 없지 않겠습니까?"

"염려 마. 곧 표국 일을 시작할 거야."

"진심입니까?"

"네 말대로 언제까지 이렇게 살 순 없잖아."

장삼이 반색하더니 빗자루까지 내팽개치고는 후다닥 달려왔다.

"그래서 어떤 일을 하시려고요?"

"표사."

"예에?"

"왜, 무슨 문제라도 있어?"

"천룡표국의 표사가 되려면 아무리 하급표사라고 해도 무공이 최소 이류급은 되어야 하는데, 공자님은 무공을 전혀 모르시지 않습니까?"

"내가 그 정도냐?"

"솔직히 말씀드려도 됩니까?"

"해봐."

"저도 공자님과 싸워 이길 자신이 있습니다."

"……."

"……."

"휴우, 누굴 탓하겠니. 수련을 게을리한 내가 등신이지. 아무튼, 천룡표국의 표사라고 전부 무공을 익혀야 하는 건 아냐. 예외도 있어."

"혹시 사공자라는 신분을 이용해 한자리 꿰찰 생각입니까? 국주님께서 절대 허락하지 않으실걸요."

"허락하실걸. 오랜 관례니까. 거인표사라고 들어봤어?"

거인(擧人)이란 향시에 합격한 유생들을 일컫는 말이다.

오래전부터 천룡표국은 가난한 유생들을 후원한다는 명목하에 거인들을 고용하고 표사의 직급을 주었다.

이들은 무공을 몰랐기에 실제로 표행에 동참하는 경우는 드물었다. 대신 짬짬이 장궤(회계) 일을 돕거나 까막눈의 쟁자수들에게 글을 가르치는 등의 소일을 하면서 글공부에 매진했다. 그러다 훗날 운 좋게도 상급시험인 회시에 합격하여 지방 수령으로 발령이 나기라도 한다면, 항상 관의 눈치를 보아야 하는 표국 입장에서는 그야말로 든든한 뒷배가 생기는 것이다.

"설마…… 향시를 볼 생각입니까?"

"당연하지."

"언제요?"

"시월 열이튿날."

"오늘이잖아요."

"냉큼 채비해. 다른 유생들보다 좋은 자리를 잡으려면 오전 중에 도착해야 하니까. 그전에 잠시 들를 곳도 있고."

항주하고도 동쪽, 경항대운하를 옆에 끼고 세워진 천룡표국은 무려 십만 평의 대지를 자랑했다. 상주하는 인원은 일천여 명, 하루에만도 수십 대의 마차가 표행을 떠나고 돌아오는 천룡표국은 절강성에서 가장 큰 부호인 동시에 패자로 군림하는 무림세력이었다.

금력과 무력을 양손에 나눠 쥔 몇 안 되는 무림세가. 나는 바로 그 천룡표국의 장원을 가로질러 걷고 있었다.

사람들은 표물을 분류하거나, 마차에 싣거나, 말을 돌보거나 하는 등의 일로 분주했다. 그 와중에도 나를 발견한 사람들이 수군거리기 시작했다.

"서호에 뛰어들었다더니 멀쩡하네."

"셋째 형수가 될 여자를 짝사랑했다지?"

"낯짝도 두꺼워라. 나 같으면 한 달은 부끄러워서 못 나올 것 같구만."

"보나 마나 또 도박장에 가는 거겠지."

"도박 중독이 무섭긴 무섭군."

나는 복룡당(福龍堂)이라는 간판 아래에서 걸음을 멈추었다. 조금 전까지 신나게 씹어대던 사람들이 움찔 놀라더니 갑자기 열심히 일하는 척을 했다.

'예정대로라면 여기 있어야 하는데……'

지나가다 우연히 들른 것이 아니다. 전생의 나는 천룡표국으로 들어오고 난 후 한동안 이곳 복룡당 소속으로 지냈다. 만약 또 다른 내가 여기서 일을 하고 있다면…… 벌써부터 무섭고 떨렸다.

"여기 책임자가 누구요?"

"접니다만."

얼굴에 칼자국을 두 줄이나 새긴 장한이 창고에서 어슬렁거리며 나타났다. 두 손을 가운데로 모으고 허리까지 숙이며 굽실굽실하지만 삐딱하게 올려보는 눈이 영 불순하다. 나는 이자를 잘 알고 있었다.

"이름이 무엇이오?"

"고중태입니다만."

"직책은?"

"상자수입니다만."

상자수는 쟁자수들 중에서 가장 경험 많고 노련한 우두머리를 말한다. 전생의 내가 바로 저 상자수를 하다가 도적들이 휘두른 칼에 맞아 죽었다.

"한데 무슨 볼일이라도⋯⋯?"

"1년쯤 전에 들어온 쟁자수를 찾고 있소. 이름은 조연생이라 하고, 나이는 스무 살쯤. 특징으로는 왼쪽 다리를 조금 절며 얼굴은 평범하게 생겼소."

"허허허."

"왜 웃는 거요?"

"아닙니다. 아무것도."

고중태는 뒤를 돌아보더니 구경하고 있는 쟁자수들을 향해 큰 소리로 물었다.

"여기 누구 절름발이 조연생이라고 아는 사람 있어?"

모두 대답은 하지 않고 실실 웃기 바빴다. 고중태가 다시 날 돌아보며 말했다.

"없는 것 같습니다만."

"없으면 없지, 왜 다들 웃는 것이오?"

"언짢으셨다면 사과드립니다. 버르장머리 없는 쟁자수 놈들은 제가 따로 단단히 교육을 해놓도록 하겠습니다."

"내 말은 그런 뜻이 아니고⋯⋯."

"한데⋯⋯."

"⋯⋯?"

"공자님께서는 표국 일을 너무 모르시는 것 같습니다. 쟁자수 일이 간단해 보여도 짧게는 며칠에서 길게는 한 달씩 걷는 경우가 허다하니다. 애초부터 다리 병신을 뽑을 리가 없지 않겠습니까?"

"특별한 재주를 가진 자는 예외로 한다고 들었소. 그는 글을 많이 알아서 여러모로 쓸모가 있을 것이오."

"글공부를 많이 했어도 병신은 병신이지요."

"……!"

전생에서 사람들이 날 어떤 시선으로 보았는지 다시 한번 깨닫게 된다. 면전에서도 좋은 소리는 안 했는데, 안 보는 데선 지금처럼 더 모욕적인 말들을 지껄였을 것이다.

어쨌든 또 다른 나는 없는 것 같다. 그걸로 충분했다. 고중태와 쟁자수들의 태도는 괘씸하지만, 이렇게 새로운 사람으로 다시 태어났으니 지난 일은 빨리 잊는 게 좋다.

"혹시 그자에게 판돈을 빌려주셨습니까?"

돌아서 가려는 나를 고중태가 붙잡았다.

"그자가 자신을 천룡표국 복룡당 소속 쟁자수라고 하던가요? 그래서 공자님께선 믿고 빌려주셨고요. 다음부턴 속지 마십시오. 그거 사기꾼들이 가장 흔하게 쓰는 수법입니다."

여기저기서 쟁자수들이 터져 나오려는 웃음을 참느라 얼굴이 시뻘게졌다.

나는 살짝 어처구니가 없었다. 나를 얼마나 만만하게 보았으면 구태여 돌아가려는 사람을 붙잡고 저런 조롱을 할까? 이게 다 제 놈들이 속한 복룡당의 당주이자 이공자인 이을룡이 평소 이정룡을 개뼈다귀처럼 여겼기 때문이다. 나는 죽은 이정룡에게서 나를 보았다.

"이런 씨발놈들이……."

나도 모르게 전생에서 닳고 닳은 쉰두 살 욕쟁이 상자수의 평소 말
버릇이 그대로 나오고 말았다.

어린 내게서 느닷없이 쌍욕을 얻어먹은 쟁자수들의 얼굴이 시뻘게
졌다. 고중태는 눈에 살기까지 돌았다.

"뭐라고요……?"

"예?"

"방금 저희더러……."

"뭐가요?"

나는 시치미를 뚝 뗐다. 고중태와 쟁자수들은 어금니까지 빠드득 갈
았다. 내가 안 했다는데 지들이 어쩔 건가.

그때 주변에서 표행을 준비 중인 다섯 대의 마차가 내 눈에 들어왔
다. 순간, 머릿속에 떠오른 기억이 있었다.

"어디로 가는 표행이오?"

"그건 왜 물으시는 겁니까?"

"좀 물어보면 안 되오?"

"복건성 남평으로 갑니다."

"표물의 종류는?"

"말씀드려도 잘 모르실 겁니다."

"거참, 더럽게 말 많네."

이건 실수가 아니다. 일부러 그런 거다. 나도 모르게 또 쌍욕이 나갈
지 모르니 사람들 앞에서 개망신당하기 싫으면 자꾸 토 달지 말고 순
순히 대답하라는 암시. 고중태의 눈꼬리가 파르르 떨렸다.

'그러게 왜 가만있는 사람을 건드려?'

전생에서 거친 쟁자수들과 밥 먹듯이 싸워가며 30년을 버틴 나였다. 고중태 같은 애송이 상자수 따위는 점심 반찬거리도 안 되었다.

"여우 가죽입니다."

맞다. 그때 그 표물이다. 오늘 떠나는 이 표행으로 천룡표국은 큰 손실을 보게 된다. 30년 전의 일인데도 마치 어제 일처럼 선명하게 떠올랐다. 아무래도 실제 그 시절로 돌아왔기 때문인 것 같았다.

"여우 가죽이 확실하오?"

"표국에서 잔뼈가 굵은 접니다. 아무렴 여우 가죽을 모르겠습니까?"

"내 생각엔 여우 털인 것 같은데."

"예에? 하하하!"

그가 동조를 구하듯 주변 사람들을 돌아보며 과장스러운 동작으로 한바탕 웃어젖혔다. 그러자 다른 쟁자수들이 금제라도 풀린 듯 함께 소리 내어 웃기 시작했다.

"공자님께서 오해를 하셨군요. 여우 털과 여우 가죽은 본시 같은 말입니다. 여우 가죽엔 당연히 털이 있으니까요."

이 새끼들이 조자룡 앞에서 작대기를 휘두르고 자빠졌네. 오냐. 내가 30년 경력의 진짜 상자수다. 오늘 교육 한번 제대로 시켜주마.

그때쯤엔 주변이 오십여 명에 달하는 사람들로 가득 찼다. 사공자가 장원을 거닐다 말고 갑자기 표행단을 붙잡아 시비를 거니 여기저기서 구경을 하러 온 탓이다. 이런 일은 난생처음이었으니까.

그중에 쉰 살가량의 장년인이 앞으로 나오더니 내게 공손하게 포권지례를 해왔다.

"사공자님, 나오셨습니까?"

"누구신지⋯⋯."

"장궤 전립성이라고 합니다."

장궤(掌櫃)란 본시 돈 궤짝을 지키는 사람이라는 뜻으로, 표국에서는 표물의 가치를 감별하고 비용을 책정하는 등, 표행 전반에 걸친 일들을 관리 기록하는 회계 담당자들을 말한다.

나는 하마터면 눈물을 왈칵 쏟을 뻔했다. 전립성은 쟁자수가 되겠다고 찾아왔을 때 모두의 반대를 무릅쓰고 날 고용해 준 사람이었다. 나는 그에게서 표국 일을 하나부터 열까지 배웠고 30년을 버틸 수 있었다.

내가 마흔 살 때쯤이었나? 전립성은 한 달을 시름시름 앓다가 일흔살의 나이로 세상을 떠났다. 이미 죽은 그를 이렇게 다시 보니 감개가 무량했다.

"알고 보니 전립성 장궤님이셨군요. 명성은 익히 들었습니다. 표국의 체계 안에 있지도 않은 제가 갑자기 이렇게 나타나 시비를 일으켜 송구스럽게 생각합니다."

"천룡표국은 대대로 이씨가문의 것이고, 공자님께서는 바로 그 가문의 직계 혈족이십니다. 비록 표국의 체계 안에 있지 않아도 잘못을 보면 충분히 문제 삼으실 수 있다고 생각합니다. 너무 개의치 마십시오."

"그리 말씀해 주시니 편하게 얘기하겠습니다. 본시 표물을 확인하고 점검하는 건 장궤들의 일이라고 들었습니다. 전 장궤께서는 이 표물들 전부 확인하셨습니까?"

"다른 신참 장궤가 확인하였습니다만, 그 장궤 역시 저의 책임 아래 있으니 제게 말씀하시면 됩니다."

"전 장궤께선 표물이 무엇인지 아십니까?"

"물론입니다."

"무엇입니까?"

"여우의 가죽입니다."

"여우 가죽입니까? 여우 털입니까?"

순간 전립성은 약간 놀라는 표정을 지었다. 마치 그걸 구별해서 말해야 한다는 걸 당신이 어떻게 아느냐는 듯.

그러나 사정을 모르는 주변 사람들은 여전히 조소를 띠었다.

"그렇게 물으신다면 여우 털입니다."

구경하는 사람들의 얼굴이 뜨악해졌다. 놀라지 않는 사람은 마흔 중반 이상의 늙다리 쟁자수 두어 명뿐이었다.

"어째서 그렇습니까?"

"저 표상(鏢箱-표물을 넣은 상자)에 든 물건은 요동으로부터 사흘 전에 도착한 흰여우의 겨드랑이 털가죽입니다. 강남의 부호들이 바로 이 털로 만든 호백구(狐白裘-모피 옷)를 좋아하는데 그야말로 부르는 게 값입니다. 해서 날씨가 쌀쌀해지는 이맘때면 호백구를 운송해 달라는 의뢰가 빗발치지요."

"말씀인즉슨 흰여우의 모피라는 뜻인데, 표국에서 흰여우의 모피를 구태여 다른 가죽과 구분하여 부르는 이유는 무엇입니까?"

"일반 가죽과 털이 달린 흰여우의 모피는 운송하는 방법이 다르기 때문입니다. 일반 가죽을 담은 표상은 적당량의 마른 지푸라기만 넣어 준 후 유지(油紙-기름종이)를 빈틈없이 발라 방수를 최우선으로 해야 하나, 모피를 담은 표상은 유포(油布-기름 천)를 발라 방수 처리를 하는 와중에도 반드시 바람이 솔솔 통하게 해야 합니다. 해서 일반 가죽과 흰여우의 모피는 품목 번호도 달리하지요."

"그렇게 하지 않으면 어떻게 됩니까?"

"여정이 길면 모근에 벌레가 생겨 털이 빠지거나 악취가 납니다. 따뜻한 남쪽으로 표행을 갈 때는 더더욱 조심해야 하고요."

"이를테면 복건성 같은 곳 말이지요?"

"그렇습니다."

"다시 묻겠습니다. 전 장궤께서는 이 표물들의 포장 상태까지도 최종 점검을 하셨습니까?"

내가 여기까지 말을 했을 때 노련한 전립성은 돌아가는 상황을 눈치챈 것 같았다. 그는 얼른 마차에 올라가더니 비와 햇빛을 막기 위해 1차로 덮어놓은 거적들을 확 젖혔다. 그러자 유지를 바른 나무상자들이 잔뜩 모습을 드러냈다.

전립성의 눈이 허옇게 뒤집혔다. 그는 다른 마차들도 전부 올라가 표상을 확인하고는 뭐라 말할 수 없을 만큼 얼굴이 일그러졌다.

마차에서 훌쩍 뛰어내린 전립성이 고중태에게 위협적으로 다가가 물었다.

"언제부터 포장을 바꾸었더냐?"

"오, 오늘이 처음입니다."

"한 번만 더 물을 테니 잘 생각해서 대답하거라. 그 대답 여하에 따라 네놈 목숨이 달려 있은즉. 언제부터 포장을 바꾸었더냐?"

표국에서 장궤 일만 30년 넘게 한 전립성이었다. 상대를 꿰뚫어 보는 듯한 그의 눈길에 고중태는 결국 체념한 듯 말했다.

"보름쯤…… 되었습니다."

"어느 선까지 연관되어 있느냐?"

"예?"

"보름 동안 이곳 복룡당에서 운송한 호백구만 마차로 정확히 일흔 아홉 대다. 이걸 고작 상자수에 불과한 네놈 선에서 독단적으로 했을 리 없을 터, 어느 선까지 연관되어 있냐고 묻는 것이다."

유지와 유포는 가격 차이가 스무 배 정도 난다. 물론 유포가 더 비싸다. 종이를 만드는 데 드는 품과 베를 짜는 데 드는 품을 생각해 보면 쉽게 이해가 된다.

그런데 만약 유포를 발라야 할 곳에 유지를 발랐다면? 중간에서 누군가 해먹은 놈이 있는 것이다. 비싼 유포를 빼돌려 다른 곳에 팔아넘겼다거나 하는. 그런데 이걸 고작 상자수에 불과한 고중태가 혼자서 해먹었을까?

"그건……."

그때였다. 구경꾼들 틈에서 갑자기 시커먼 그림자 하나가 날아들더니 고중태의 면상을 가격했다.

퍽! 소리와 함께 나자빠진 고중태를 그림자가 다시 무차별적으로 짓밟기 시작했다.

퍽! 퍽! 퍽! 퍽!

"이런 쳐 죽일 놈의 새끼! 기껏 상자수를 시켜주었더니 장난질을 쳐? 복룡당 얼굴에 먹칠을 해도 유분수지. 배은망덕한 새끼!"

내공 실린 발길질 대여섯 번에 고중태는 피투성이가 되더니 정신까지 잃어버렸다. 그야말로 눈 깜짝할 사이에 벌어진 일이었다.

난데없이 나타나 고중태를 때려눕힌 사내는 어디 멀리 여행이라도 떠나는지 죽립과 경장 차림에 허리에는 대도를 찬 중년인이었다. 왼쪽 귓불에서 시작해 턱밑으로 길게 가른 칼자국이 보기만 해도 섬뜩했다.

사내로부터 조금 떨어진 곳에는 함께 온 것으로 짐작되는 칼잡이들이 대여섯 명 정도 더 있었다. 모두 사내와 마찬가지로 경장 차림에 도검으로 무장한 상태였다.

사내는 이어 고중태와 함께 일하던 쟁자수들을 쓸어 보며 외쳐 물었다.

"네놈들도 한통속이렷다?"

치켜뜬 눈깔 사이로 서늘한 살기가 쏟아져 나왔다. 사람 죽이기를 예사로 하는 무인들만이 낼 수 있는 진짜 살기였다.

하지만 내 눈에는 쟁자수들을 겁주어 입막음하려는 것으로밖에 안 보였다. 함부로 입을 놀렸다간 고중태처럼 될 것이라는 경고.

쟁자수들이 일제히 무릎을 꿇으며 외쳤다.

"살려주십시오. 장 표두님!"

"살려주십시오. 장 표두님!"

"닥쳐라. 이놈들. 내 결코 이번에는 그냥 넘어가지 않을 것이다. 일단 네놈들은 전부 이번 표행에서 빠진다."

모르긴 몰라도 저 쟁자수들은 앞으로 몇 달은 표행을 맡기 어려울 것이다. 표행을 맡지 못하면 월급도 반 토막으로 줄어든다. 집에 먹여 살려야 할 처자식이라도 있다면 문제가 더 심각해질 수도 있다.

장 표두라 불린 자는 표사들에게 일러 나머지 일들을 수습하도록 했다. 그러고는 사공자인 나를 보고도 말없이 지나치더니 전립성에게 다가가 더없이 공손한 자세로 말했다.

"죄송합니다. 전 장궤님."

"포장을 전부 바꾸고 표행단을 다시 꾸려오기 전까지 출표 승인을 보류하겠소. 더불어 나 역시 이번 일을 결코 그냥 넘어가지 않을 것임을 알아두시오."

표사와 쟁자수들을 차출해 표행단을 꾸리는 건 표두의 권한이지만 마지막 점검 후 표행을 떠나도 좋다는 승인을 하는 것은 장궤들의 권한이었다.

"이를 말씀입니까? 경력도 오래되고, 무엇보다 쟁자수들을 잘 다루는 자인지라 믿고 맡겼는데 이리 뒤통수를 칠 줄은 몰랐습니다."

"뒤통수는 상자수가 맞은 것 같은데."

나는 일부러 큰 소리로 중얼거렸다. 이렇게까지 했는데도 모른 척한다면 그야말로 막가자는 거다.

장 표두라 불린 자가 뒤늦게 나를 돌아보며 아는 체를 해왔다.

"인사가 늦었습니다. 사공자님을 뵙습니다."

"나는 누구를 뵙는 것이오?"

"복룡당 소속 표두 장량기입니다."

"귀하가 이번 표행의 책임자이시오?"

"그렇습니다."

"옛말에 이르길 바람 불 때 불 지르고 깜깜한 밤에 살인하라고 했소. 일을 도모하려면 때와 기회를 살펴 가장 적절한 때에 크게 한탕 하고 빠져야 하는 뜻이지. 그러지 않고 푼돈 욕심에 계속 빼먹으려 드니 나 같은 얼치기한테 들키고 그러는 것이오."

"공자님, 무언가 오해가 있으신 것 같은데……."

"……라고 고중태가 깨어나면 전해주시오."

"……!"

"왜, 더 할 말이 있소?"

"아닙니다."

시뻘게진 얼굴에서 뭐라 말할 수 없는 분노가 느껴졌다. 사공자라는 신분만 아니면 한주먹거리도 안 되는 내가 개망신을 주었으니 지금쯤 속이 부글부글 끓어오를 것이다.

장량기는 내게 두 손을 맞잡아 가슴까지 올리는 강호의 인사법, 이른바 포권지례를 한 후 돌아섰다. 함께 왔던 표사들도 그의 뒤를 따라 사라졌다.

곳곳에서 사람들이 웅성거리기 시작했다. 호구 등신에 표국 일이라곤 눈곱만큼도 몰랐던 내가 갑자기 노련한 상자수를 묵사발로 만들고도 모자라 표두 장량기까지 쩔쩔매게 했으니 어안이 벙벙한 것이다.

몇몇 사람들은 조용히 빠져나가 어디론가 사라지기도 했다. 모두 각자의 상관에게 보고하러 가는 거다. 그 상관의 상관의 상관을 따라가다 보면 국주가 나오고, 일공자가 나오고, 이공자가 나오고, 삼공자가 나온다.

표국 내에서 일어나는 모든 일상적이지 않은 일들은 각자의 정보망을 통해 그들에게 보고가 된다. 누가 더 빨리 듣느냐, 누가 더 자세하게 듣느냐의 차이만 있을 뿐.

전립성이 내게 말했다.

"이번 일에는 신참 장궤들도 몇 명 연관이 되어 있는 듯합니다. 일단 목전의 일을 수습한 후 집법당에 고해 철저한 조사와 함께 징계를 받도록 조치하겠습니다. 관리 감독을 제대로 못 한 저도 물론이고요."

"이만한 일로 무슨 집법당까지나. 저 그렇게 고지식한 사람 아닙니다…… 라고 하기에는 본 사람이 좀 많긴 하군요."

잠깐 사이에 구경꾼은 백여 명으로 늘어나 있었다. 대부분 쟁자수들이었지만, 칼 찬 표사나 장궤들도 심심치 않게 보였다.

칼 찬 표사들은 가슴에 칼을 품은 채 호기심 어린 표정으로 이쪽을 보았고, 장궤들은 늦게 나타난 탓에 주변의 쟁자수들에게 무슨 일이 일어났는지를 듣고는 입이 쩍쩍 벌어졌다.

"그건 그렇고, 최근 1~2년 사이에 들어온 쟁자수들 중에 20대 초반의 절름발이가 있습니까? 이름은 조연생이라고 합니다만."

나는 혹시나 해서 다시 한번 물어보았다. 다른 사람들은 몰라도 전립성이라면 확실하게 알 것이다. 바로 그가 나를 채용해 주었으니까.

"일하는 중에 절름발이가 된 경우는 있어도, 처음부터 절름발이를 뽑는 경우는 특별한 재주가 있지 않고서는 매우 드문 일입니다. 더구나 최근 1~2년 사이에는 확실히 없습니다. 조연생이라는 이름도 처음 들어보고요."

이 정도면 확실히 안심해도 되겠다.

"한데 어찌 그러시는지요?"

"아는 사람의 먼 친척이 우리 표국으로 들어오고 싶대서 왔는지 한번 물어본 겁니다. 한데 안 왔나 보군요. 혹시라도 방금 말한 사람이 나타나거든 합격을 시키고 제게 귀띔 좀 해주시겠습니까?"

"합격시켜 준다는 장담은 할 수 없습니다. 하지만 그런 자가 나타나면 공자님께 꼭 말씀드리도록 하겠습니다."

"섭섭하군요. 고작 쟁자수 하나 꽂아주는 게 무슨 그리 어려운 일이라고 사람들이 보는 앞에서 이리 망신을 주시다니. 전 장궤께서도 제가 그리 만만해 보이십니까?"

"그것이 아니오라……."

"하하하. 농담입니다. 농담."

"……!"

당황하는 전립성을 보자 배꼽이 빠질 것 같았다. 전생에서 표국 일을 배울 때 그의 호찌검에 눈물 콧물 쏙 빠진 게 한두 번이 아니었다. 그러나 항상 마음으로 굴복하고 존경했다. 그는 단 한 번도 사적인 감정으로 나를 괴롭힌 적이 없었다.

"한 가지 여쭈어도 되겠습니까?"

이번엔 전립성이 내게 물었다.

"말씀하십시오."

"상자수가 포장을 바꾼 걸 어찌 아셨는지요?"

순간, 주변의 웅성거리는 소리가 뚝 그치며 모든 사람의 시선이 일제히 내 입을 향했다. 자신들도 궁금해하는 걸 전립성이 때마침 물어주었기 때문이다.

어떻게 알긴, 전생에서 고중태 놈이 저렇게 해먹다 사고가 나서 표국이 크게 손해를 봤기 때문에 알지.

"냄새로 알았습니다."

"냄새로요?"

"유포와 달리 종이에 기름을 바르면 고소한 냄새가 나지 않습니까? 보통 한 달쯤 후에는 사라지는데 아직 남아 있는 걸 보면 만든 지

얼마 안 된 유지인 것 같습니다."

내 말이 끝나자마자 군중 속 몇 곳에서 '아아'하는 탄성이 자그맣게 흘러나왔다. 주로 늙은 쟁자수들이 있는 곳이었다.

그러자 주변에 있는 쟁자수와 표사 그리고 장궤들이 정말 그렇냐고 늙은 쟁자수들에게 물었고, 늙은 쟁자수들이 과연 그렇다고 하자 다시 한번 약간의 시간 차를 두고 '아아'하는 소리가 흘러나왔다. 그러고는 너도나도 마차 주변의 냄새를 맡느라 코를 킁킁대기 시작했다.

나는 속으로 웃었다.

왜인지 모르지만 기름을 광목천에 바르는 것과 달리 종이에 바르면 살짝 고소한 냄새가 나기는 한다. 하지만 그건 코를 아주 가까이 가져다 대야 비로소 맡을 수준이지, 이렇게 길 가다 갑자기 알아차릴 정도는 아니었다.

"그나저나 저한테 빚을 한번 지신 겁니다."

나는 전립성을 향해 마지막으로 의미심장한 한마디를 던지고는 홀연히 인파 속을 걸어갔다. 사람들이 썰물처럼 갈라지며 길을 터주었다.

다시 수군거리는 소리가 들려왔다.

"헛소리들 말고 모두 자리로 돌아가라. 오늘 표행을 떠나는 마차들 전부 내가 직접 검수할 것인즉!"

전립성의 일갈에 쟁자수들이 날벼락 맞은 개떼처럼 흩어졌다.

장원을 나온 나는 장삼과 함께 서호를 따라 난 길을 걸었다. 배가 한

가롭게 떠 있는 호수와 길가에 줄지어 늘어선 수양버들이 그렇게 아름
다워 보일 수가 없었다.

"아침을 안 먹고 나왔더니 배가 출출하네."

"그러게요. 크크크."

"이럴 줄 알았으면 뭐라도 좀 먹고 나올걸."

"이를 말씀입니까. 크크크."

"이게 그렇게 웃긴 말이냐?"

"너무 통쾌해서요."

"뭐가?"

"아까 말입니다. 장 표두가 고중태의 싸대기를 날라 칠 때 대가리가
팍팍 돌아가는 거 보셨습니까? 십 년 묵은 체증이 한 방에 내려가는
것 같았습니다. 시건방진 쟁자수들이 무릎을 꿇고 살려달라 애원할 때
는 또 어떻고요."

"그게 그렇게 시원했어?"

"시원하다마다요. 종놈 팔자는 주인 따라간다고. 그동안 제가 쟁자
수들에게 얼마나 수모를 당하고 살았는지 공자님은 상상도 못 하실 겁
니다."

"뭘 그 정도까지나……."

전생에서 쟁자수였던 나는 살짝 동의하기 어려웠다. 우선 나부터만
해도 이정룡이나 장삼을 괴롭힌 기억이 전혀 없기 때문이다. 밑바닥 인
생이긴 쟁자수가 더한데 괴롭힐 깜냥이나 되냐 말이다.

"공자님은 그래도 신분이 있기 때문에 쟁자수 놈들이 면전에서 대놓
고 면박을 주진 못하죠. 하지만 저에게는 차마 입에도 담지 못할 욕을

해댑니다. 저잣거리에서 오다가다 만나면 으슥한 골목으로 끌고 가 돈을 빼앗은 적도 한두 번이 아니고요."

"돈까지 빼앗았다고?"

"제가 왜 거짓말을 하겠습니까?"

쟁자수 일이 워낙 고되고 험하다 보니 밑바닥 인생들이 주로 모이긴 한다. 그러다 보니 욕질에 싸움질에 크고 작은 범죄까지. 온갖 말썽이란 말썽은 다 일어난다. 나는 그런 인간들 속에서 무려 30년을 살았고.

"걱정하지 마라. 앞으로는 그들이 네 눈치를 볼 테니."

"정말 그런 날이 올까요?"

"속고만 살았어?"

"정말 옛날 어른들 말씀이 틀린 게 하나도 없군요. 사람이 죽을 고비를 넘기고 나면 싹 바뀐다고 하더니, 지금 공자님이 그렇습니다."

"어떻게 달라졌는데."

"솔직히 말씀드려도 됩니까?"

"언제나 항상."

"좀…… 뻔뻔해지셨달까? 사람들이 수군거리는 것도 전혀 신경 쓰지 않으시고요."

나는 살짝 입맛을 다신 후 물었다.

"그래서 싫어?"

"천만의 말씀을요. 딱 지금처럼만 사셨으면 좋겠습니다. 소인을 심부름 보낸 후 공자님께서 서호에 몸을 던지셨을 때는 정말 하늘이 무너지는 것 같았습니다."

나는 진짜 이정룡이 아니었기에 장삼과 이렇게 오래 함께 있거나 대화를 해본 적이 없다. 아무래도 두 사람 사이에 다른 사람들은 모르는 무언가 깊은 정이 있는 것 같았다.

"너도 뻔뻔해져라. 그래야 편하다."

"공자님."

"응."

"이런 말씀 드리긴 좀 그렇지만, 뭔가 오해를 하시는 것 같아서요. 저는 전혀 부끄럽지 않습니다. 여자 때문에 목숨을 끊으려고 했던 건 공자님이시지 제가 아니니까요. 다만 조금 불편할 뿐."

순간, 무언가 '욱!' 하고 올라오는 것 같았다. 하지만 내 입으로 한 말이 있다 보니 터져 나오려는 화를 꿀꺽 삼킬 수밖에 없었다.

"그건 그렇고. 내 얼굴에 뭐 묻었니?"

"왜요?"

"아까부터 젊은 여자들이 나를 힐끔거려."

"그게 어쨌는데요?"

"혹시 알아본 걸까?"

"뭐를요?"

"내가 이정룡이라는 거 말이야. 그럼 서호에 뛰어들어 죽으려고 했다는 것도 알 테고. 그래서 힐끔거리는 건가? 아, 이건 좀 민망하긴 하네."

"전혀 민망하신 표정이 아닌데요. 그리고 공자님 이름은 알아도 얼굴까지 아는 사람은 의외로 많지 않습니다. 유흥가에서도 자주 가는 기루나 도박판에서나 알아볼까."

"그런데 왜 자꾸 힐끔거리지?"

"나 참, 처음도 아닌데 새삼스레 왜 그러실까?"

순간 나는 장삼이 하는 말뜻을 알아차렸다. 전생에서 내가 이정룡을 보았을 때도 느꼈던 감정과 비슷하지 않을까?

'잘생긴 얼굴로 살아간다는 게 이런 거구나.'

두 다리가 멀쩡한 것만으로도 감사한데, 이렇게 잘생긴 얼굴까지 덤으로. 정말 나는 이제 더 바라는 것이 없었다. 딱 한 가지. 표사가 되는 것만 빼고.

"다 왔습니다. 공자님."

걸음을 멈춘 곳에는 높다란 담장을 성벽처럼 거느린 대문이 나타났다. 향시가 치러지는 항주부 관아였다. 대문은 포졸들이 지키는 가운데 굳게 닫혀 있었는데, 이른 아침이라 그런지 유생들도 아직은 많이 모이지 않은 상태였다.

"진짜 향시를 보실 겁니까?"

"뭐야, 그 말투는."

"어차피 되지도 않을 일에 힘을 쓰시니 그렇지요. 10년 만에 처음 표국 일을 배우겠다고 하셔서 좋아라 했더니만, 뜬금없이 거인표사라니⋯⋯."

"아주 확신을 한다?"

"당연하죠. 항주부에서 치르는 향시라면 만 명은 족히 모일 겁니다. 모두 청운의 꿈을 안고 평생 글공부에만 매진한 유생들이지요. 하지만 공자님은 평생을 기루와 도박에 매진⋯⋯ 죄송합니다."

"보퉁이 이리 줘."

"예."

전생에서 천룡표국에 처음 들어갔을 때의 일이었다. 불편한 다리는 쟁자수가 되고 난 후에도 계속 문제가 됐다.

큰돈을 만지려면 반드시 위험과 고통이 따르는 표행에 뽑혀야 한다. 한데 처음 몇 년 동안은 어떤 표두들도 나를 데려가려 하지 않았다.

쟁자수라고 해서 전부가 짐을 등에 짊어지고 가지는 않는다. 말을 기가 막히게 부리는 자는 마부석에 앉아가고, 번견(番犬)들을 잘 다루는 자들은 번견들을 끌고 간다. 심지어 복잡한 산길을 갈 때는 잘 걷지도 못하지만 그 길을 손바닥처럼 꿰고 있는 칠순의 쟁자수를 당나귀에 태워서 가기도 한다.

나는 길 가는 사람 열에 아홉은 까막눈인 세상에서 드물게 글을 많이 알아서 쟁자수로 채용이 되었다. 하지만 내 재주는 표국 내에서는 종횡무진 활약했으나 표행 중에는 별로 쓸모가 없었다.

그러다 우연한 기회에 전립성의 소개로 남는 시간을 이용하여 서점의 필사 일을 돕게 됐다. 다행히 글공부는 어린 시절 신동이라는 소리까지 들어가며 꽤 했고, 명필까지는 아니어도 나름 세필로 병아리 발자국만 한 작은 글씨들을 깔끔하게 잘 썼다.

별의별 책들을 다 필사했지만, 그중에서도 가장 많이 한 건 과거시험에서 장원급제한 사람들의 답문이었다.

특히 과거시험을 보는 철이 되면 그 수요가 폭증했는데, 그때 필사한 글들만 족히 수천 장은 될 것이다. 당연히 나는 올해 장원급제한 놈이 쓴 답문을 정확히 외우고 있었다.

참고로 그놈은 원래 똥구멍이 찢어지도록 가난한 유생이었다. 그리고 젊고 예쁜 마누라가 일해서 번 돈으로 먹고살며 무려 아홉 번을 도전한 끝에 기어이 장원급제를 한다.

이 아름다운 사연과 달리 놈은 벼슬길에 오르자마자 전무후무한 탐관오리가 되어 마누라와 함께 백성들의 고혈을 죽을 때까지 빨아 처먹는다. 그놈 때문에 파탄 난 집안이 한둘이 아니요, 억울하게 끌려가 치도곤을 당하다 죽은 목숨 또한 한둘이 아니다.

워낙 유명한 놈인지라 아직도 이름이 기억난다. 양군벽이라고.

"정 죄송하면 내가 시키는 일이나 한 가지 해."

"그게 뭔데요?"

"지금부터 주변을 열심히 돌아다니며 서른 중반쯤 되는 나이에 하관이 뾰족하고 왼쪽 눈 밑에 손톱만 한 흑점이 있는 유생을 찾아. 그리고 나는 소주에서 왔는데 귀하가 창촌 시장에서 생선을 파는 유 씨의 남편 양군벽이냐고 물어."

"양군벽이 누군데요?"

"누군지는 알 것 없고 무조건 물어. 그리고 맞다고 하면 세상 불쌍하다는 표정으로 이렇게 말해. '당신 부인이 푸줏간 방 씨와 야반도주를 했다는 소문이 저자에 파다합디다'라고."

"예?"

"그러곤 더는 말을 섞지 말고 가버려. 만약 쫓아오면서 물어보면 그대로 도망치고. 애가 타서 미치도록 말이야."

3장
반점에서 만나다

"왜 벌써 나오십니까?"

"답문지를 낸 사람은 나가도 된다고 하더라고."

"벌써 쓰고 내셨다고요?"

"그렇다니까."

"너무 빠른 거 아닙니까?"

"오래 앉아 있는다고 없는 수가 생기나."

"그건 그렇죠. 보퉁이 이리 주십시오."

장삼은 알 만하다는 듯 더 묻지 않았다.

"양군벽은 찾았어?"

"시간이 좀 걸리긴 했지만 찾았습니다."

"시키는 대로 했고?"

"했죠."

"그랬더니 뭐래?"

"살다 살다 그렇게 희한하고 창의적인 욕은 처음 들어봤습니다. 내 그럴 줄 알았다는 말로 시작해 별의별 짐승을 다 소환하더니 꽁지가 빠지라 달려가더군요."

"수고했다."

"이래도 괜찮은 겁니까?"

"뭐가?"

"그거 순 거짓말이잖아요."

"거짓말 안 하고 사는 사람도 있어?"

"말 한마디가 한 사람의 인생을 바꿔놓을 수도 있습니다. 만약 공자님과 제가 멀쩡한 한 가정을 파탄 낸 것이라면······."

"후후. 염려 마라. 오늘 거짓말 한 번에 네가 구한 목숨이 앞으로 30년 동안 서른 명은 될 테니까. 부처님께서 말씀하시길 한 사람을 구하는 것이 절 하나를 짓는 것보다 낫다고 하셨다. 너는 성불할 거야."

"당최 무슨 말씀이신지."

장삼은 고개를 절레절레 흔들었다. 그러다 뭔가 생각난 듯 다시 물었다.

"그나저나 시험은 정말 잘 보셨습니까? 포쾌들이 하는 말을 들으니 올해는 유생들이 유난히 많아서 고사장을 일곱 군데로 나눠서 치렀다고 합니다."

"잘 보면 뭐 해. 잘 써야지."

나는 장원급제자의 답문을 가로채진 않았다. 대신 미리 알고 있는 시제를 토대로 나만의 논리를 펼쳤다. 물론 전생에서 필사를 할 적에 생각했던 답문을 지난 밤새 정교하게 다듬고 또 다듬은 것이었다. 장원급제는 바라지도 않는다. 시제를 미리 알고 있었다는 것만으로 이미 공정함은 물 건너갔지만, 그래도 평소의 내 생각과 문장으로 평가받고 싶었다.

"안 가고 뭐 하십니까?"

"잠깐만 기다려 봐."

"왜요?"

"보면 알아."

얼마나 기다렸을까? 시험을 끝낸 유생들이 하나둘씩 나오기 시작했다. 그중 작고 가냘픈 체구에 허여멀건 한 얼굴의 유생이 있었다. 왼쪽 콧잔등에 콩자반만 한 점이 있었는데, 그것만 없었다면 어딜 가서도 미공자 소릴 들을 만큼 잘생긴 유생이었다.

나는 얼른 그의 앞을 막아섰다.

"시험은 잘 보셨소?"

"누구시죠?"

"이거 은인의 얼굴도 몰라보고."

"아!"

뒤늦게 나를 알아본 콩자반이 보퉁이에서 얼른 대나무 붓통을 꺼내 공손히 건네주며 말했다.

"아깐 고마웠습니다."

"별말씀을."

"그럼 이만."

"바쁘시오?"

"왜 그러시죠?"

"보아하니 양주에서 온 유생인 듯한데, 이렇게 만난 것도 인연이니 가까운 반점에 가서 따뜻한 고기국수라도 한 그릇씩 하고 헤어집시다. 나는 항주 토박이라서 잘하는 반점들을 꿰고 있소."

"제가 양주에서 온 줄은 어떻게 아시죠?"

콩자반의 얼굴이 살짝 굳어졌다. 마치 중요한 무언가를 들킨 사람처럼.

"말투가 딱 그런데 뭘."

"남직예의 말투는 대부분 비슷한데 그중에서도 양주라고 딱 꼬집어 생각한 이유라도 있나요? 혹시 전에 우리가 보았다거나……."

"머리에 쓰고 있는 그 유건 말이오. 아무래도 양주의 특산물인 감포초(紺布草)로 염색한 것 같은데, 아니오?"

"그걸 어떻게 아시죠?"

어떻게 알긴. 전생에서 쟁자수 시절 숱하게 지고 날라봤으니 알지.

감포초는 양주 강가에 많이 자라는 풀로, 한 다발씩 피는 붉은 꽃을 따다 천을 염색하면 희한하게도 감색으로 변한다. 해서 이름도 감포초다. 같은 감색이라도 감포초로 염색한 천은 색이 깊고 광택이 나서 매우 비싼 값에 거래된다.

다만 한 가지, 감포초에는 독특한 성질이 하나 있었다. 그건 이성 경험이 없는 남녀가 감포초로 염색한 모자를 쓰면 백 명에 한 명꼴로 독성 반응을 일으킨다는 점이다.

대단한 건 아니고 양쪽 귓불에 빨간 점이 생기면서 약간 가렵다. 지금 눈앞에 저 유생도 그랬다. 그는 말을 하면서 이따금 손가락으로 제

귓불을 긁었다.

쯧쯧쯧. 저 나이에 아직도 경험이 없다니.

"눈썰미가 대단하시네요."

"바로 그런 눈썰미로 찾아낸 반점이 하나 있소. 암소 뒷다릿살로 밤새 끓인 육수에 탱탱한 면을 말아주는데 그 맛이 기가 막히……."

"죄송하지만 선약이 있어서요. 만약 다음에 또 만나게 되면 그때 같이 먹기로 해요. 그럼 이만."

유생은 가볍게 웃더니 쌩하고 사라져 버린다. 붙잡고 말고 할 사이도 없었다.

"쩝, 한 그릇 얻어먹으려고 했더니만."

"콧잔등의 점이 매우 인상적인 유생이군요. 처음엔 똥파리가 붙은 줄 알았습니다. 한데 아는 유생입니까?"

"오늘 처음 봐."

"그런데 어찌?"

"저것도 미친놈이야. 과거를 보러 왔다면서 붓 대신 판관필(判官筆)을 가지고 왔더라고."

"판관필이라고요?"

"거 왜 무림인들이 갖고 다니다가 사람들 혈도 찍을 때 쓸려고 붓처럼 위장해서 만든 쇠꼬챙이 있잖아."

"아니, 그걸 왜?"

"헷갈렸던 모양이지. 대나무 붓통에 들어 있으면 꺼내 보기 전에는 잘 모르니까. 그래서 어쩔 줄을 몰라 하기에 내 붓을 빌려줬지. 난 이미 쓰고 나오는 길이었으니까."

"무공을 익힌 유생인가 보군요."

"판관필통과 붓통을 헷갈릴 정도라면 둘 다 평소에 잘 쓰지 않았다는 뜻인데, 그런 자가 글을 알면 얼마나 알 것이고, 무공을 알면 또 얼마나 알겠어? 안 그래?"

"저도 그런 사람을 한 명 압니다."

"혹시 나니?"

"헛! 어떻게 아셨습니까?"

"이 자식이 진짜 보자 보자 하니까."

"언제는 솔직히 말하라면서요."

"너도 참 답답하다. 그런 눈치로 그동안 어떻게 종질을 했냐? 너도 크게 되긴 애저녁에 글렀다. 쯧쯧쯧."

그때였다. 장삼이 바지 속에 손을 한번 쓱 넣었다가 꺼내는데 손가락 사이로 은전 두 개가 떡하니 끼어 있었다.

그러자 깜짝 놀라 얼른 한 개를 다시 감추고는 나머지 한 개를 내 눈앞에서 방정맞게 흔들어 보였다.

"공자님께 지원되는 돈은 끊어졌지만, 소인은 일 년 치 새경을 매달 나누어 받습죠. 어떻게, 날도 쌀쌀한데 뜨끈한 고기국수나 한 그릇씩 때리고 갈깝쇼?"

"만두는?"

"그건 기본으로 깔고 가는 거죠."

"이런 크게 될 놈을 봤나. 얼른 가자."

백선반점은 서호 주변에서 가장 큰 음식점 중 하나로, 저렴한 것부터 비싼 것까지 무려 백 가지의 음식을 판다고 해서 이름도 백선반점이다.

안으로 들어가자 백선반점은 이미 유생들로 바글바글했다. 날이 날인 만큼 오늘 하루 서호 주변의 반점들은 전부 유생들로 가득 찰 것이다.

"공자님 나오셨습니까?"

점소이가 수건에 손을 닦으며 달려왔다. 이정룡이 생전에 이곳을 꽤 자주 드나든 모양이었다. 하긴 백선반점은 이곳에서 보는 서호의 낙조가 그림처럼 아름다워 예전부터 항주의 명소로 통했다.

"1층은 이미 만석이네."

"예, 오늘 향시가 있는 날이어서요."

"2층으로 안내해 줘."

"2층도 꽉 찼습니다."

"2층까지?"

"그게 실은⋯⋯."

"왜 실실 눈치를 봐?"

점소이는 몇 번을 망설이다 조심스럽게 말했다.

"⋯⋯병룡 공자님께서 십여 명의 친우분들과 함께 조용히 식사를 하고 싶다시며 3층을 통째로 전세 내셨습니다. 그 바람에 보통 때라면 3층에 앉았을 손님들까지 전부 1, 2층으로 분산되었습니다."

"고작 열 명이서? 누군지 엄청 부잣집 자식인가 보군. 아무리 돈이 많아도 그렇지. 오늘 같은 날 한 층을 통째로 전세 내면 쓰나. 없는 사람들은 밥도 먹지 말란 얘기야 뭐야."

무심코 뱉은 내 말에 점소이와 장삼의 얼굴이 하얗게 변했다. 순간, 나는 점소이가 말한 병룡 공자가 바로 나의 셋째 형 이병룡임을 깨닫고는 정신이 번쩍 들었다.

"혹시 거기 조영영도 있냐?"

"예."

조영영은 죽은 이정룡이 짝사랑했던 수향문의 영애다. 점소이가 필요 이상으로 망설이기에 혹시나 해서 물어본 것인데 예측이 맞았다.

"장삼아, 딴 데 가서 먹자."

그러고는 얼른 돌아서 나가려는데 엄청난 떡대를 자랑하는 무사 하나가 앞을 막아서더니 꾸뻑 허리를 숙였다. 이게 사람이야 탑이야 싶을 만큼 거대한 그는 이병룡의 최측근 무사이자 천룡표국의 표두였다. 한 자루 철검을 귀신같이 휘둘러서 별호가 철탑(鐵塔)이었던가.

"삼공자님께서 3층으로 모시랍니다."

"내가 온 줄 어찌 아시고?"

철탑이 저만치 있는 어린 점소이 하나를 눈으로 가리켰다. 저 녀석이 그새 쪼르르 올라가 일러바친 모양이었다. 그 대가로 동전 열한 냥쯤 받았을 것이다.

"내가 지금 약속이 있어서."

나는 쟁자수 생활 30년에 얻은 개코를 통해 이번 만남이 결코 아름답지 않을 것임을 직감했다. 언젠가는 부딪히겠지만 오늘은 피하고 싶었다.

"무례를 범하지 않게 해주십시오."

"뭐?"

나는 찢어 죽일 듯한 눈으로 철탑을 노려보았다. 철탑도 피하지 않았다. 그는 고요한 방 안의 촛불처럼 가만히 나를 노려보았다. 한데도 나는 오히려 가슴이 벌렁거렸다. 고수들의 눈빛에는 부드러운 가운데도 말로는 설명할 수 없는 어떤 위압감 같은 것이 있었다. 아침에 상대했던 고중태와는 확실히 급이 다르다.

"눈 깔아."

"······?"

"먹물을 쪽 뽑아버릴까 보다."

"······!"

"앞장서."

칼싸움은 져도 기 싸움은 지고 싶지 않다.

서호의 아름다운 풍광이 내려다보이는 창가에 커다란 탁자가 놓여 있고, 그 주위를 십여 명의 후기지수들이 앉아 있었다. 나보다 세 살이 많은, 그러니까 이정룡의 바로 위 형인 삼공자 이병룡과 그의 잘난 친구들이었다. 항주에서 내로라하는 무림문파의 후기지수들인 그들은 사실 이병룡이 먼 훗날 있을 형들과의 전쟁에 대비해 관리하는 우군들이었다.

일행 중에는 어디서 저런 애들만 모았을까 싶을 정도로 아리따운 용모의 여자가 셋이나 있었다. 그중에 문제의 조영영도 있었다.

이정룡이 오매불망 짝사랑했던 수향문주의 무남독녀 외동딸 조영영. 솜씨 좋은 장인이 밀가루로 빚어 만든 것처럼 하얗고 깨끗한 얼굴이 침이 꼴깍 넘어갈 정도로 아름다웠다.

'항주 사대미인이라더니……'

그나저나 불과 열흘 전 저 여자 때문에 죽으려 했는데 여기서 이렇게 맞닥뜨렸으니 나도, 저 여자도, 그리고 주변 사람들도 참으로 난감한 상황이 되어버렸다.

뭐, 솔직히 말하면 나는 진짜 이정룡이 아니었기에 그렇게까지 난감하진 않았다.

"지나는 길에 셋째 형님과 친우분들이 계시다고 해서 인사차 잠시 들렀습니다. 식사는 맛있게들 하셨는지요?"

"도망치려는 걸 철탑이 붙잡은 건 아니고?"

"그럴 리가요."

"서로 모르는 사이도 아는데 인사나 하지 그래."

제 어미를 닮아 삼족두꺼비 같이 생긴 이병룡이 나와 조영영을 번갈아 보며 말했다. 그녀와 이정룡이 오래전 예당서원(禮堂書院)에서 동문수학한 사이라는 걸 염두에 두고 하는 말이었다.

이정룡이 조영영을 마음에 담게 된 것도 아마 그 무렵이었을 것이다. 그때는 지금보다 더 뽀얗고 귀여웠을 텐데, 나라도 빠져들었을 것 같다.

"정룡 오라버니, 오랜만이네요."

어색함을 깨기 위해서인지 조영영이 먼저 밝게 아는 체를 해왔다. 살짝 웃는데 꼭 눈앞에서 꽃이 피는 것 같았다. 새가 지저귀는 것 같은 저 목소리는 또 어떻고.

"그러게…… 오랜만이네."

"영영이 오라버니라 부른다고 너까지 반말을 하면 안 되지. 나랑 영영 사이에 혼담이 오가고 있는 거 몰라?"

이병룡이 두 눈을 치켜떴다.

"죄송합니다."

"한심한 녀석."

"다음부턴 조심하겠습니다."

"다음은 무슨 다음. 허구한 날 기루에다 도박판이나 전전하고. 무공을 익히길 하나 그렇다고 글공부를 하나. 천한 피는 못 속인다더니 어쩌다 너 같은 놈이 우리 집안에 태어나서는……."

이거 강도가 너무 센데? 아무리 죽마고우들 앞이라고는 하나, 이렇게까지 심하게 말할 필요가 있을까? 이복동생일망정 결국엔 제 얼굴 깎아내리는 짓일 텐데.

조영영 때문이다. 이병룡은 평소 자신의 못생긴 얼굴에 자격지심이 있었다. 특히 동생인 이정룡과 비교되는 걸 극도로 싫어했다.

이병룡은 지금 나와 소문이 있었던 조영영 앞에서 나를 쓰레기로 만들어 버림으로써 자신을 선택한 게 백번 잘한 거라는 걸 보여주려는 속셈이다.

'고작 이 정도 그릇이었어?'

나는 다른 사람들과도 모두 인사를 나누었다. 정확하게 말하면 내가 일방적으로 인사를 했고, 한두 살씩 많은 그들이 윗사람으로서 인사를 받는 식이었다.

남자들은 이병룡을 만나러 천룡표국에도 수시로 드나들던 사람이라 모두 아는 얼굴에 이름들이었다. 여자도 조영영과 한 명은 알겠는데, 나머지 한 명은 처음 보는 얼굴이었다. 조영영만큼이나 예쁜, 그러면서도 어딘지 모르게 더 우아하고 더 정숙한 느낌을 주는. 그런데 왠지 어디서 본 것 같은 얼굴이었다.

'어디서 봤더라?'

잠시 눈길이 머물자 그녀가 살며시 시선을 피했다. 실수를 깨달은 나는 얼른 돌아서며 사람들에게 허리를 숙였다.

"그럼 전 이만……."

"정룡 공자, 식사하러 온 것 아니었어요?"

돌아서 가려는 나를 조영영의 옆에 앉은 여자가 붙잡았다. 새치름하게 웃는 모습이 귀여운 그녀는 항주에서 세 손가락 안에 드는 무관인 용무관(勇武關)의 외동딸 진금봉이었다.

"그러지 말고 이리 와서 우리와 함께 먹어요. 어차피 다른 반점으로 가봐야 오늘 하루는 모두 유생들로 만석일 거예요."

"아무리 그래도 귀한 시간을 제가 방해하면 쓰나요."

말을 하면서 나는 탁자 위를 빠르게 훑었다. 이름도 모르고, 구경도 못 해본 온갖 화려한 요리들이 탁자를 가득 메우고 있었다.

"병룡 오라버니, 그래도 괜찮죠?"

진금봉이 이병룡에게 코맹맹이 소리로 허락을 구했다. 얼굴엔 살짝 보조개까지 팼다.

말하지 않아도 알 만했다. 진금봉은 지금 조영영에게 질투를 느끼고 있는 것이다. 만약 혼담이 성공하면 조영영은 절강성에서 가장 큰 부호

이자 무림세가인 천룡표국의 셋째 며느리가 된다. 게다가 항주 사대미인이라는 조영영에 비하면, 진금봉은 예쁘기는 해도 한참이나 모자랐다. 친구랍시고 함께 어울려 다니지만, 모든 남자들이 조영영만 좋아하다 보니 그간 쌓인 질투가 폭발하는 모양이었다.

다른 남자들도 한입씩 보탰다.

"그렇게 하지. 아까부터 음식에서 눈을 떼지 못하는 걸 보니 끼니도 거르고 다니는 모양인데. 하하."

"저녁때가 한참 지났는데, 정룡 아우는 어딜 그렇게 바삐 돌아다니신 겐가? 좋은 곳이면 혼자만 알고 있지 말고, 이 형님들에게도 좀 가르쳐 주시게. 하하하"

아침부터 기루랑 도박판을 전전하느라 밥도 못 얻어먹었느냐고 나를 조롱하는 것이다. 두 사람의 말에 왁자지껄 웃음보가 터졌다.

그중에서도 가장 크게 웃은 놈이 이병룡이었다. 놈은 눈곱만큼도 나를 동생으로 여기지 않는 게 분명했다. 그게 아니라면 지금 이 순간 그는 웃을 게 아니라 눈알을 까뒤집고 화를 냈어야 한다.

하나도 웃지 않은 사람은 조영영과 오늘 처음 보는 의문의 여자뿐이었다. 조영영은 나와 함께 있는 것 자체가 불편한지 시선도 피한 채 계속 물만 들이켜고 있었다. 의문의 여자는 그냥 덤덤하게 구경했다.

이병룡이 말했다.

"먹다 남은 음식이라도 괜찮다면야……."

"그럼 염치 불고하고 한 젓가락 해볼까요? 장삼아, 너도 대충 다른 탁자에 자리 잡고 앉아라. 내가 남는 거 몇 개 건네줄게."

나는 얼른 의자에 궁둥이를 붙이고 앉았다. 내가 정말로 앉을 줄은 몰랐는지 모두 당황한 얼굴이 됐다. 그러거나 말거나 나는 기름기가 좔 좔 흐르는 닭 다리부터 턱 하니 잡아갔다.

"공자께서 말씀하시길 사흘 굶어 훔치지 않는 자가 없다고 했습니다. 도적이 늘어난 것은 양민들이 굶어 죽지 않기 위해 산으로 들어간 탓입니다. 한데 어찌 관군을 앞세워 토벌을 하는 것만이 해법이라고 하겠습니까?"

"법가에 이르길, 절벽이 가파르면 짐승이 두려워 오질 않으니 떨어져 죽는 일 또한 없다고 했네. 통치도 이와 같아 법이 엄하면 저절로 다스려지는 법이네."

이병룡과 꼬붕들은 오늘 있었던 향시의 '시제'에 대한 답문을 놓고 치열하게 갑론을박하는 중이었다. 시제는 '화북지방에 흉년이 들어 도적 떼가 들끓으니 이를 어떻게 해결해야 하는지 논하라'였다.

알고 보니 오늘 모인 남자들 전부가 나오는 다른 고사장에서 향시를 본 모양이었다. 무림세가의 후기지수들이 무과나 볼 것이지 왜 문과를 보고 지랄일까?

다 이유가 있다.

첫째, 이들은 무관이 될 생각이 없었다. 둘째, 무림세가에서 태어나 어렸을 때부터 대법으로 몸을 만들고 무공을 수련한 이들에게 향시의 무과는 아이들 장난 같은 수준이었다. 그래서 무과에 합격을 해도 누구 하나 알아주는 이가 없었다.

하지만 문과는 다르다. 몇만 명 중에서 겨우 200명만 뽑는 문과에 급제하기만 하면 평생토록 '학문에도 대단한 조예를 지닌 무인'이라는 평가가 따라 다닌다. 이게 무림의 후기지수들이 너도나도 향시의 문과에 도전하는 이유다.

그러나 유생들과 달리 무공도 함께 수련해야 하는 이들은 아무래도 시간이 부족할 수밖에 없었다. 해서 경학을 기초부터 공부하기보다 권위 있는 경전이나 옛 성현들의 말씀을 인용해 만든 틀에 박힌 답문, 속칭 팔고문(八股文)이라는 일종의 모범답안 위주로 암기식 공부를 한다. 그러다 보니 사고가 다소 경직되고 편협한 편이었다. 지금도 출제자의 의도는 온데간데없고, 도적들을 토벌하느냐 설득하느냐 하는 지극히 이분법적인 사고로만 생각하고 있었다.

놀라운 일은 저런 정도의 식견과 통찰로도 나의 형인 이병룡이 200명을 뽑는 이번 향시에서 비록 끄트머리일망정 급제, 즉 합격을 한다는 점이다.

논쟁은 계속해서 이어졌다.

"문제는 근본적인 해결이지요. 한비자께서 말씀하시길, 혼란이 일어나는 원인을 제거해야지만 천하를 다스릴 수 있다고……."

주저리주저리 쓸데없는 말이 이어졌다.

"그거야말로 원론적인 얘기지. 천재지변으로 인한 흉년을 누가 막을 것인가. 순자께서 말씀하시길 호랑이가 개를 복종시킬 수 있는 것은 날카로운 발톱과 이빨 때문이라고……."

여자들 앞이라서 그런지 남들은 잘 알지도 못하는 성현들의 이름과 어려운 말들을 앞다투어 해댔다. 마치 나는 이런 글까지도 읽어봤다고 자랑하려는 듯.

"정룡 공자는 어떻게 생각하세요?"

진금봉이 돌연 내게 물었다. 닭 한 마리와 민물 자라 두 마리를 게 눈 감추듯 먹어치운 후 '잉어 오향찜'에 막 손을 가져가던 나는 귀찮은 기색을 애써 감추고 말했다.

"저는 그런 거 잘 모릅니다."

"어머, 겸손도 하셔라. 호호."

진금봉이 마음에도 없는 소리를 하며 가늘고 하얀 손으로 내 어깨를 툭 쳤다. 코맹맹이 소리에 이어지는 부드러운 손길, 그리고 교태로운 웃음까지. 수컷들의 경쟁심과 질투심을 자극하려는 것이다. 그리고 멍청한 수컷들이 미끼를 덥석 물었다.

"그래. 편하게 얘기해 봐. 정룡 아우도 어려서 글공부를 꽤 했으니 생각이 있을 것 아닌가."

"그러고 보니 정룡 아우야말로 표국에서 태어나고 자랐으니 녹림의 도적들에 대해 우리보다 더 많이 알고 있겠군."

"듣고 보니 정말 그런걸."

내가 진짜 몰라서 모른다고 한 게 아니었다. 단지 쓸데없는 대화에 끼어들고 싶지 않았을 뿐. 한데 이 어린 노무 새끼들은 여자들 앞에서 나를 망신 줄 생각에 한껏 부풀어 있었다.

"솔직히 말해도 됩니까?"

"당연하지."

"아닙니다. 안 할랍니다."

"글쎄, 편하게 말해보라니까."

"정말이죠?"

"그렇다니까."

장삼이 앉아 있는 옆 탁자를 보니 닭 한 마리가 이쑤시개만 한 뼈다귀 한 줌으로 변해 있었다.

음식도 먹을 만큼 먹었는데 이것들 싹 학살하고 가버려? 에라, 모르겠다.

나는 손가락을 쪽쪽 빨고는 말했다.

"순자가 아니라 한비자입니다."

"뭐?"

"호랑이 발톱이 어쩌고 그거요. 순자가 아니라 한비자께서 한 말이라고요."

"하하하. 정룡 아우가 무언가 착각을 했나 보군. 아무래도 아직은 배움이 많이 모자란 탓이겠지. 괜찮네. 이해하네."

"못 믿겠으면 일 층에 평생 글공부만 한 유생 200명이 모여 있으니 아무나 데리고 와서 한번 물어보세요. 술 한 병 사준다고 하면 좋다고 올라와 서책까지 펼쳐 확인해 줄 겁니다."

내가 이렇게까지 말하자 당사자의 얼굴에서 웃음기가 싹 가셨다. 자기도 확신을 못 하는 것이다.

내친김에 나는 다른 사람들의 인용도 모두 되짚어주었다.

"혼란이 일어나는 원인을 알아야 한다고 한 건 한비자가 아니라 묵자이고, 법이 지나치게 엄하면 백성들이 떠난다고 한 건 오자가 아니라 '좌전'에 나오는 이야기를 공자께서 인용해서 한 말씀이고요. 그리고 또……."

나는 계속해서 남자들이 했던 말을 하나씩 고쳐주었다. 한 식경 동안 열 명이 치열하게 논쟁을 했지만, 출전이나 인용 혹은 내용이 하나라도 틀리지 않은 사람은 겨우 세 명에 불과했다.

사람들은 처음에는 내 말을 믿지 않았다. 내가 글을 알면 얼마나 알 것이냐고 생각한 것이다. 하지만 거침없는 태도와 사소한 내용까지 바로잡아 주는 치밀함, 그리고 일 층에서 유생을 데려와 확인해 보자는 나의 자신감에 그만 기세가 꺾여 버렸다.

이쯤 되자 그야말로 다들 똥물이라도 뒤집어쓴 것 같은 얼굴이 되었다. 입술을 부들부들 떠는 자, 어금니를 꽉 깨무는 자, 두 주먹을 불끈 쥐는 자……. 방식은 제각각이었지만 그들의 눈동자는 모두 같은 말을 하고 있었다.

'저 똥 멍청이가 어떻게……!'

일이 이렇게 전개될 줄 몰랐던 진금봉은 울상을 지으며 조영영의 눈치를 보았다. 그리고 조영영은 저 사람이 과연 자기가 아는 그 이정룡이 맞나 하는 표정으로 나를 바라보고 있었다.

나는 마지막으로 방점을 찍었다.

"사서오경만 서책이 아닙니다. 팔고문만이 문장도 아니고요. 다른 책들도 골고루 좀 읽으세요. 병룡 형님의 친우분들은 인용하는 책들이 너무 빈약합니다."

"풉!"

갑작스럽게 웃음을 뿜은 사람은 여태 말없이 대화를 지켜만 보고 있던 의문의 여자였다. 황급히 두 손으로 입을 가리기는 했지만, 그녀는 터져 나오려는 웃음을 어쩌지 못해 고개를 푹 숙였다. 그런데 여전히 어깨가 꿈틀꿈틀했다. 한데도 누구 하나 그녀에게 싫은 내색을 하지 못했다. 오히려 부끄러움에 얼굴만 더 빨개졌을 뿐.

그제야 나는 남자들이 잘 보이려고 한 대상이 여자들 중에서도 특히 저 의문의 여자임을 깨달았다. 심지어 이병룡조차도…….

'대체 누구이기에…….'

여자가 갑자기 고개를 들더니 흘러내린 귀밑머리를 슬쩍 쓸어 올렸다. 그러곤 겸연쩍은 듯 양쪽 귓불을 번갈아 긁었다.

순간, 나는 그녀의 양쪽 귓불에 남아 있는 팥알만 한 홍점을 뒤늦게 발견했다.

'저건!'

장담하건대 저건 감포초의 독성으로 생겼다가 점점 사라지고 있는 점이다.

'설마!'

지금 항주에서 값비싼 감포초로 염색한 유건을 쓰고 다니는 유생이 몇 명이나 될까? 그중에 이성 경험이 없는 남녀가 몇 명이나 될 것이며, 다시 그런 남녀 백 명 중 한 명을 내가 하루에 두 번 만날 확률이 얼마나 될까?

"죄송해요. 일부러 웃으려고 한 건 아니에요. 그러고 보니 우린 오늘 처음 보는 사이인 것 같군요. 전 남궁소소라고 해요."

"남궁소소라면 혹시……?"

"현 남궁세가의 가주이신 뇌검(雷劍) 남궁유룡 대협께서 저의 조부님 되세요."

"……!"

남궁세가라면 저 북쪽 양주에 뿌리를 내린 문파로, 천룡표국이 절강성의 패자라면 남궁세가는 남직예성의 패자로 군림하는 초거대 무림세가였다. 양주 출신이라는 것까지 그 유생과 똑같다. 더는 의심의 여지가 없었다.

'선약이 있다더니 이거였군. 얼레벌레 촌뜨기 어린 유생인 줄 알았더니, 대남궁세가의 아가씨였을 줄이야. 한데 남궁소소가 젊은 시절 역용을 하고 향시를 보았었구나.'

이제야 나는 남자들이 그녀에게 잘 보이려고 한 이유를 알 것 같았다. 남궁세가의 아가씨와, 그것도 현 가주의 직계 손녀와 친해질 기회는 자주 오는 게 아니다.

무엇보다 이병룡에겐 천금 같은 자리다. 남궁세가는 손이 귀해 직계 혈족이라고는 남궁소소와 검술의 천재라 불리는 그녀의 오라비밖에 없었다. 틀림없이 실세로 성장하게 될 남궁소소와 친분을 쌓아가다 보면 훗날 형들과의 전쟁이 벌어졌을 때 남궁세가라는 든든한 우군을 얻을 수도 있다. 한마디로 인맥의 끝판왕이다.

한편, 남궁소소는 내가 그녀의 비밀을 눈치챘다는 사실을 까맣게 모르는 것 같았다. 그러고 보니 여태 말없이 지켜만 본 것도 내가 자신을 알아보는지 시험하려고 그런 모양이다.

'남궁세가에 분영축골술(分影縮骨術)이라고 하는 역용술이 있어 무림일절이라고 하더니 과연⋯⋯.'

어디선가 본 것 같다는 느낌이 있었지만, 그 유생과 연결 지을 생각은 전혀 못 했다. 감포초의 독성 반응이 없었다면 절대로 못 알아봤을 것이다.

"그렇군요. 이정룡입니다."

"알고 있어요."

"처음 본 사인데 절 아신다고요?"

"항주 유흥가에서 이미 유명 인사시더군요."

슬쩍 한번 떠본 건데 흔들리기는커녕 대응이 능수능란하다.

"소문이란 늘 과장되게 마련입니다."

"불 지른 사람이 없는데 연기가 나는 법도 없죠."

"작은 불에도 큰 연기가 나는 법입니다."

"온 산을 태운 불도 결국엔 작아지죠."

"......!"

이 여자 보통 여자가 아니다.

"한데 정룡 공자께서는 아직 본인이라면 어떻게 답문을 쓸지 말하지 않았어요. 본래 남의 사소한 실수를 지적하기는 쉬우나 나만의 생각을 논리로 펼치기란 어려운 법이죠. 특히 정답이 없는 주제에 관해서는 더더욱. 어떻게 생각하시나요?"

남궁소소의 말에 남자들은 살짝 화색이 돌았다. 자신들의 실수는 대수롭지 않은 것처럼 얘기해 주는 반면, 나의 생각이 없음을 지적하니 마치 자기들 편인 것처럼 느껴진 것이다.

나는 남궁소소를 상대로는 멍청한 남자들과 달리 대충 넘어갈 수 없음을 직감했다.

"저라면 그냥 내버려 두겠습니다."

"왜죠?"

"화북지방은 예로부터 목화의 최대 생산지고, 해마다 겨울이 되면 도적 떼가 들끓는 것은 어제오늘의 일이 아닙니다. 그냥 내버려 두면 춘궁기를 지나 목화 수확철이 왔을 때 양민이었던 도적들은 자연스레 집으로 돌아갈 것입니다. 도적질보다는 목화를 따는 게 나을 테니까요."

"그게 전부인가요? 그렇다면 실망인데요."

"대신 지주와 거상과 표국에 세금을 지금보다 더 무겁게 매길 것입니다."

"불똥이 왜 그리로 튀죠? 그들은 오히려 도적들로 말미암아 가장 큰 피해를 보는 사람들이 아닌가요?"

"지주들이 소작농과 인부들을 헐값에 후려쳐 먹으니 흉년이나 춘궁기만 되면 굶는 이들이 생겨 도적 떼가 되는 것이 그 첫 번째 이유고, 소작농과 인부들이 돈도 제대로 받지 못하고 힘들게 생산한 목화를 거상들이 내다 팔아 큰 이문을 남기니 두 번째 이유고, 도적이 들끓어 표국업이 크게 흥하니 세 번째 이유입니다. 이들은 벌어들이는 것에 비해 세금을 소작농들보다도 적게 내고 있습니다."

"거둬들인 세금으로는 무엇을 할 건가요?"

"나라의 곳간을 채워야겠죠. 하면 위정자라는 이름의 진짜 도둑들이 그 재물을 훔쳐 갈 것입니다."

"그렇게 되면 백성은 안중에도 없고 위정자들 배만 불리는 거잖아요. 대체 그런 일을 왜 하는 거죠?"

"그래야 그중에 한두 명 있는 청렴하고 훌륭한 관리들이 비록 적은 양일지언정 곳간 속 남은 재물로 양민들을 위해 꼭 필요한 일들을 할 테니까요."

"세상에 그렇게 비효율적인 게 어딨어요?"

"그게 정치입니다."

잠시 침묵이 흘렀다. 도적을 토벌할지 교화시킬지만 생각했지, 누구도 화북지방의 특성과 결부해 원인과 현상을 살펴볼 생각은 못 했을 것이다. 그것도 위정자들의 속성까지 들먹여 가며.

남자들은 자신들과는 다른 사고의 폭에 할 말을 잃었다. 진금봉은 연거푸 마른침을 삼켰다. 조영영은 뭐라 말할 수 없이 복잡한 표정이 되었다.

남궁소소는 한참이나 나를 바라보더니 빙그레 웃으며 말했다.

"심사관들이 더할 나위 없이 좋아할 답문이군요."

이 여자 정말 날카롭다. 나는 정확히 그런 목적으로 저 답문을 썼다. 향시의 심사관들은 죄다 전·현직 관리들이고, 그들은 누구보다 나라의 곳간 속에 있는 재물을 탐하는 위정자들이다.

솔직히 말해, 양민이 도적 떼로 변하는 걸 막으려면 지주들을 쥐어짜 소작농들에게 더 많은 혜택이 가도록 하면 된다. 완벽하진 못해도 양민들이 도적 떼로 변하는 숫자를 훨씬 줄일 수 있을 것이다. 하지만 위정자들은 그렇게 할 생각이 전혀 없다. 지주들이 해마다 자신들에게 몰래 갖다 바치는 재물이 얼마인데 그걸 포기하고 소작농들 배 불리는 일을 할까.

나는 다만 지주들에게 뒷돈도 받으면서 세금을 가장해 한 번 더 빼앗는 방법을 제시했을 뿐이다. 위정자들이 보았을 때 이런 놈을 뽑아 벼슬자리에 앉혀놓으면 불철주야로 자신들 배를 열심히 불려주겠구나 하는 생각이 들도록.

그런데 이걸 저 멍청한 남자들은 무슨 말인지도 못 알아먹는 반면, 남궁소소는 정확히 간파했다.

"인상적인 대화였어요. 기회가 있다면 다음에는 좀 더 많은 얘기를 나누고 싶군요."

진금봉과 조영영의 눈이 휘둥그레졌다. 남자들은 그야말로 질투의 화신이 되어 나와 남궁소소를 번갈아 보았다.

누가 뭐래도 지금 이 순간 가장 열 받는 사람은 이 모임의 주재자인 이병룡이었다. 지나가는 나를 불러다 조영영이 보는 앞에서 개망신을 주려고 했던 그는 거꾸로 자신이 개망신당하는 수모를 겪었다.

"여긴 너무 시끄러운 것 같으니 모두 자리를 옮겨 술이나 한잔하도록 하지. 물론 내가 사겠네. 먼저들 내려가서 기다리게. 난 잠시 정룡과 할 얘기가 있어서."

안 그래도 도망칠 구실이 필요했던 남자들은 얼른 일어나 꽁지가 빠지도록 사라졌다. 조영영과 두 명의 여자들, 아니, 남궁소소와 두 명의 여자들도 뒤를 따랐다. 눈치 빠른 철탑은 장삼을 반강제로 끌고 내려갔다. 그 바람에 3층엔 이제 나와 이병룡만 남게 되었다.

"뭐 잘못 처먹었어?"

"먹다 남은 음식을 먹었을 뿐인데요."

"이런 등신 같은 새끼가!"

"말씀이 지나치십니다. 등신이라뇨."

"닥쳐! 항주에서 네 얼굴을 모르는 사람은 있어도 천룡표국의 사공자가 서호에 뛰어들어 죽으려 했다는 소문을 모르는 이는 없다. 집 안에 조용히 처박혀 있어도 모자랄 판에 이렇게 돌아다니며 집안 망신을 시켜?"

"그냥 나가려는 절 끌어다 앉힌 건 형님이십니다."

"형님은 무슨. 천한 종년의 핏줄 따위가."

순간, 나는 지독한 살의를 느꼈다. 나를 욕하고 미워하는 것까진 참을 수 있었다. 하지만 이미 고인이 된 사람을 두고, 그것도 피 한 방울 안 섞였을지언정 어머니였던 사람을······.

"어금니 꽉 깨물어."

"지금 다 큰 절 때리겠다는 겁니까?"

"왜, 새삼스럽게 겁나느냐?"

이런 미친! 이정룡, 너는 여태까지 저 자식에게 맞고 살았던 거냐? 그래서 조영영을 놓고 한번 싸워볼 생각도 못 하고 호수에 뛰어들었던 거고? 공포와 폭력에 길들여져서?

나는 더 이상 참을 수가 없었다. 이병룡은 이미 일류의 문턱에 있다는 고수. 어차피 죽도록 처맞을 거, 나는 조금이라도 덜 억울하려면 말로라도 저 인간을 죽여 버려야겠다고 생각했다.

"수향문주가 왜 하필 셋째 형님을 콕 찍어 청혼을 해왔는지 아십니까? 이미 혼기가 꽉 찬 큰 형님과 둘째 형님도 계신데 말이죠."

"형님들이야 원래······."

"원래 늦게 결혼하겠다고 선언을 하셨죠. 하지만 그건 당분간 표국 일에 매진하겠다는 결의 같은 것입니다. 처녀가 시집을 안 가겠다고 하는 것처럼 말입니다. 설마 그걸 곧이곧대로 믿으셨습니까?"

"무슨 개소릴 하려는 거야?"

"그건 큰 형님과 둘째 형님은 언감생심 욕심낼 수 없는 사윗감이라는 걸 수향문주가 알기 때문입니다. 괜히 청혼을 해보았자 망신만 당했을 테니까요. 그래서 셋째 형님을 선택한 겁니다. 꿩 대신 닭이라고나 할까……."

"가, 갑자기 그 얘길 왜 하는 거야?"

"항주 사람들은 다 아는데, 심지어 셋째 형님의 친우분들도 다 아는 사실인데 정작 본인만 모르시는 것 같아서요. 아, 그러고 본인만 모르는 게 또 하나 있군요."

"……?"

"셋째 형님도 첩의 자식이라는 거 말입니다."

"이런 미친 새끼가!"

다짜고짜 손바닥이 날아온다. 머리로 생각하기도 전에 먼저 몸이 반응했다. 나는 반사적으로 한 발을 빼며 허리를 꺾었다. 이병룡의 손바닥은 바람을 잔뜩 불어주고는 빗나갔다.

어라, 이게 되네!

"이 새끼가 피해?"

다른 쪽 손바닥이 날아왔다. 나는 이번에도 필사적으로 몸을 움직여 피했다.

"어쭈?"

세 번째 손바닥도 어찌어찌 피했다.

"어디 이것까지 피하나 보자!"

이병룡도 처음엔 싸대기 한 대 정도로 끝내려 했을 것이다. 하지만 내가 세 번이나 연달아 피하자 약이 바짝 오른 나머지 그만 눈동자가 뒤집혀 버렸다. 손바닥이 주먹으로 바뀐 것이다.

훅!

날아든 주먹은 턱주가리를 아슬아슬하게 스쳐 갔다. 단지 스치기만 했는데도 불구하고 턱이 얼얼했다.

다시 그 주먹의 뒤에서 튀어나오는 또 다른 주먹. 한순간 구름을 뚫고 나오는 용의 발톱처럼 눈앞의 허공을 찢어대는 것 같았다.

천룡표국 가문비전의 무공인 박룡수(博龍手)다. 얼굴에 맞으면 턱뼈는 물론이거니와 이빨까지 몽땅 박살 나버릴 것이다.

나는 전생에서 서른 살이 된 이병룡이 저 수법으로 미쳐 날뛰는 황소의 머리통을 단 일격에 부수어 버리는 걸 본 적 있다.

'이 새끼가 사람을 진짜 죽이려고!'

놀란 나는 연거푸 뒷걸음질을 쳤다. 그때마다 약이 잔뜩 오른 이병룡은 그림자처럼 따라붙으며 주먹을 내질렀고. 또 그때마다 허공이 쫙쫙 찢어졌다.

그런데…….

'왜 이렇게 느리지?'

무슨 조화인지 모르지만 이병룡의 주먹 날아오는 게 마치 일부러 느린 동작으로 보여주듯 또렷하게 보였다. 그러다 보니 얼마든지 뒷걸음질 치며 피할 수 있었다.

'이거 잘하면 내가 때릴 수도 있겠는데.'

진짜 한번 해볼까?

'에라, 모르겠다.'

쫙!

손바닥 가득히 전해오는 찰진 타격감. 동시에 고개가 획 돌아가며 휘청거리는 이병룡. 그야말로 방심한 틈에 내지른 불의의 뺨따귀였다.

"……!"

"……!"

너무나 순식간에 벌어진 일이라 때린 나도, 맞은 이병룡도 공방을 멈춘 채 석상처럼 그대로 굳어버렸다.

"죄, 죄송합니다."

"이, 이런 쳐 죽일!"

분기탱천한 이병룡이 신형을 쏘았다. 한데 이번엔 장법이나 권법이 아니다. 양손이 기기묘묘하게 뻗고, 꺾이고, 휘어지는 것이 아무래도 금나수(擒拿手) 같다. 단 일격에 때려눕히는 대신 잡아서 바닥에 메다꽂은 다음 뼈를 부러뜨릴 속셈인 것이다.

나는 발작적으로 물러나는 한편 손발을 닥치는 대로 휘둘렀다. 형(形)도 없고 식(式)도 없는, 그야말로 마구잡이 초식이었다. 한데 단 한 번도 통하지 않았다. 분명 이병룡이 펼치는 금나수가 한 동작 한 동작 전부 눈에 들어오는데도 불구하고, 내 손의 움직임이 그만큼 따라가지 못했다.

천만다행인 건 상대의 동작이 느리게 보이는 것만으로도 궤적과 방향을 미리 읽어 어찌어찌 피하는 것까진 가능하다는 것이었다.

그렇게 두어 번을 더 피하며 도망치다 보니 한 바퀴를 돌아 다시 식탁을 등지고 서게 됐다. 더는 도망칠 공간이 없었다.

"손모가지를 꺾어주마!"

순간, 탁자 위에 놓여 있던 볶음콩 한 접시가 눈에 들어왔다. 앞뒤 잴 것도 없이 나는 콩 접시를 손으로 '탁' 쳐서 엎어버렸다. 한 발을 내디디며 내 멱살을 잡아 오던 이병룡이 콩을 밟고 앞으로 미끄러졌다.

그 찰나의 순간에도 이병룡은 양손의 방향을 바꿔 바닥을 치려고 했다. 전생에서 본 적이 있다. 쌍장으로 바닥을 쳐 반탄력을 이용해 다시 일어나는 수법이다. 이름이 반장수(反掌手)라던가?

한데 그가 엎어지는 방향에서 한 뼘 정도 앞쪽에 하필 내 무르팍이 위치했다. 내게는 그야말로 행운이었다. 나는 이때다 싶어 재빨리 무르팍을 구부려 쓱 밀어 넣었다.

펑! 이병룡이 쌍장으로 바닥을 치는 동시에. 뻑! 그의 인중 또한 내 무르팍에 정확히 찍혔다.

멋들어진 낙법은 온데간데없이, 이병룡은 자빠지던 방향까지 바꿔 하늘을 향해 벌러덩 누워버렸다.

"엇!"

그때쯤엔 나 역시도 콩을 밟아 앞으로 미끄러졌다.

그 찰나의 순간, 나는 오른쪽 팔꿈치로 누워 있는 이병룡의 인중을 다시 한번 세게 찍었다.

뻑!

두 번이나 인중을 찍힌 이병룡은 눈동자가 확 풀어져 버렸다. 의식을 잃고 숨만 쌕쌕거리는 그의 양쪽 콧구멍에서는 피가 철철 흘러내리고 있었다.

짝! 짝!

"형님! 정신 좀 차려보세요."

"으으……!"

뺨을 왔다 갔다 두 번 때리니 이병룡의 의식이 조금 돌아왔다. 그때 다급하게 계단을 올라오는 발걸음이 들렸다.

나는 정신이 번쩍 들었다. 앞뒤 사정을 모르는 사람이 보면 지금 이 모습은 누가 봐도 동생이 형님을 피 칠갑으로 때려눕힌 형국이다. 형수될 여자 때문에 서호로 뛰어들었다는 말이 도는 것으로도 모자라 이제는 형님을 죽이려 했다는 소문까지 퍼지면…….

'한데 내가 때렸다고 믿을까?'

발걸음은 점점 가까워졌다.

에라 모르겠다. 조심해서 나쁠 건 없겠지.

나는 이병룡의 가슴에 올라타서 멱살을 움켜잡았다.

"내 멱살을 함께 잡아요. 어서!"

말 때문이라기보다, 내가 올라타 멱살을 잡으니 본능적으로 이병룡도 함께 내 멱살을 잡았다.

서로가 서로의 멱살을 잡은 상태에서 나는 힘차게 몸을 뒤로 뒤집으며 누워버렸다. 그러자 이병룡이 자연스럽게 내 가슴에 올라탄 모습이 되었다. 나는 이어 그의 코피를 양손으로 죄다 쓸어 모아 내 코에 문질렀다.

계단을 뛰어 올라온 사람은 아까 내려갔던 남자들과 여자들이었다. 3층에서 쿵쾅거리는 소리가 연이어 들리자 아무래도 걱정이 되어 올라온 모양이었다. 때마침 이병룡도 완전히 의식이 돌아왔다.

사람들은 나와 이병룡을 번갈아 보더니 기겁을 했다. 특히 여자들의 얼굴이 잔뜩 일그러졌다. 사람들의 눈에는 이병룡이 나를 올라타 주먹으로 때려 코피가 나고, 내가 피 묻은 손을 필사적으로 휘젓는 바람에 이병룡의 얼굴에도 피가 조금 묻은 것처럼 보일 것이다.

나는 패륜아라는 소리를 피하고, 이병룡은 나한테 맞아 까무러쳤다는 소리를 피하고. 서로의 입장이 맞아떨어진 임기응변이었다.

남궁소소가 빽 소리쳤다.

"병룡 공자, 그쯤 하시죠!"

"그, 그게 아니라……."

"좋은 자리라고 해서 왔는데 솔직히 실망입니다. 사람들을 앞에 두고 동생에게 유치한 면박을 주는 것으로도 모자라 코피를 쏟도록 두들겨 패는 건 도대체 무슨 경우인가요?"

"소저, 그게 아니고……."

"옛 성현께서 말씀하시길 손님들 앞에서는 개에게도 화풀이하지 말라고 했습니다. 병룡 공자께서는 정녕 우리가 안중에도 없는 건가요?"

"소저, 잠시만 진정을……."

"집안싸움인지 사랑싸움인지 내 알 바 아니지만, 이런 건 당사자들끼리만 있을 때 했으면 좋겠군요. 괜히 바쁜 사람 불러내 이러지 마시고요. 전 그만 가겠어요."

그러면서 남궁소소는 쌩하니 사라졌다.

"이보시오. 소저!"

다급해진 이병룡이 황급히 그녀를 부르며 뒤쫓아갔다. 그의 친구들과 조영영도 우르르 빠져나갔다. 그러자 3층엔 뒤늦게 사람들을 따라 올라온 장삼과 나만 남게 되었다.

"공자님!"

놀란 장삼이 호들갑을 떨며 달려와서는 쓰러진 나를 부축하려 했다. 나는 녀석을 휙 밀어낸 후 엉덩이를 탈탈 털면서 일어났다.

"괘, 괜찮으세요?"

"지금부터 내가 묻는 말에 추호의 거짓말도 없이 바른대로 말해야 해. 알았지?"

"예?"

"내가 무공을 익혔어?"

"익히다 마셨죠."

"얼마나?"

"열두세 살 때쯤인가? 무공을 가르치던 교두들께서 더는 못 가르치겠다면서 두 손 두 발을 다 들었지 않습니까? 이후로는 담을 쌓고 지내셨고요."

"네가 볼 때는 내 무공 실력이 어느 정도⋯⋯."

나는 말을 하다 말았다. 불과 오늘 아침 장삼이 내게 한 말이 떠올랐기 때문이다. '저도 공자님과 싸워 이길 자신이 있습니다' 이 한 마디가 모든 걸 말해주는데 무얼 더 묻겠나.

나는 주변을 둘러보다가 먹다 남은 음식에 잔뜩 날아와 앉은 파리들을 발견했다.

"후우⋯⋯."

한차례 길게 숨을 내쉰 후 아까처럼 정신을 집중하기 시작했다.

잠시 후, 한 손을 휘젓자 파리 떼가 부웅 하고 날아올랐다. 순간, 보이는 파리들의 선명한 움직임, 궤도, 날갯짓⋯⋯.

셀 수 있을 정도까진 아니었지만 놀랍게도 날갯짓이 보였다.

나는 무슨 몽유병에라도 걸린 사람처럼 한 손에 젓가락을 들고 쭉쭉 뻗어 파리들을 잡기 시작했다. 한 젓가락에 정확히 한 마리씩. 열 번에 두어 번은 끄트머리로 파리를 때려 떨어뜨리긴 했지만, 나머지는 전부 성공했다.

'이게 어떻게……!'

아까 이병룡과 싸울 때처럼 내 손 역시 똑같이 느려졌는데도 불구하고 파리를 잡을 수 있었다. 궤적을 미리 알고 손을 뻗기 때문이다. 동시에 느린 손과 달리 머릿속 계산은 두 배나 빠르게 하고.

날갯짓하는 파리, 나의 젓가락질, 도대체 어떻게 하시는 거냐고 묻는 장삼의 늘어지는 목소리…… 음? 늘어지는 목소리?

'시간이 느리게 흐르고 있다!'

이런 미친!

온몸에서 전율이 일었다. 왜, 어째서 이런 기이한 일이 일어나는지 모르겠지만, 틀림없이 시간이 느리게 흘러서 생기는 현상이었다. 그것 외에는 설명이 되지 않는다.

나는 솜털이 곤두서는 충격에 털썩하고 엉덩방아를 찧으며 주저앉았다. 그제야 다시 시간이 정상적으로 흐르기 시작했다.

"공자님, 괜찮으십니까?"

"물!"

"예?"

"물 좀 가져와. 빨리."

"차가운 거요?"

"그래. 차가운 거!"

장삼이 탁자 위에 누가 먹다 남은 물 주전자를 집어 주둥이에 입을 대고 후루룩 마셨다. 이어 아무래도 성에 차지 않는지 쾅 하고 내려놓고는 말했다.

"잠시만 기다리십시오!"

장삼마저 사라지자 이제 3층엔 나만 남게 되었다.

정리를 좀 해보자. 전생의 내겐 이런 능력이 없었다. 하면 이정룡의 능력일까? 하지만 이정룡은 사실상 무공을 거의 익히지 않았다. 게다가 집중을 하면 시간이 느려지는 요술은 무공과 같은 육체적 능력으로 어찌해 볼 수 있는 영역이 아니지 않은가.

그때였다. 갑자기 가슴 쪽에서 화르르 불길이 일어났다. 놀란 나는 재빨리 상의를 모두 벗어 던져 버렸다. 그러자 훤히 드러난 맨살의 내 가슴에서 글자도 아니고 그림도 아닌, 복잡한 가운데 무언가 정교한 법칙이 느껴지는 정체불명의 문양이 빛으로 하얗게 빛나고 있었다.

"이건 또 뭐야?"

옷을 태울 정도로 강력한 빛이었는데도 불구하고 신기하게 가슴이 뜨겁거나 하지 않았다. 뿐만 아니라, 빛은 강렬하게 자신의 존재를 알리고는 순식간에 사라져 버렸다. 마치 몸속 어딘가 깊은 곳으로 꺼져 드는 것처럼.

순간, 머릿속에 떠오른 생각이 있었다.

"죽간본!"

틀림없다. 전생에서 죽기 직전 내 손으로 태워 버린 공자의 죽간본이, 그 속에 새겨져 있던 고대의 부적이 화염 속에서 나와 함께 타들어 가는 동안 몸속으로 들어와 각인된 모양이었다.

30년 전으로 시간을 거슬러 올라와 환생한 것도, 집중을 하면 시간이 느리게 흐르는 것도, 모두 이 부적이 지닌 미지의 힘 때문임에 틀림없었다.

"대체 무슨 부적이기에……!"

사실 표두로부터 표물 중에 공자께서 고대의 부적들을 직접 쓰고 엮은 죽간본이 있다는 말을 들었을 때 믿지 않았다. 공자는 괴력난신(怪力亂神)이라 하여 괴이하고 이상하고 초자연적인 것들에 대하여 평생 언급하기를 꺼리고 멀리했다. 그런 공자가 고대의 부적들을 모아 직접 쓰고 엮었다는 게 말이 안 된다고 생각했다. 그래서 처음엔 가짜라고 생각했다.

한데 이젠 뭐가 뭔지 솔직히 모르겠다.

때마침 장삼이 물그릇을 갖고 올라왔다. 그는 웃통을 벗고 있는 나와 저만치 탁자 아래에서 불타고 있는 상의를 차례로 보고는 후다닥 달려가 갖고 온 물을 홱 끼얹어 버렸다. 그러고는 나를 향해 빽 소리 질렀다.

"왜 멀쩡한 옷은 벗어 태우고 그러세요?"

"장삼아."

"예!"

"나 아무래도……."

"아무래도 뭐요?"

"……대박 난 것 같다."

4장
가르침

"공자님, 꿀떡 좀 드십시오."

"어디서 났어?"

"식당에서 새로 만들고 있기에 몇 개 슬쩍했습니다."

"입에 넣어줘."

꿀떡 하나가 입안으로 쏙 들어왔다. 한입 깨물자 터져 나오는 꿀맛이 기가 막혔다.

"또 파리 잡고 계십니까?"

"파리 잡는 게 아니라 무공 수련하는 거야. 마침 잘 왔다. 도로 식당에 가서 비린내 나는 거 좀 훔쳐 와라. 오늘따라 파리가 귀하네. 몇 번만 더하면 금방 동나겠어."

방법을 좀 바꿔보았다. 이번엔 젓가락을 찔러 파리를 잡는 게 아니었다. 대신 파리를 허공에 띄워놓고 양손을 빠르게 놀려 가상의 공간

밖으로 도망치지 못하게 했다. 핵심은 파리들이 날아가는 각기 다른 궤적과 방향, 움직임 등을 빠르게 간파해 미리 손을 뻗는 것이었다.

나는 지금 새로 생긴 '이능력'을 활용해 안력(眼力)을 기르는 연습을 하고 있었다.

전생에서 표두 가불염이 표행 중 쉬는 시간을 이용해 신입표사에게 무공을 가르칠 때, 옆에서 찢어진 신발을 고치며 엿들었던 말을 아직도 기억하고 있다.

'싸움은 눈이 절반이다.'

현재 내 능력은 파리 세 마리를 허공에 띄워놓고 반 식경 정도 붙잡아두는 수준이었다. 조금 익숙해지면 벌집 앞에 앉아 벌을 상대로 해볼 작정이었다. 벌에 쏘일까 쪼는 맛도 있고.

그러나 결국에는 권법에 접목을 시켜야 한다.

"오늘 보름인 건 아시죠?"

"어쩌라고?"

"매달 보름에는 표왕부에서 용혈들만 배석하는 저녁 식사가 있지 않습니까? 때마침 일공자님도 어제 표행에서 돌아오셨다고 하니, 국주님을 비롯해 네 분 공자님 전부가 모이시는 건 참으로 오랜만인 듯합니다."

"뭐? 매달 한 번씩 아버지를 모시고 형님들과 함께 표왕부에서 밥을 먹는다고?"

내가 동작을 멈추는 바람에 품 안에서 우왕좌왕하던 파리 세 마리가 부웅 하고 흩어졌다.

"왜 그렇게 놀라십니까?"

"언제부터?"

"대대로 내려오는 전통이라고 들었는데요."

"하아……"

표왕부(鏢王府)는 천룡표국 내에서도 가장 웅장한 전각으로 국주인 이종산이 수십 명의 호위무사를 거느리며 홀로 기거하는 곳이었다.

사흘 만에 또다시 표왕부를 찾은 나는 온몸이 쪼그라드는 것 같았다. 이종산만으로도 살이 부들부들 떨릴 지경인데 갑자기 생긴 세 형들까지 있으니 바늘방석이 따로 없었다. 특히 이병룡의 분위기가 좋지 않았다.

"삼공자님과 조영영 소저와의 혼인이 잠정 보류되었다고 합니다. 이 일로 청화부인께서 표왕부를 찾아가 따지는 등 한바탕 난리가 났었다네요. 불똥이 공자님께로 튈지 모르니 각별히 조심하십시오."

표왕부로 오기 전 장삼에게 전해 들은 소식이었다.

어쩐지 백선반점에서의 일이 있고 난 후 보복이라도 해올 줄 알았는데 잠잠하더라니. 믿었던 조영영과의 혼인이 물거품이 되어버리자 공황 상태에 빠진 모양이었다.

며칠 전 보았던 그 어리고 예쁜 조영영의 얼굴을 생각하면 나도 십분 이해가 갔다. 오죽하면 진짜 이정룡은 죽으려고까지 했겠나.

'그나저나 오늘쯤 방이 붙었어야 하는데……'

본시 향시를 치르고 나면 사흘째 되는 날 관아를 비롯해 도시의 주요 길목에 급제자 명단을 적은 방이 나붙는다. 한데 이상하게도 아무런 소식이 없었다. 오늘만 해도 장삼이를 시켜 세 번이나 관아를 다녀오게 했다.

"강서성에서 사람을 백 명 가까이 죽이고 사라졌다는 흉신악살의 용모파기(容貌疤記-용모와 특징을 적은 글)만 잔뜩 붙어 있습니다."

시골에서 올라온 수많은 유생들이 방을 보고 내려가기 위해 지금도 항주 어딘가에서 머물고 있다. 관아에서도 언제까지 미룰 수 없으니 늦어도 내일 아침쯤에는 방이 나붙을 것이다.

그나저나 상차림 한번 휘황찬란하다. 울긋불긋 소채류부터 시작해 각종 해산물이며 기름기가 좔좔 흐르는 고기들까지.

'이런 걸 먹고 산다고?'

다시 한번 사공자로 환생하게 해준 부적에게 절이라도 하고 싶은 심정이었다.

"복룡당에서 불미스러운 일이 있었다고?"

식사가 시작되자 이종산이 말문을 열었다.

"다행스러운 일이지요. 정룡이 복룡당의 오랜 폐단 중 한 가지를 찾아내 바로잡았으니 말입니다."

일공자 이갑룡이 점잖게 덧붙였다. 올해 서른 살로 당당한 풍채에 용모까지 준수한 그는 언제 보아도 묵직한 멋이 있었다.

한데 말 속에 뼈가 있었다. 분명 나를 칭찬하는 말인 것 같은데 방점은 '복룡당의 오랜 폐단'에 찍혀 있는 것처럼 느껴졌다.

그가 다시 말했다.

"제가 정룡에게 일을 좀 가르쳐 볼까 합니다. 정룡의 나이도 벌써 스물두 살입니다. 놀 만큼 놀았으니 이제 이 형을 도와 표국 일을 하나씩 배워야지 않겠습니까?"

"마치 형님께서 표국 일을 혼자 도맡아 하시는 것처럼 말씀하십니다. 아버지도 계시는데 듣기 민망합니다."

갑자기 끼어든 사람은 이공자이자 복룡당의 당주인 이을룡이었다. 이갑룡의 눈동자가 고요한 호수를 닮았다면, 이을룡은 맹수의 그것을 닮았다. 그는 타고난 싸움꾼이었다. 그러다 보니 평소 말투에도 호전적인 기질이 그대로 드러났다.

"네가 그렇게 듣고 싶었던 것이 아니고?"

"갑자기 정룡에게 관심을 쏟으시는 것도 당황스럽군요. 평소엔 거들떠보지도 않으시더니 말입니다."

"정룡에게 큰일이 있었다고 들었다. 그동안 맏형으로서 내가 너무 무심했다는 생각이 들더구나. 하여 이제부터라도 챙겨줄까 한다. 너도 각별히 신경 좀 쓰거라."

"그렇지 않아도 정룡은 제가 데려다 가르칠 생각이었습니다. 형님은 늘 그래오셨던 것처럼 표국 일에 매진하십시오. 갑자기 사람이 변하면 좋은 일보다 나쁜 일이 많다는 말도 있지 않습니까."

"너도 평소 같지는 않구나."

"평소와 달리 이 녀석이 하필 제가 관리하는 복룡당의 문제를 들추는 바람에 망신을 제대로 당했지 뭡니까. 결자해지라는 말도 있거니와 이 기회에 정룡을 데려다가 아예 자리를 하나 맡겨볼까 합니다."

조곤조곤 나누는 대화인데 내 눈에는 칼과 검이 오고 가는 것 같았다.

한데, 이들은 왜 갑자기 날 가지고 싸우는 걸까? 정말 나를 가르치고 키워줄 생각일까? 천만의 말씀이다. 전생에서 이정룡은 호수에 빠져 죽었지만, 이번 생에서는 살아났다. 동생이 그렇게까지 되도록 내버려 둔 것에 대해 강호의 인심이 흉흉하다는 얘길 장삼에게 들었다.

하지만 이들은 강호의 소문 따위를 신경 쓰는 인간들이 아니었다. 이들이 신경 쓰는 사람은 하늘 아래 오직 한 사람, 아버지 이종산밖에 없었다. 고로 나를 가르치니 어쩌니 하는 말들은 전부 눈앞에 있는 이종산을 의식한 말이다. 상사병으로 목숨까지 끊으려 한 동생을 아주 모른 척할 수는 없으니 이제라도 슬슬 챙기는 시늉을 하는 것이다.

딱!

내공이라도 실었는지 이종산의 젓가락 놓는 소리가 흡사 천둥처럼 들렸다. 순간 이갑룡과 이을룡의 살벌한 신경전도 칼로 토막 치듯 뚝 끊어졌다.

아버지가 젓가락을 놓았는데 아들들이 음식을 입에 넣을 수 있나. 세 형제가 모두 음식을 먹다 말고 차려 자세가 되었다.

"왜 그랬느냐?"

이종산이 무심한 얼굴로 내게 물었다. 이야기도 다시 원점인 복룡당으로 돌아왔다. 나는 노릇노릇하게 구운 양꼬치를 간장에 적셔 막 한 입 베어 물다가 조용히 내려놓으며 말했다.

"쟁자수들이 포장을 유지로 바꿔치기하는 걸 우연히 알아차렸기로……."

"무슨 일이 있었는지는 이미 알고 있다. 왜 그랬는지를 묻는 것이다. 너는 한 번도 표국 일에 관심을 가진 적이 없다. 쟁자수들과 시비가 붙은 적 또한 없고."

이건 아무도 묻지 않은 질문이다. 전립성도, 장삼이도, 쟁자수며 표사들도 전부 내가 어떻게 그런 것들을 알았는지만 궁금해했지, 왜 표국 일에 나서고 쟁자수들과 시비가 붙었는지는 알려고 하지 않았다.

"예전엔 싸우고 싶지 않았기 때문입니다."

"지금은 싸우고 싶고?"

"시비를 걸어오는데 당하고만 있을 순 없지요."

"표사 셋과 쟁자수 아홉 명이 치도곤 삼십 대씩을 맞고 풀려났다. 이들은 앞으로 일 년 동안 표행을 나가지 못할 것이고, 그들의 처자식들은 끼니를 걱정해야 할 것이다. 이것이 네가 잠깐의 화를 참지 못하고 복룡당에서 벌인 일의 결과다. 할 말이 있느냐?"

이종산은 지금 무슨 생각에선지 나를 몰아붙이고 있었다. 정확한 이유야 모르겠지만, 나를 가늠해 보려는 일종의 시험이라는 건 알겠다.

시험은 언제나 출제자의 의도가 가장 중요하다. 그걸 모를 땐? 죽이 되든 밥이 되든 일단 강한 인상을 남겨야 한다.

"아버지의 계산은 틀렸습니다."

이갑룡, 을룡, 병룡이 아연실색했다. 자신들 중 누구도 아버지의 면전에서 '당신이 틀렸다'고 말한 적 없기 때문이다. 그건 이 천룡표국의 주인과 정면으로 맞서는 짓이었다.

"정룡, 무슨 무례한 짓이냐!"

이갑룡이 낮게 호통을 쳤다.

"이 자식이 미쳤나!"

이을룡도 조용히 한입 보탰다.

이종산이 한 손을 들어 두 사람의 입을 막았다. 그리고 착 가라앉은 눈빛으로 다시 내게 물었다.

"너의 계산은 무엇이냐?"

"아버지께서 말씀하신 일은 제가 벌인 일이 아니라 그들이 벌인 일입니다. 자업자득이라고 하지요. 제가 벌인 일의 결과는 천룡표국이 언젠가 입었을 큰 손실을 작은 손실로 미연에 방지한 것입니다. 하니 그들에게 치도곤이라는 벌을 주셨다면 제게는 상을 주셔야 합니다. 그래야 상벌이 분명해집니다."

이갑룡, 을룡, 병룡의 눈동자가 휘둥그레졌다. 이종산은 횃불 같은 눈빛으로 한참이나 내 눈을 지지더니 말했다.

"이제서야 한 걸음을 내디뎠구나. 스물두 살에."

됐다. 이건 칭찬이다. '스물두 살'이라는 말은 아쉬움의 표현이지 질책이 아니다. 하지만 이 정도로 만족해서는 안 된다. 여기서 멈추면 나에 대한 평가도 딱 이 정도에서 끝나 버린다. 저 아쉬움을 기대로 바꿔주어야 한다.

"두 걸음은 어떤 것입니까?"

이종산의 눈동자가 살짝 커졌다. 내가 이런 식으로 질문을 해올 거라고는 미처 생각하지 못했다는 듯.

이종산은 잠시 사이를 두었다가 말했다.

"너는 표왕의 아들이다. 다른 곳도 아닌 천룡표국 안에서 쟁자수 따위가 어찌 감히 표왕의 아들에게 시비를 건단 말이냐? 네 형들이었다면 그 자리에서 쟁자수의 목을 비틀어 죽였을 것이다."

이건 또 무슨 뜻일까? 얼핏 들으면 내가 용혈들의 위엄을 손상했다고 질책하는 것처럼 보이지만, 왠지 그게 전부가 아닌 것 같다. 좀 과

하지 않은가.

반면 세 형제의 얼굴에선 의기양양함이 느껴졌다. 마치 너와 우리 사이에는 이만큼의 격차가 존재한다고 말하는 것 같다.

"지난번엔 저더러 죽으라고 하시더니, 이번엔 상대를 죽였어야 한다고 말씀하시는군요. 항상 둘 중의 하나여야 합니까? 내가 죽거나 상대가 죽거나."

"너도 살고, 상대도 사는 법도 있다."

"그게 무엇입니까?"

"네가 스스로 호랑이가 되는 것. 그리하여 모든 이들로 하여금 네가 호랑이임을 알게 하는 것. 하면 아무도 너를 상대로 싸우려 하지 않을 것이고, 너 또한 누군가를 죽일 필요가 없느니라."

"제가 한 일도 그런 것입니다만. 다만 차이가 있다면 집법당을 이용했다는 것뿐이죠. 쟁자수들은 강도가 아니고, 이곳 역시 강도가 돌아다니는 노상이 아니라 엄격한 규범과 질서가 존재하는 천룡표국이니까요."

"......!"

"......!"

"......!"

세 형제의 눈동자가 커졌다. 이종산은 아까보다 훨씬 오랫동안 나를 뚫어지게 보더니 말했다.

"좋은 한 걸음이다."

이갑룡, 을룡, 병룡은 그야말로 어리둥절한 얼굴이 되었다. 무언가 자신들이 생각한 것과 다른 전개가 펼쳐지니 당황스럽기도 하겠지.

나는 이종산의 입꼬리에 살짝 우물이 생겼다가 사라지는 걸 놓치지 않았다. 저건 분명 미소다. 됐다. 이 정도면 오늘 밥값은 했다. 남은 식사시간은 편안하게 먹어도 되겠다.

한데 또 다른 방해꾼이 나타났다. 인기척과 함께 옆구리에 장검을 찬, 해골바가지처럼 생긴 장년인이 들어왔다. 표왕부의 호위장 흑살객(黑殺客) 가뢰압이었다.

"아까부터 바깥이 왜 이리 시끄러운 겁니까?"

이을룡이 신경질적으로 물었다.

나는 깜짝 놀랐다. 시끄러운 소리라니. 아무 소리도 들리지 않았는데.

고개를 돌려보니 이종산은 물론이거니와 이갑룡, 병룡도 모두 궁금한 표정으로 호위장의 얼굴을 바라보고 있었다. 나만 빼고 모두 들었던 것이다.

'시간을 느리게 흐르도록 하는 이능력을 지녔지만, 정작 무림고수들의 평범한 힘은 하나도 가지지 못했구나.'

나는 무공, 특히 내공의 필요성을 절감했다. 최대한 빨리 상승의 내공심법을 익혀 고수가 되어야겠다고도 생각했다.

"항주부 관아에서 지부대인이 통판을 비롯해 무장한 관병 이십여 명을 이끌고 찾아왔습니다. 막아서는데도 기필코 말을 타고 들어와야겠다고 하여 지금 대마장(大馬場)에 억류해 두었습니다."

"지부대인이 무슨 일로 왔다는 겁니까?"

"그건 국주님을 뵙고 직접 말씀드리겠답니다."

"이런 물색없는 늙은이를 봤나. 지부대인이면 지부대인이지, 감히 누구더러 나오라 마라. 게다가 말을 타고 무장까지 한 채 천룡표국으로 들어와? 간이 부어도 단단히 부었군."

"말을 타고 문턱을 넘겠다며 고집을 피우긴 했지만, 그 태도가 매우 공손한 것이 시비를 걸러 온 건 아닌 듯합니다."

"걸려면 걸 수는 있답니까?"

"약속 없이 온 손님입니다. 다음에 정식으로 사람을 보내 시간을 정한 다음 다시 오라 전하십시오."

이갑룡도 한입 보탰다. 성질이 불같은 이을룡과는 달리 확실히 명분부터 갖다 붙이는 신중한 모습이었다. 그때였다.

"앗!"

방정맞은 외침과 함께 이병룡이 자리에서 벌떡 일어섰다. 모두의 시선이 한꺼번에 쏠리자 그는 얼른 자리에 다시 앉았다. 그러곤 무슨 이유에선지 흥분을 주체하지 못했다.

"넌 또 왜 그래?"

"아, 아무것도 아닙니다."

"너 혹시 무슨 사고 쳤어?"

"그게 아니라. 실은 며칠 전 항주 관아에서 향시가 있었습니다. 본시 향시의 급제자 명단은 시내 곳곳에 방(榜)을 써 붙여 알립니다만, 3등 안에 든 급제자들은 관리가 직접 찾아가 교지를 전해주는 것이 관례입니다."

"그래서?"

"소제가 향시를 보았습니다."

더 이상 무슨 설명이 필요하냐는 듯 이병룡은 득의양양한 미소와 함께 어깨에 잔뜩 힘을 주었다. 그러고는 나를 노려보았다. '봐라. 네놈이 백선반점에서 그렇게 잘난 척을 했지만, 결국엔 내가 급제를 하지 않았느냐?'라고 말하는 듯. 다음에는 이종산에게로 시선을 옮겼다. '보세요. 아버지, 이래도 제게 장가를 가지 말라고 하실 겁니까?'라고 항변하는 듯.

나는 향시에서 3등 안에 들면 관리가 직접 찾아가 교지를 전해준다는 걸 오늘 처음 알았다. 그렇다고 해도 지부대인이 직접 오는 건 아닐 텐데?

"한데 아버지는 왜 만나려 한단 말이냐?"

"그거야 어떻게든 구실을 만들어 아버지를 뵙고는 이참에 점수 좀 따놓으려는 수작이겠지요. 항주부 관아의 높은 벼슬아치들 열에 일곱은 아버지 손으로……."

"말이 많구나!"

이종산의 나지막한 일갈에 이병룡이 움찔했다. 이어 이종산은 호위장에게 지시했다.

"잠시 기다리라 이르게."

"명을 받들겠습니다."

무장한 관병 이십여 명을 이끌고 온 지부대인을 기다리라고 하면서도 아비나 아들들이나 눈 하나 깜짝하지 않는다.

나는 천룡표국과 소위 용혈이라 부르는 표왕의 혈족이 어떤 세상에서 살아왔는지 조금은 알 것 같았다. 이건 내가 전생에서 쟁자수로 살며 지켜보았을 때는 상상조차 못 한 세상이었다.

그건 그렇고, 사람들은 지부대인이 이병룡에게 교지를 전해주러 왔을 거라는 기대는 눈곱만큼도 하지 않는 눈치였다.

나도 그랬다. 전생의 기억으로 이병룡이 향시에 거의 말석으로 급제한다는 걸 알고 있었다. 그러니 저 지부대인은 최소한 이병룡을 만나러 온 것은 아니었다.

나는 탁자 밑에서 조용히 손을 떨었다.

'이게 다 뭐야?'

대마장에 모여든 표사와 쟁자수 등은 수백을 헤아렸다. 표행을 떠나 있는 사람들을 제외하고는 대부분이 모인 것 같았다.

갑자기 지부대인이 통판을 비롯해 무장한 관병을 스무 명이나 이끌고 장원 안까지 쳐들어왔으니 다들 뛰쳐나올밖에. 그것도 감히 말까지 타고.

그러나 표사와 쟁자수들은 관병들에게 위협을 가하기보다는 크게 빙 둘러싸고는 어디 어쩌나 한번 보자 하고 지켜만 보았다. 상대가 지부대인과 관병들이라 함부로 할 수 없는 탓도 있지만, 그들도 아는 것이다. 천룡표국이 반역을 도모하지 않는 이상 항주부 지부대인 정도가 감히 어찌할 수 있는 가문이 아니라는 것을.

이종산이 네 명의 아들을 이끌고 나타나자 올해 일흔 살의 지부대인 왕인탁은 그제야 말에서 거만하게 내렸다. 화려한 비단옷으로 뚱뚱한 몸을 감싼 왕인탁은 마주 오는 이종산을 향해 십여 걸음이나 걸어 나가는 성의를 보였다. 그러고는 뻣뻣하게 서서 상대가 먼저 허리 숙여 인사해 오길 기다렸다. 천룡표국의 권세가 아무리 대단하다 해도 항주를 통치하는 지부대인이 민간인에게 먼저 인사를 할 수는 없는 것이다.

"오랜만에 뵙습니다. 대인."

"국주께서도 강녕하셨소이까?"

"한데 이 시각에 여긴 어쩐 일이십니까?"

이종산은 바로 용건으로 들어갔다. 연락도 없이 갑자기 찾아온 것에 대해 불편한 심기를 그대로 드러낸 한 마디였다. 그럼에도 불구하고 지부대인은 싱글벙글이었다.

"내가 못 올 데라도 온 것이오?"

"그럴 리가요. 대인의 방문이야 언제나 환영이지요. 다만 공무로 바쁘실 분께서 이리 연락도 없이 오시어 조금 당황했을 뿐입니다. 듣자 하니 이 몸을 찾으셨다고요."

"이런, 말이 조금 와전되었나 보구려. 국주를 찾은 것은 맞소만, 그건 기왕 오는 김에 국주를 뵙고 술이나 한잔 얻어먹을까 해서 지금 표왕부에 계시느냐고 물어본 것뿐이었소이다. 한데 일이 이렇게 커질 줄이야. 껄껄껄."

"이 몸을 만나러 온 것이 아니란 말씀입니까?"

"실은 국법이 정한 절차에 따라 이 댁에 교지를 전하러 왔소이다. 하여 무례인 줄 알면서도 부득불 관병들과 함께 말을 타고 문턱을 넘은 것이고요. 천룡표국의 위세가 천하를 진동시킨다고는 하나 국법보다 위에 있을 수는 없지 않겠소이까?"

나는 교지라는 말에 주먹을 꼭 말아 쥐었다. 이병룡의 말처럼 향시와 연관된 것임을 직감했다.

놀라긴 이종산과 이갑룡, 을룡도 마찬가지였다. 하지만 그들은 내가 아니라 이병룡에게로 일제히 시선을 던지며 두 눈을 휘둥그레 떴다. 하나같이 '네놈이 정녕 향시에 급제를 하였더란 말이냐? 그것도 3등 안에 드는 성적으로?'라는 표정이었다.

세 사람의 시선이 이병룡에게로 향하자 모여든 수백 명 또한 전부 이병룡을 바라보기 시작했다. 지부대인이 무슨 일로 왔는지 모르지만 일단 나쁜 일은 아니고, 그 원인이 이병룡에게 있다는 걸 알아차린 것이다.

형들과 아버지에 이어 사람들의 시선까지 한 몸에 받게 된 이병룡은 그야말로 가슴이 벅차오르다 못해 터질 것 같은 얼굴이었다. 입을 다물었다가 벌렸다가, 주먹을 말아쥐었다가 폈다가를 반복하는 것이 똥 마려운 강아지가 따로 없었다.

"누구에게 무슨 교지를 전하겠다는 겁니까?"

"그거야 당연히 이 댁 아드님이지요."

"헙!"

마지막 짧은 비명은 이병룡의 입에서 새어 나온 것이었다. 뒤늦게 실태를 깨달은 그가 손으로 입을 덥석! 가렸다.

이종산은 그런 이병룡을 무섭게 노려보았다. 하지만 질책이라기보다는 '이럴 때일수록 자중해야 한다'라는 가르침의 눈길이었다. 오히려 이종산의 눈동자야말로 지금 기쁨과 환희로 이글이글 불타고 있었다.

향시에 3등 이상의 합격자가 나온 것은 천룡표국의 역사상 처음 있는 일이었다. 그것도 자신의 대에, 자신의 아들이 급제를 했으니 얼마나 기쁘겠나.

이종산이 다시 왕인탁을 바라보며 차분한 음성으로 물었다.

"그 말씀은……?"

"아시다시피 사흘 전 항주부 관아에서 향시가 있었습니다. 한데 이 댁 아드님 중 한 분이 발군의 문장으로 뛰어난 성적을 거둔바, 절차에 따라 이리 결과를 알려주러 온 것입니다. 본시 통판이 관병을 이끌고 오게 되어 있으나, 이 댁은 본관이 국주와 잘 아는 사이기도 하고 예우 차원에서 직접 왔소이다. 껄껄껄."

향시, 발군의 실력, 뛰어난 성적, 교지……. 이런 단어들이 지부대인의 입에서 나오자 이제야말로 돌아가는 상황을 어느 정도 짐작한 구경꾼들이 크게 술렁거리기 시작했다.

이병룡은 눈을 꼭 감은 채 입술을 파르르 떨었다. 팽팽 머리 돌아가는 소리가 들리는 것 같았다. 향시에 급제를 하면 자신의 말에 무게가 실릴 것이고, 그렇게 되면 엎어진 혼담을 다시 이어 나갈 수 있다고 생각할 것이다.

하지만 그런 일은 없을 것이다. 전생과 달라진 것이 없다면 이병룡은 이번 향시에 급제를 하기는 한다. 하지만 전체 합격자 200명 중 뒤에서 열 번째쯤이 될 것이다. 그것마저도 기적이라고 생각되지만.

'그렇다면 저 교지는 내 것이다!'

왕인탁이 뒤를 돌아보며 고개를 끄덕였다. 그러자 통판이 다시 뒤돌아 고개를 끄덕였고, 진작부터 말에서 내려 대기하고 관병들이 갑자기 뛰쳐나와 바닥에 커다란 돗자리를 깔기 시작했다. 이어 난데없이 좁고 높은 탁자를 갖다 놓더니 척 보기에도 귀해 보이는 술 호리병과 옥으로 만든 술잔까지 깔았다.

준비가 모두 끝나자 통판이 돗자리 위로 올라가 돌돌 말린 교지를 제법 위엄 있게 착 펼치고는 우렁우렁한 소리로 읽어 내려가기 시작했다.

"병신년 칠월 초파일 항주부 동산평 이종산의 사남(四男)으로 태어난 이정룡은 앞으로 나와 황제 폐하의 교지를 받들라!"

"......!"

"......!"

"......!"

지금 이 순간 이종산, 이갑룡, 이을룡의 표정을 나로서는 도저히 말로 설명할 길이 없다. 억지로 표현을 하자면 그들은 그냥 머리에 대포를 한 방 맞으면 지을 법한 얼굴들을 하고 있었다.

이병룡은……? 놀랍게도 그는 돗자리에 올라가더니 탁자를 가운데 놓고 교지를 든 통판과 마주하며 섰다. 그러고는 사력을 다해 웃음을 참느라 입술이 닭똥집처럼 오므려졌다.

사람들이 크게 술렁거렸다. 이병룡과 나의 얼굴을 모르는 통판이 교지를 읽어 내려가려는 찰나, 놀란 지부대인이 얼른 다가가 통판에게 귓속말을 전했다. 통판 역시 깜짝 놀라서는 이병룡의 두 발을 바라보며 돗자리에서 나가라는 듯 턱으로 자꾸 바깥을 가리켰다.

이병룡은 그제야 무언가 잘못되었다는 걸 깨달은 모양이었다. 그는 '아!' 하고 작게 소리 내더니 돗자리 밖으로 나갔다가 어처구니없게도 신발을 벗고는 다시 올라왔다.

"아아……."

구경꾼들 사이에서 안타까움의 탄식이 흘러나왔다. 그런데도 이병룡은 여전히 뭐가 잘못됐는지 모르는 얼굴이었다.

당황한 통판이 다시 교지를 들고 크게 외쳤다.

"병신년 칠월 초파일 항주부 동산평 이종산의 사남(四男)으로 태어난

이·정·룡…… 이정룡은 앞으로 나와 교지를 받들라!"

"……!"

뒤늦게 모든 상황을 깨달은 이병룡의 얼굴에서 핏기가 모두 빠져나가 버렸다. 그는 지금의 상황이 믿기지 않는 듯 나와 아버지와 형제들과 군중을 모두 훑어보고는 한동안 그대로 있더니 다리를 달달 떨면서 물러났다. 그 모습이 처량하고 불쌍하면서도 한편으로는 꼴사나운지라 모두가 고개를 절레절레 흔들었다.

"이정룡은 앞으로 나와 교지를 받들라!"

통판이 목을 쭉 빼고는 다시 한번 큰 소리로 외쳤다.

이병룡을 대신해 내가 천천히 돗자리에 올라갔다. 그리고 공손히 두 손을 맞잡았다.

"유생 이정룡 교지를 받드옵니다."

"이정룡은 당월 항주부 관아에서 치른 향시에 장원급제하였기로 술 석 잔과 함께 이 교지를 내리는바……."

"와아아!"

장원급제라는 한 마디에 갑자기 터진 함성이 통판의 다음 말을 집어삼켜 버렸다. 날벼락을 맞은 듯한 소식에 사람들은 표사며 쟁자수고 할 것 없이 모두 괴성을 지르고 떠들어대느라 정신이 없었다.

놀랍겠지. 이게 무슨 일이냐 싶겠지. 유서 깊은 서원도 아니고, 무림세가의, 그것도 표행으로 먹고 사는 천룡표국에서 가장 멍청하고 방탕한 생활을 한 막내아들이 향시에서 장원급제했다는데 얼마나 놀랐겠나.

하지만 나야말로 벅차오르는 감정을 주체하기 어려웠다. 전생에서 나는 한낱 쟁자수에 지나지 않았다. 어려서부터 글공부를 했으나 중도에 그만두는 바람에 벼슬길로 나아가지 못했고, 어른이 되어서는 표사가 되고자 했으나 절름발이라는 신체적 한계 때문에 꿈만 꾸다 말았다.

전생의 나는 아무것도 아니었다. 하지만 지금은 뭐든지 할 수 있었다. 원한다면 표사가 될 수도 있고, 벼슬길에 오를 수도 있다. 어디 높은 곳에 올라가서 마음껏 고함을 지르고 싶었다.

"하여, 이정룡은 이달 스무날까지 항주부 관아로 직접 방문하여 거인의 신분임을 증명하는 각패(角牌)와 비단 오십 필 그리고 노인(路引)을 받으라."

각패는 뿔로 만든 호패로 고위직 관원이나 사대부 혹은 향시 급제자들만 차고 다닐 수 있는 신분증이었다. 노인은 각 지방의 성문과 관문을 편하게 통과할 수 있는 여행증명서였다.

이갑룡과 이을룡은 황당함에 할 말을 잃은 표정이었다. 이 모든 게 다 거짓말이 아니냐고 의심하는 얼굴이랄까.

통판이 자신을 찾아온 거라 지레짐작하고 설레발을 쳤다가 개망신을 당한 이병룡은 눈동자에 초점이 없었다. 그는 지금 정신이 나간 상태였다.

한데 이종산은 장원급제를 이병룡으로 오해했을 때와 달리 전혀 기뻐하는 기색이 아니었다. 오히려 얼굴 가득 전에 없던 노기가 서려 있었다.

그는 절차가 모두 끝나길 기다렸다가 지부대인에게 조용히.

"지부대인께서는 저를 좀 보시지요."

그러나 힘 있는 목소리로 말했다.

"왕 대인, 재밌는 장난을 하십니까?"

말투가 갑자기 평대로 바뀌었다. 그러나 말투보다 더 무서운 것은 초절정고수인 이종산의 전신에서 뿜어 나오는 위압적인 기세였다. 왕인탁은 마른침을 꿀꺽 삼켰다.

"무슨…… 뜻이외까?"

"향시의 장원급제자를 내 아들놈으로 바꾸고 찾아오면 내가 천금을 꺼내어 바칠 줄 알았소이까?"

"국주, 무언가 오해가 있으신 것…….."

쾅!

"부끄러운 줄 아시오!"

왕인탁은 이종산이 내려친 탁자의 진동에 심장이 철렁 내려앉고, 뒤이어 터져 나온 일갈에 귀가 먹먹해지는 것 같았다.

"내 그동안 왕 대인께서 부호의 자제들을 상대로 매관매직을 일삼는다는 사실을 잘 알고 있었소. 한데 감히 나한테까지 수작질을 하실 줄이야. 정녕 내가 대인의 관복을 벗길 수 있는지 없는지 확인을 해봐야 정신을 차리겠소이까?"

지부대인이라면 항주부 안에서는 황제가 부럽지 않은 자리다. 하지만 이렇게 무림의 절정고수와 독대하면 제아무리 산전수전 다 겪은 노관리라도 간이 쪼그라들게 마련이었다. 특히 이종산의 가문에서 선조 때부터 심고 관리해 온 황실 인맥이면 항주부 지부대인의 목 정도는 하루아침에 날려 버릴 수도, 다시 붙일 수도 있었다.

하지만 왕인탁은 오늘 하루만큼은 무슨 일이 있어도 자신이 큰소리칠 만하다는 걸 잘 알고 있었다. 그는 저 뱃속 깊은 곳에서부터 남은 용기를 쥐어짜 올려 가까스로 말했다.

"솔직히 말하면 뭔가 좀 챙길 수 있을 거라는 생각에 이렇게 찾아온 것은 맞소이다. 하지만 맹세컨대 뇌물을 노리고 국주의 아들을 억지로 장원급제시킨 것은 아니외다."

"끝까지 가보시겠다?"

"정말이오. 그럴 수도 없거니와 혹여라도 방법이 있었다고 해도 넷째가 아니라 셋째 아들을 올렸겠지요. 그편이 사람들로부터 훨씬 의심을 덜 살 테니까 말이오. 안 그렇소이까?"

"이 몸의 셋째 아들도 응시한 것을 알고 있었소이까?"

"당연하오. 절반을 추려내는 1차에 탈락했소이다."

"응시생이 모두 몇 명이었소이까?"

"2만 명쯤 될 것이오."

"2만 명이나 되는 유생들 중에 그 녀석이 있었는 줄은 어찌 아시오? 그것도 1차에 탈락했다면서. 탈락자들 명단까지 모두 살펴보는 그런 부지런한 관리였소이까?"

이쯤 되니 왕인탁도 슬그머니 오기가 치솟았다. 그는 버럭 소리쳤다.

"나를 찾아왔소이다!"

"누가 말이오?"

"만금전장(萬金錢莊)의 대행수가 나를 찾아왔단 말이오. 향시를 치르기 전날 밤 은전이 가득 든 전낭을 들고. 하니 돈값을 하려면 어떤 성적을 거뒀는지 확인해 볼밖에!"

만금전장은 대륙의 스물아홉 개 도시에 분타를 거느린 전장이었고, 전장의 장주가 바로 이병룡의 외할아버지였다.

그는 돈을 전가의 보도처럼 휘두르기는 해도 저런 비겁한 일에까지 손을 쓰는 사람은 아니었다. 필시 이병룡이 친모에게 부탁을 했고, 다시 그의 친모가 친정아버지를 찾아가 생떼를 썼을 것이다. 수향문의 여식과 혼담이 오가자 두 형들에 비해 상대적으로 부족한 자식의 기를 살려주려는 욕심이 만든 참극이다.

'업보로다!'

과거 이종산 역시 천룡표국을 손에 넣기 위해 다섯 명의 형제들과 피비린내 나는 전쟁을 치러야 했다. 그 과정에서 쟁쟁한 가문의 세 여자와 정략결혼을 했다. 그는 지금 그 대가를 치르고 있었다.

"1차만 통과했어도 일이 훨씬 수월했을 텐데. 꼬장꼬장한 심사관들을 설득하고 움직이느라 돈이 적지 않게 들어갔소이다."

"그건 또 무슨 뜻이외까?"

"셋째 아드님도 결국 급제를 시켰소. 석차는 전체 합격자 200명 중에 193등. 나로서는 그게 최선이었소. 아까 보니 꽤나 실망하던 눈치던데, 내일쯤 항주 전역에 방이 나붙을 테니 너무 실망하지 말라고 귀띔이나 해주시오."

"이보시오. 왕 대인!"

"나도 어쩔 수가 없었소이다. 만금전장에서 고리업으로 황실 고관대작들의 돈을 몰래 불려주고 있음은 국주께서도 잘 아실 것이오. 내겐 만금전장의 청탁을 거절할 간담이 없소이다."

"이 몸의 진노는 감당할 자신이 있소이까?"

"어차피 서른 명 정도는 고관대작들의 자녀 몫으로 항상 남겨두는 것이 향시의 오랜 관례였소이다. 그중 하나에 꽂아 넣은 것이니 너무 그렇게 정색할 필요 없어요. 이미 엎질러진 물이기도 하고."

도둑이 열이면 그중에 아홉이 관리라는 말이 실감 났다. 이종산은 한편으로는 화가 치밀어 올랐지만, 한편으로는 허탈했다.

"그리고 이것 좀 보시겠소?"

"이게 무엇이오?"

"이 댁 사공자가 쓴 답문이오. 원부는 관아에서 보관 중이고, 이건 아랫것들을 시켜 급하게 베낀 필사본이오. 국주께서 궁금해하실 것 같아 가져왔소이다."

지부대인이 내민 종이를 펼친 이종산은 어지럽게 휘갈겨 쓴 초서를 천천히 읽어 내려갔다.

깊은 학문과 풍부한 식견, 현상을 꿰뚫어 보는 통찰, 이런 것들을 문장에 담아내고 논리를 세워가는 솜씨까지…… 절반을 채 읽기도 전에 이종산은 그만 혀를 내두르고 말았다.

"이걸 진정 그놈이 썼단 말이오?"

"놀랍지 않소이까?"

"이런 말도 안 되는……."

"껄껄껄. 자식 겉 낳지 속 낳지 않는다고 했소이다. 아무리 아비라고 해도 자식을 전부 알지는 못하는 법이지요. 껄껄껄."

왕인탁은 행여라도 이종산의 심기가 또 틀어질까 봐 노심초사하여 열심히 분위기를 띄웠다.

이종산은 정신이 하나도 없었다. 그에게 넷째 아들 이정룡은 기형적으로 구부러진 병신 손가락이었다. 몸은 나무토막 같아 무공을 가르칠 수 없고, 머리는 돌덩어리라 공자 왈 맹자 왈이 들어가 박히질 않았다. 내버려 두자니 가슴 아프고, 뭐라도 가르치자니 복장이 터지는 그런 아이였다.

한데 이 녀석이 뜬금없이 표국의 오랜 폐단 하나를 밝혀내더니 며칠이 지나 이번엔 향시에서 장원급제를 했다고 한다. 도대체 무슨 조화인지 모르겠다. 서호에 뛰어들었을 때 용왕이라도 만나고 온 건가?

"두 사람은 이제 거인(擧人)의 신분으로 한 달 후 북경에서 열리는 회시에 응시할 수 있소이다. 만약 둘 중 하나가 회시에도 덜컥 장원급제를 한다면……."

다른 말은 하나도 들리지 않았다. 천룡표국을 비롯해 많은 표국들은 오래전부터 가난한 유생들을 후원한다는 명목하에 향시 급제자들을 표사로 고용하는 관습이 있었다. 목적은 당연히 유생들이 회시에 급제한 후 중원 곳곳의 수령으로 발령 나면 표행 중에 그 덕을 보기 위해서다. 그리고 이들을 '거인표사'라고 했다. 한데 아들이 바로 그 거인이 됐다.

회시에서까지 장원급제하는 건 바라지도 않는다. 다만 하늘이 도와 지부대인 말대로 급제만 해준다면 진사(進士)의 신분과 함께 최소 지방 현령으로 발령이 날 것이다.

네 아들 중 하나쯤은 벼슬길로 나아가는 것도 나쁘지 않을 것 같았다. 특히 정룡은 무공도 모르고 든든한 외가도 없으니 어쩌면 벼슬길이야말로 녀석이 갈 수 있는 유일한 출셋길일지도 모른다. 더불어 형제들과 후계 자리를 놓고 싸우지 않아도 되고.

이종산은 필사본을 다시 돌려주며 말했다.

"커험, 아무래도 제가 결례를 한 것 같습니다."

"이제 술 한잔 얻어먹을 수 있겠소? 껄껄."

왕인탁은 속으로 안도의 한숨을 내쉬었다. 비록 좋은 소식을 전하는 대가로 한몫 땡기는 건 실패했지만, 관복을 벗지 않는 것만으로도 천만다행이었다.

"방은 몇 장이나 붙일 생각이십니까?"

"백 장 정도 붙이는 것이 관례이외다."

"……."

"……만 관례는 항상 새롭게 만들어지는 법이지요. 만장일치로 장원 급제가 나온 것은 항주부에서 20년 만에 처음 있는 일이고 하니 올해는 특별히 일천 장 정도……."

"……."

"……씩 필사해서 해서 열 명의 나졸들에게 나눠준 다음 항주는 물론 소주와 양주 등, 인근 도시들에까지 구석구석 붙일까 하외다."

마지막엔 그냥 눈 딱 감고 질러 버린 숫자다. 일천 장씩 열 명이면 일만 장인데, 지금 강서성에서 사람을 백 명 가까이 죽이고 사라졌다는 흉신악살의 용모파기도 이 정도로까지 붙이진 않았다.

그걸 다 언제 필사할지, 언제 붙일지 생각만 해도 아득했다. 만 장 정도면 필사로는 감당이 안 될 터 아무래도 목판을 새기는 편이 나을 것 같기도 하고…….

타는 속을 식히느라 왕인탁은 탁자에 놓인 찻잔을 단숨에 들이켰다. 그리고 찻잔을 내려놓는 순간 그의 앞에는 조금 전까지 없었던 웬 자그마한 전낭 하나가 놓여 있었다.

"이게 무엇이오?"

"열어보시지요."

슬그머니 열어보니 싯누런 금전이 가득 들어 있었다. 어림잡아도 오십 개는 되어 보였다.

"이, 이걸 왜……?"

"방을 일만 장이나 붙이려면 나졸들 품이며 종잇값이 꽤 들 것입니다. 모든 게 이 사람의 못난 자식으로 말미암아 빚어진 일이니 그 비용은 제가 부담하는 것이 맞을 듯합니다."

이병룡의 외가에서는 아둔한 외손을 합격시켜 주는 대가로 은전 오십 냥을 가져왔다. 한데 이종산은 이미 장원급제한 아들의 방을 몇 장 더 붙여주는 대가로 금전 오십 냥을 내놓는다. 똑같이 돈을 칼처럼 휘두르는데도 결이 다르고 그릇이 다르다.

왕인탁은 입이 함지박만 하게 벌어졌다. 이정룡 그 어여쁜 놈은 어찌하여 자신이 지부대인으로 있는 항주에서 장원급제를 해가지고 이런 돈벼락을 안겨주는지 모를 일이었다.

"요긴하게 쓰도록 하겠소이다."

"술은 다음에 좋은 곳에서 사겠습니다."

"음? 아, 그러고 보니 나도 약속이 있는 걸 그만 깜빡했구려. 그럼 다음에 또 찾아뵙도록 하겠소이다."

자리에서 일어난 왕인탁은 마치 상전을 대하듯 넙죽 인사했다. 그러고는 누가 전낭을 빼앗기라도 하는 듯 품에 안고 사라졌다.

"이게 무슨 날벼락 같은 일입니까? 공자님께서 장원급제를 하시다뇨. 아아, 그동안 제가 공자님을 너무 띄엄띄엄 본 듯합니다. 죽여주십시오."

그러면서 장삼이 목을 쭉 뺐다.

"호들갑 좀 떨지 마. 나도 지금 심장이 벌렁거려 죽겠단 말이야. 내심 급제는 기대했지만, 장원을 먹을 줄이야. 하아……."

"내친김에 회시까지 보셔야죠? 만약 회시에서도 급제를 한다면 최소 지방 현령입니다. 세상에. 현령이라니. 내가 현령의 시종이라니."

"내 인생을 왜 네가 정하고 그래?"

"제가 정하는 게 아니라 당연히 그렇게 흘러가는 거 아닙니까? 회시를 안 보실 생각이라면 몰라도요."

"여기까지 왔는데 당연히 짬 내서 봐야지. 하지만 하늘이 도와 급제를 한다고 해도 벼슬길에 오르는 일은 없을 테니 꿈 깨."

"왜요?"

"말했잖아. 난 표사가 될 거라고."

"지난번 말씀하신 그 거인표사요?"

"교지도 받았겠다. 각패가 나오는 대로 대장궤를 찾아가 거인표사로 고용해 달래야겠다. 설마, 거절하시진 않겠지?"

"지금 그게 문제가 아니지 않습니까? 아니, 회시에 떨어져도 그렇지. 향시에 장원급제까지 한 양반이 당연히 벼슬길로 나아가야지, 뭐가 아쉬워서 힘든 표사질을 하려고 그러세요?"

"멋있잖아."

"천룡표국에서 향시 급제자가 둘이나 나왔대!"

"삼공자와 사공자가 나란히 급제를 했다더군."

"삼공자는 무려 장원급제라던데?"

"무슨 소리. 장원급제는 사공자야."

"사공자라면……."

"얼마 전 호수에 뛰어들었다던……."

"그 호구 등신 반푼이가……?"

"에이, 무슨 말도 안 되는 소릴!"

소문은 빠르게 퍼져 나갔다.

천룡표국은 이병룡의 급제를 축하해 주러 오는 무림인들, 특히 젊은 후기지수들로 종일 붐볐다. 한바탕 무림인들이 휩쓸고 간 다음엔 유생들이 찾아왔다. 예당서원의 유생들과 그곳 출신의 사대부와 벼슬아치들이 동문의 급제를 축하하기 위해 온 것이다.

예당서원은 이갑룡을 비롯해 을룡, 병룡이 내리 수학했던 항주 최고의 사학명문이었다. 그리고 내가 몸을 빌린 이정룡 역시도 예당서원 출신이었다. 한데도 장원급제를 한 내 손님은 한 명도 없었다. 정말 단 한명도.

"민망하지도 않으신가. 장원급제를 한 동생도 이렇게 자중하고 있는데, 고작 턱걸이로 급제하시고 저리 손님을 맞으시니. 나 같으면 '방문거절'이라고 크게 써 붙여놓겠구만. 무슨 꿍꿍이신지 이해할 수가 없네."

회랑에 걸터앉아 말벌 다섯 마리를 허공에 띄워놓고 씨름하고 있던 내게 장삼이 위로랍시고 해준 말이었다. 하지만 정작 나는 아무렇지도 않았다. 그리고 지금은 이능력을 기본으로 안력을 수련하느라 정신이 없었다.

　며칠간 틈날 때마다 연습한 결과 이능력에는 몇 가지 중요한 규칙이 있었다.

　"7년 전 서책을 손에서 놓으시면서 서원에까지 발길을 끊은 게 화근입니다. 가끔씩 얼굴도 비치고, 후학들 밥도 사주고 했더라면 이 정도까지는 아니었을 텐데……."

　첫 번째 초긴장 상태가 되면 자동으로 능력이 발동된다는 것. 두 번째 길어야 열 호흡 정도만 능력이 유지된다는 것. 그래서 이어가려면 잠시 쉬었다가 다시 시도해야 한다는 것. 세 번째 시간이 느리게 흐르는 것만큼 내 손발 또한 느려진다는 것.

　"하나도 부러울 거 없습니다. 저거 다 헛인맥입니다. 삼공자님의 친모이신 청화부인께서는 벌써 10년째 예당서원에 종이와 붓과 벼루를 지원하고 계시지 않습니까? 다 그것 때문에 찾아온 사람들입니다."

　그러니까 내가 이능력으로 할 수 있는 건 상대의 손과 발이 날아오는 궤적을 보고, 두 배나 빠른 속도로 생각하여 대비하는 것이 아직까지는 전부였다. 여기서 한발 더 나아가 상대를 꺾고 압도하려면 손발을 지금보다 더 빠르게 만들어줄 무공을 필수로 익혀야 했다.

　"정 그리 씁쓸하시면 오늘만 특별히 봐드릴 테니 유흥가로 한번 나가보시겠습니까? 장담컨대 기녀들이며 칼잡이들이며 노름방 주먹잡이들까지, 한 천 명은 몰려와 공자님의 장원급제를 축하해 줄 겁니다. 그동안 그 인간들이 공자님한테서 뽑아 먹은 게 얼만데요."

　"쓸데없는 소리 말고 가서 표사들 수련할 때 쓰는 모래주머니나 몇 개 훔쳐 와. 가죽으로 만들어 튼튼한 걸로다가."

"모래주머니는 어따 쓰시려고요?"

이능력만으로는 살 수 없다. 표사가 되면 표행을 나가야 하고, 표행은 체력과의 싸움이다. 시간이 있을 때 조금이라도 근력과 지구력을 길러놔야 한다.

"그거 차고 산으로 들로 뛰어다니게."

"예에?"

"네 것도 같이 갖고 와."

이병룡이 그의 처소에서 손님들을 맞는 동안 나는 모래주머니를 손발에 차고 죽으라 산을 뛰어다녔다.

닷새째 되던 날, 나는 각패가 완성되었다는 소식을 듣고 장삼과 함께 관아로 갔다. 그리고 거인임을 증명하는 각패와 함께 최고급 비단 오십 필, 노인을 받았다.

돌아오는 길에는 비단 오십 필을 포목점에 팔아치워 버린 후 대가로 받은 은전 스무 냥을 튼튼한 전낭에 담아 항주 시내를 돌아다니며 신나게 써재꼈다. 비싼 음식도 사 먹고, 갖고 싶은 물건도 사고. 장삼과 함께 둘만의 축하연을 한 것이다.

땡그랑!

깨진 솥단지에 돈이 떨어지자 감나무 그늘에서 자고 있던 거지가 움찔 놀라며 잠깐 눈을 떴다. 하지만 길게 하품을 하고는 다시 돌아누워 잠을 청했다.

"거지한테 뭘 은전까지 주고 그러십니까? 정 불쌍하면 동전이나 몇 개 던져주고 마시지."

은전이라는 말에 거지가 벌떡 일어나 솥단지 안의 은전을 집어 들었다.

"표행을 앞둔 쟁자수들이 흔히 하는 의식이야. 혹시나 낙상이나 칼에 맞아 죽을 운수가 있으면 저 거지가 모두 가져가고 나는 안전하게 돌아오게 해달라는 기원이 담겨 있지. 물론 쟁자수들은 동전을 주지만 난 이제 표사니까."

은전을 입에 넣고 살짝 깨물던 거지가 떨떠름한 얼굴로 나를 바라보았다.

"정말 표행을 나가시려고요?"

"당연하지."

"회시는 안 보시고요?"

"회시는 한 달 후에 있어. 그때까지 놀아?"

"계산이 어떻게 그리됩니까? 그러니까 더 피똥을 싸겠다는 각오로 열심히 공부하셔야죠. 고작 한 달밖에 안 남았는데."

"네 말대로 고작 한 달 더 바짝 쫀다고 해서 될 것 같으면 뭐 하러 10년씩 공부를 하겠어. 안 그래?"

"공자님께서 그리 말씀하시니 왠지 그런 것 같기도 하고. 이게 장원 급제자의 위엄인가?"

"그나저나 당장 오늘 저녁에 있을 배표식(配鏢式)에 참석해야 하는데, 무슨 수로 거길 들어간다……."

배표식이란 낮 동안 의뢰가 들어온 표물들을 장궤들이 종류, 행선지, 중요도 등을 따져 나누어두었다가 저녁이 되어 각 당(堂)과 각(閣)의 표두들에게 분배하는 것을 말한다. 어떤 표행을 맡느냐에 따라 수익과 안전이 직결되기 때문에 표두들은 서로 좋은 표행을 따내려고 혈안이 된다. 한데 이 배표식에는 표두급 이상의 간부들만 참석할 수 있도록 엄격하게 제한을 두었다.

"국주님께 그냥 좀 참관하게 해달라면 안 됩니까? 향시에 장원급제 씩이나 했는데 그 정도 청은 들어줄 것 같습니다만."

"너처럼 피똥 싸며 회시 준비는 않고 무슨 엉뚱한 생각이냐며 진노하시지 않겠어? 어쩌면 그 말을 내뱉는 순간 날 서고에 가둬놓고 호위무사들로 하여금 지키게 하실지도 모르지."

"엇! 그러고 보니 어젯밤 국주님께서 전당에 일러 표왕부의 서고를 깨끗이 청소하고 대황촉도 밝은 놈으로 몇 개 더 갖다 놓으라고 하셨답니다. 공자님들께서 공부를 하시다 막히면 밤늦게라도 찾아올지 모른다시면서요."

"그것 보라지."

"어차피 표행을 하실 거면 말씀을 한번은 드려야 하잖아요. 그건 뚫고 나갈 자신이 있으시고요?"

"그건 그때 가서 해결하면 되는 거고."

"확실히 딴사람이 되셨군요. 예전엔 국주님께서 뭐라고 한 마디만 하셔도 호랑이에게 물려간 염소처럼 벌벌 떠시더니……."

"너도 한번 죽었다가 살아나 봐. 세상에 무서운 게 있나."

"사양하겠습니다. 그러다 진짜 죽으면 저만 손해게요. 한데 꼭 배표식에 참석해야 할 이유라도 있습니까? 그걸 못 본다고 표행까지 못하는 건 아니지 않습니까? 그것도 오늘 당장."

내 예상이 틀리지 않는다면 오늘 밤 배표식을 하는 도중에 엄청난 의뢰가 하나 들어온다. 출발은 멀지도 않은 내일 아침이다.

한데 그 표행을 하던 표사와 쟁자수 십수 명이 갑자기 나타난 무림 고수에게 몰살당하고 표물은 전부 잃게 된다. 인명에, 표물에, 말과 마차에, 천룡표국은 엄청난 손실을 본다.

그 일로 국주와 총표두는 별동대를 이끌고 흉수를 찾아 대륙을 이 잡듯이 뒤진 끝에 복수에 성공한다.

하지만 한번 죽은 사람은 살아 돌아오지 않는다. 그들은 모두 나와 동고동락했던 사람들이다. 나를 손가락질하고 멸시한 사람들도 있었지만, 동료로 인정해 주고 도와준 사람들이 더 많았다. 그중에는 발바닥에 종기가 난 나를 대신해 간 신입 쟁자수도 있었다.

나는 그들을 꼭 살리고 싶었다. 그러려면 반드시 배표식에 참석해 의뢰 자체를 거절하도록 만들어야 한다.

천룡표국으로 돌아오니 표물을 실은 마차들이 바쁘게 들고 나는 중이었다. 그 사이에서 한 사람이 목을 쭉 빼고는 안쪽을 조심스럽게 기웃거리고 있었다. 후줄근한 차림에 서책 몇 권을 품고 콧잔등에는 콩자반만 한 점을 박은 그는 며칠 전 관아에서 만난 바로 그 유생이었다. 물론 실제로는 다른 인물이지만.

주변에 워낙 많은 사람들이 오고 가서인지 내가 등 뒤로 다가가도록 그녀는 전혀 신경을 쓰지 않았다.

"엑!"

"깜짝이야!"

진짜로 놀란 모양이다. 그녀가 동그래진 눈으로 가슴을 쓸어내렸다. 도둑이 제 발 저린다고, 이게 다 숨기는 게 있어서 그런 거다.

"여기서 뭐 하시오?"

"누구시더라……?"

하, 요것 봐라. 백선반점에서 나랑 그렇게 논쟁을 해놓고 이제 와서 모른 척하네. 나는 순순히 당해줄 생각이 없었다.

"다른 사람으로 착각했습니다. 그럼."

"아, 그때 그 유생이시군요."

"누구시더라……?"

"그때 고사장에서 붓을 빌려 간……."

"글쎄 나도 처음엔 그런 줄 알았소. 한데 내가 아는 그 유생은 왼쪽 콧잔등에 점이 있었던 것 같은데, 귀하는 오른쪽 콧잔등에 있소만……."

"그, 그럴 리가요. 잘못 보셨겠지요."

"당연히 그렇겠지요. 귀하가 그때 그 유생이 맞고, 자고 일어날 때마다 점이 파리처럼 콧잔등을 타고 이쪽저쪽으로 넘어 다니는 게 아니라면 말이오. 한데 여긴 어쩐 일이시오?"

"이번 향시에서 장원급제를 한 천재 유생이 바로 이곳 천룡표국의 사공자라고 하더군요. 때마침 지나가는 길에 잠시 기웃거려 본 것입니다. 한데, 귀하는 여기 어쩐 일인가요?"

"그 이정룡 공자가 바로 이분이십니다."

장삼이 물색 모르고 불쑥 끼어들었다. 남궁소소는 일부러 깜짝 놀란 표정을 지으며 말했다.

"헛! 정말입니까?"

뭐지? 진짜 나를 만나러 온 건가? 저 모습을 하고? 뭐 때문에?

"아아, 축하드립니다. 내가 항주에서 유일하게 알고 있는 유생이 향시의 장원급제자라니. 정말 영광입니다."

"우리가 아는 사이라고 하긴 좀 그렇지 않나?"

"전 풍진양이라고 합니다. 귀하는 천룡표국의 사공자 이정룡이시지요? 이제 아는 사이가 되었군요. 하하하."

제아무리 완벽하게 역용을 했어도 하얀 이를 드러내고 웃을 때 만들어지는 그 특유의 예쁜 표정은 변함이 없었다. 본인은 아마도 까맣게 모르고 있을 것이다. 언젠가 때가 되면 알려주어야겠다.

"하면 계속 갈 길 가시오."

"잠깐만요."

"음?"

"함께 국밥 먹으러 가지 않겠습니까?"

"갑자기 웬 국밥?"

"그때 약속했었잖습니까. 귀하가 잘 아는 국밥 가게가 있는데, 다시 만나면 함께 먹으러 가자고. 지금은 어떠신가요?"

이 정도면 나를 만나러 온 게 확실하다. 내가 이정룡의 탈을 뒤집어쓰고 있어서 그렇지 실제 머릿속 나이는 쉰두 살이다. 그에 반해 남궁소소는 많아야 스물대여섯. 무슨 속셈인지 모르지만, 지금은 애랑 놀아줄 시간이 없다. 얼른 표국으로 들어가 곧 있을 배표식에 참석할 방법을 강구해야 한다.

"국밥이 아니라 국수요."

"아, 국수."

"한데 오늘은 내가 좀 바빠서."

"제가 사겠습니다."

"다음에 합시다."

"반나절이나 기다렸습니다."

"방금은 지나가는 길이라더니?"

"단도직입적으로 말씀드리겠습니다. 장원급제한 비법을 알고 싶습
니다."

이건 그때 백선반점에서 다 말해줬는데 뭘 더 원하는 거지? 아예 팔
고문을 써달라는 거야 뭐야?

"듣자 하니 심사관 전원이 만장일치로 귀하의 답문을 장원으로 꼽
았다고 하더군요. 무언가 남들은 보지 못하는 시각과 통찰이 있을 듯
한데 그걸 꼭 좀…… 배우고 싶습니다."

무림인 누군가에게 무엇을 '배우고 싶다'라고 할 때는 매우 큰 의미
가 있다. 이유야 어찌 되었든 남궁소소는 지금 할 수 있는 선에서 최대
한 자신을 낮추고 있었다.

"타지 사람이라 날 잘 모르는 모양인데, 난 항주에서 소문난 반푼이
오. 장원급제를 한 건 순전히 운이고."

"정확하게는 '호구 등신 반푼이'라고 하더군요. 하지만 향시에 장원급
제를 함으로써 귀하는 사람들이 했던 그 모든 말들을 전부 헛소리로
만들어 버렸죠."

별말도 아닌 것 같은데 가슴이 뜨거워졌다.

전생에서도 나는 절룩거리는 발 때문에 수많은 사람들에게 손가락질을 받았다. 특히 천룡표국으로 들어왔을 때 모두가 다리 병신이 어떻게 쟁자수를 하겠냐며 비웃었다. 하지만 나는 나만의 장기들을 살려 정상인들보다 훨씬 잘해냈고, 사람들이 내게 했던 그 수많은 비웃음들을 헛소리로 만들어 버렸다.

"왜 그렇게 과거시험에 목을 매는 것이오? 옷차림은 남루해도 피부가 뽀얗고 혈색이 좋은 걸 보면 끼니때마다 고기가 안 떨어지는 집에서 나고 자란 것 같은데, 출세를 원한다면 다른 길도 얼마든지 있소."

"무엇이든 한번 시작하면 끝을 보는 성격이라고 해두죠. 이러면 공감이 잘 안 될까요?"

공감도 되고 기억도 났다.

전생에서 남궁소소를 만난 적은 없다. 하지만 그녀의 명성은 익히 들었다. 특히 뭐든 시작하면 끝장을 보기 전에는 다른 일을 하지 못하는 괴벽이 있다는 말도 들은 것 같다.

"백번 양보해서 내게 남다른 식견과 통찰이 있다고 칩시다. 하지만 그걸 국수 한 그릇 나눠 먹는 동안에 가르쳐 줄 수는 없는 노릇……."

한참 말을 하는 중인데 어디선가 또각또각 말발굽 소리가 무더기로 들려왔다. 고개를 돌려보니 저만치 골목 어귀에서 이종산이 총표두 곽석산을 포함해 호위무사들을 잔뜩 거느린 채 오고 있었다. 어딘가 외출을 했다가 돌아오는 모양이었다.

순간, 나는 배표식에 참석할 방법이 번개처럼 떠올랐다.

"먹읍시다. 국수."

"정말인가요?"

"대신 조건이 있소."

"뭐죠?"

"아는지 모르겠지만 저기 오고 있는 사람이 바로 나의 아버지요. 그가 귀하에 대해 내게 물을 텐데 그때 딱 세 가지만 명심하시오. 나와는 향시를 치르다가 알게 된 사이고, 빌려준 서책을 돌려주러 왔으며, 내게 표국의 배표식을 구경시켜 달라고 했다가 매몰차게 거절당했다는 것. 그것만 부인하지 않으면 나머지는 내가 알아서 하겠소?"

"뭘 알아서 하겠다는 건가요?"

"지금은 설명할 시간이 없소. 만약 귀하의 도움으로 내가 배표식에 참석하게 된다면 조만간 시간을 내어 함께 국수를 먹도록 합시다. 비법까지는 아니지만 내 성심성의껏 귀하의 질문에 답해 드리겠소."

잠깐 사이에도 이종산은 절반 이상 가까워졌다. 남궁소소는 나와 이종산을 번갈아 보더니 배시시 웃으며 말했다.

"보아하니 저보다 더 급한 사정이 생기신 것 같군요. 이러면 얘기가 좀 달라지는데요."

"뭐가 말이오?"

"국수 몇 그릇까지 사줄 수 있죠?"

몇 번까지 만나주겠냐는 뜻이다. 그것도 내가 사는 걸로 해서.

"지금 실랑이할 시간 없소."

"그러면 더 서둘러야겠군요."

당했다. 일단 목전의 일부터 처리하자.

"세 그릇."

"열 그릇."

"연인들도 그렇게는 안 만날 것이오."

"천하의 천룡표국 국주를 상대로 거짓말을 하는 겁니다. 아무리 작은 거짓말이라고 해도 저 같은 겁쟁이 유생에게 그건 보통 용기가 필요한 일이 아니지요."

"다섯 그릇. 하려면 하고 말라면 마시오."

"좋아요. 제가 양보하겠습니다. 아홉 그릇."

"그게 어째서 귀하가 양보한 거요?"

"할래요? 말래요?"

"휴우. 알았소."

남궁소소가 한 손을 척 내밀었다.

"이게 뭐요?"

"저처럼 손을 내밀어보세요."

내가 똑같이 하자 그녀가 갑자기 내 손바닥과 자신의 손바닥이 서로 맞닿게 잡고는 아래위로 흔들어댔다.

"악수라고, 동쪽 포구를 드나드는 양이(洋夷)들은 으르렁거리며 싸우다가도 합의에 이르면 이렇게 서로의 손을 맞잡고 흔드는 것으로 화해를 한다더군요."

"별 괴상한 풍습도 다 있군."

"제가 원래 신기하고 이상한 것에 관심이 많아서요. 사람도 물건도. 그래서 말인데, 배표식이 뭔가요? 밥 같은 걸 나눠주는 겁니까?"

"……!"

5장
표왕을 속여라

"국주님을 뵙습니다!"

"국주님을 뵙습니다!"

수문무사들이 일제히 문파만의 예법, 즉 문례(門禮)를 올렸다.

무림문파들은 어디나 기강이 엄격하다. 칼로 밥 벌어먹는 표국은 특히 그래서 상하 간의 예법이 군대를 방불케 했다.

나와 장삼도 뒤로 한걸음 물러나 양손을 가운데로 모으고 살짝 허리를 굽히는 것으로 예를 갖추었다.

말을 몰아 지척까지 다가온 이종산은 장삼의 손에 들린 보퉁이에 잠시 시선을 주었다. 뭐냐고 묻는 것이다.

"관아에 가서 각패와 노인을 받아오는 길입니다."

이종산은 무심한 표정으로 일관했다. 대신 나를 넘어 조금 뒤쪽에 서 있는 남궁소소에게 관심을 보였다.

"누구냐?"

"신경 쓰실 것 없습니다."

다소 불손하지만 신경이 쓰일 수밖에 없는 언사. 그러면서 나는 고개를 뒤로 꺾어 남궁소소에게 살짝 신경질적으로 말했다.

"뭘 하는 거요? 볼일 끝났으면 빨리 가지 않고."

그러나 말과 달리 나는 혀를 뽑을 수 있을 만큼 최대한 뽑아 옆자리를 손가락으로 찌르듯이 가리켰다. 옆으로 오라는 말이고, 곧 소개하라는 뜻이다. 궁하면 통한다고 전음술을 몰라도 임기응변으로 다 할 수 있다. 걱정 없다.

백선반점에서도 보았지만 남궁소소는 눈치가 보통이 아니었다. 그녀는 두 걸음을 걸어 내 옆으로 오더니 허리까지 숙이며 공손하게 포권지례를 올렸다.

"소생은 정룡 공자와 함께 향시를 치르며 사귄 벗으로, 이름은 풍진양이라 하옵고, 양주 출신의 유생입니다. 뜻밖에도 대명이 자자하신 국주님을 이렇게 뵙게 되어 실로 영광이옵니다."

뭔가 엄청난 기운이 느껴지는 인사였다. 마치 뼛속까지 각 잡힌 유생의 모습이랄까? 한마디로 예법이 몸에 밴 사람 같았다. 가풍이란 이런 것인가 보다. 그런데 벗이라니. 이건 약속에 없던 말이다.

"정룡의 벗이라고?"

"그렇습니다."

"벗이 찾아온 건 처음인걸."

나는 정신이 번쩍 들었다.

원래 내 계획은 이랬다. 지난 닷새 동안 이병룡을 축하하러 온 유생들과 무림의 후기지수들은 수백 명을 헤아렸다. 반면 난 장원급제를 하고도 손님 한 명 없었다. 하다못해 밥 한 끼 따뜻하게 차려주며 수고했다고 등 두드려 줄 어미도 외가도 없었다. 서로 데려다가 표국 일을 가르쳐 주겠다던 형들은 내가 장원급제를 하자 언제 그랬냐는 듯 입을 싹 닦아버렸다.

그런 와중에 아는 유생 하나가 찾아와 축하를 하며 표국을 구경시켜 달라고 한다. 이 정도면 아비인 이종산의 마음이 한 번쯤 흔들릴 만하지 않을까?

인간의 측은지심이라는 지극히 불확실한 변수에 도박을 걸어보는 것이지만, 나는 의외로 이 방법이 잘 통한다는 걸 전생의 경험으로 안다. 게다가 환생한 첫날 나는 '아버지께서 지난 20년 동안 소자에게 유일하게 하사한 물건이 하필 이걸로 목숨을 끊으라는 칼이군요'라는 말로 이종산의 가슴을 한번 찌른 적이 있었다. 그도 사람인 이상 분명 나에게 부채감이 조금 남아 있을 것이다.

그런데 남궁소소가 그냥 아는 유생을 벗으로 바꿔 버렸다. 제 딴에는 이 기회를 이용해 나를 자신과 좀 튼튼하게 엮어보려고 한 모양인데, 덕분에 이야기가 더욱 극적으로 변해 버렸다.

나는 한 번 더 당황한 척했다. 그러면서 남궁소소를 바라보며 작은 소리로, 그러나 충분히 들릴 만한 소리로 화를 냈다.

"내가 어째서 당신 벗이라는 거요?"

친구 사귀는 법을 모르는, 혹은 친구 사귀는 데 서툰 아들을 연기한 것이다. 허구한 날 기루나 노름방을 들락거리는 아들에게 모처럼 정상적인 인간이 벗이랍시고 찾아왔다. 아비로서 마음이 조급해질 수밖에 없을 것이다.

예상은 적중했다.

"너는 가만히 있거라."

"하지만 아버지……."

"함께 향시를 보았다고?"

"그렇습니다."

"결과를 물어봐도 되겠나?"

"겨우 급제를 하였습니다."

음? 이건 또 뭔 소리야?

나는 속으로 깜짝 놀랐다. 여자는 과거를 볼 수 없으니 분명 가짜 신분을 만들어 향시를 보았을 것이다. 한데 덜커덩 급제를 해버렸다고? 대체 어쩌려고.

가만, 그렇다면 내게 장원급제한 비결을 가르쳐 달라고 한 이유가 3년 후 다시 향시를 보기 위해서가 아니라 한 달 후 있을 회시에 대비해서?

"젊은 유생이 대단하군."

"부끄럽고 민망합니다. 장원급제를 한 정룡 공자 앞에서 고작 열 번째 줄에 이름을 올린 제가 어찌 칭찬을 받겠습니까. 거두어주십시오."

순간, 나는 다시 한번 귀를 의심했다. 열 번째 줄이라면 무려 10등을 했다는 말인데, 이거야말로 놀라 나자빠질 일이었다.

'가만, 이것까지 전부 거짓말?'

만약 거짓말이라면 이건 애교 수준으로 넘어갈 일이 아니다. 어쨌거나 내 아버지이자 표왕을 모욕하는 일이다. 그건 참을 수가 없다.

'이런 버르장머리 없는!'

그때였다.

"방에 씌어 있던 양주 출신의 풍진양이라는 유생이 알고 보니 정룡의 벗이었군요. 이런 반가울 데가 있나. 안 그렇습니까? 국주님. 껄껄껄."

말을 한 사람은 총표두 곽석산이었다. 어린 시절 잠시 무공을 가르쳐 준 정으로 그는 이정룡을 무척 아꼈다. 지금도 멀쩡한 유생이 벗이랍시고 나를 찾아오니 이종산 못지않게 기뻐하고 있었다.

다행이다. 방에 풍진양이라는 이름까지 붙어 있었다는 걸 보면 거짓말은 아닌 모양이었다.

놀랄 노 자다. 나는 시제를 미리 알고 있는 상황에서 장원을 했다. 하지만 그녀는 전혀 모르는 상태에서 순전히 실력으로 이뤄낸 성과였다. 그냥 아는 유생에서 벗으로, 벗에서 다시 향시 10등 급제자로. 밋밋한 사기 계획이 훨씬 극적으로 바뀌었다. 이렇게 죽이 척척 맞을 수가.

'가만!'

그런데 곽석산은 그걸 어떻게 아는 걸까? 지나가다 방을 한두 번 본 정도로는 열 번째 줄에 쓰인 급제자 이름까지 기억하진 못할 텐데.

'설마 구석구석에 붙은 방을 돌아보고 오는 길? 대놓고 자랑할 데가 없어서 총표두와 호위무사들에게라도 자랑하려고?'

나는 가만히 이종산에게로 시선을 옮겼다. 그는 한층 자애로운 표정으로 남궁소소에게 말했다.

"향시에 열 번째로 급제를 한 것이 부끄럽다니. 예의도 지나치면 비례라고 했네."

"송구하옵니다."

"젊은 나이에 급제를 하였으니 부모님들께서 크게 기뻐하시겠군."

"아직 뵙지를 못했습니다."

"어찌하여?"

"한 달 후 북경에서 회시가 있기로, 큰 서점들과 뛰어난 유생들이 많은 항주에서 당분간 고학하며 지낼까 합니다."

"지낼 곳은 있고."

"형님이 항주의 작은 다루(茶樓)에서 장궤 일을 하고 있습니다. 그곳에서 큰 불편함은 없이 지내고 있습니다."

남궁세가에서 항주에 있는 송나라 시대의 작은 원림을 통째로 사다가 고급 다루를 열었다. 남궁소소의 오라비가 당분간 그곳에 와서 관리를 한다고 들었다. 말이 좋아 작은 원림이지 연못과 후원은 물론 별각까지 거느린 저택이다.

한데 장궤라니. 하는 일을 보면 틀린 말은 아니지만 그래도 심했다. 100년에 한 번 나올까 말까 한 검술의 천재라는 오라비를.

"부모님께서는 무얼 하시는가?"

"어머님은 집안을 돌보시고, 아버지는 할아버지의 뒤를 이어 가업을 꾸려가기 위해 열심히 자기 개발 중에 있습니다."

할아버지 남궁유룡의 뒤를 이어 남궁세가를 이끌어 가기 위해 열심히 무공을 수련하고 계시겠지. 거짓말을 하나도 안 하면서 참 잘도 빠져나간다.

이종산도 상대의 나이가 어리다 하여 함부로 대하는 사람은 아니었다. 남궁소소가 가업을 특정해서 언급하지 않자 무언가 사연이 있다고 여겼는지 더는 묻지 않았다.

"한데 여기서 무얼 하는 겐가?"

내가 끼어들 순간이다.

"빌린 서책을 돌려주러 왔다가 잠시 장원을 구경시켜 달라며 귀찮게 하기에 쫓아 보내려던 참이었습니다. 금방 갈 것이니 너무 신경 쓰지 마십시오."

"쯧쯧쯧. 못난 놈."

이종산은 나를 무시하고 남궁소소에게 물었다.

"장원을 구경하고 싶다고?"

"그렇습니다."

"천룡표국이 넓기는 하나 가업을 위한 실용적인 장원일세. 풍류와 옛 선비들의 정취를 느끼고 싶다면 원림(園林)으로 가야지. 항주에는 유명한 고대의 원림이 많다네. 원한다면 내가 한 곳 추천해 줄 수도 있고."

"장원의 아름다움을 보려 한 것이 아닙니다. 다만 표국엔 어떤 사람들이 살며, 무슨 일을 하는지 궁금했을 뿐입니다. 저 같은 유생 나부랭이에게 표국은 아주 생소한 곳이어서요."

"생소한 곳은 다 구경을 하고 다니는가?"

"공자께서 이르시길, 민초들의 삶 속으로 들어가는 것이 가장 큰 공부이며 유학의 근본이라 했습니다. 예전엔 그 뜻을 잘 몰랐는데, 장원급제를 한 정룡 공자를 보니 조금은 알 것 같기도 하여……."

그러면서 쓸쓸한 표정을 짓는다. 잘한다. 더할 나위 없다.

남궁소소를 바라보는 이종산의 눈빛이 착 가라앉았다. 이 정도면 흔들 만큼 흔든 것 같았다. 이제 슬슬 본론을 꺼내야 한다. 그냥 장원 구경이 아니라 반드시 배표식 구경이라야 한다.

"글쎄 이 친구가 엉뚱하게도……."

그때였다. 하하호호 떠드는 소리와 함께 예닐곱 명의 젊은 사내들이 말을 타고 나타났다. 이병롱과 며칠 전 객점에서 보았던 그의 친우들이었다. 하나같이 불쾌하게 취한 얼굴들이었다.

'하필 이 중요한 순간에!'

이종산을 발견한 이병롱과 후기지수들이 헐레벌떡 말에서 내려서는 달려왔다. 그러곤 앞다투어 포권지례를 올려댔다.

"국주님을 뵙습니다."

"어딜 갔다 오는 길이더냐?"

"친우들과 조촐하게 식사를 하고 오는 길입니다. 저 혼자 돌아가겠다고 하는데도 구태여 집 앞까지 바래다준다고 하여……."

궁색하기 짝이 없는 변명. 꼬락서니를 보아하니 낮술을 푸다가 저녁이 되자 집에 가서 한잔 더 하자면서 끌고 오는 길이 분명했다. 향시에 합격했다는 기쁨과 조영영을 잃은 것에 대한 슬픔으로 마음이 복잡하기도 할 것이다. 다른 때는 몰라도 지금은 솔직히 나도 이해할 것 같다.

"젊어서 기쁨을 함께 나눌 친구들이 있다는 건 좋은 일이지. 들어들가서 여흥을 더 즐기도록 하여라."

이병롱과 후기지수들은 한바탕 혼쭐이 날 줄 알고 어금니를 꽉 깨물고 있었다. 한데 뜻밖의 호의에 다들 어안이 벙벙해졌다.

이종산은 이어 남궁소소를 돌아보며 물었다.

"배표식이라는 걸 아는가?"

나왔다. 그것도 이종산의 입에서 먼저. 이런 맙소사.

남궁소소는 나를 한번 힐끗 보더니 어찌할 바를 몰라 했다. 그녀도 당황한 것이다.

"실은 저 친구가 자꾸 배표식을 보고 싶다고 해서, 제가 헛소리 말라고, 외부인에게 배표식을 보여주는 일은 없다며 썩 꺼지라고 호통을 치던 중이었습니다."

"한번 보겠나?"

"……!"

"……!"

만세다. 더는 완벽할 수가 없다.

낮 동안 의뢰가 들어온 표물은 모두 열일곱 가지에 마차로는 서른여섯 대 분량이었다.

서로 좋은 표행을 하나라도 더 따내기 위한 경쟁이 치열하게 펼쳐졌다. 하지만 표물들은 대부분 천룡표국을 대표하는 다섯 개 당에서 골고루 나눠 가졌다. 그중에서도 이갑룡과 이을룡이 각각 이끄는 강룡당과 복룡당에서 사실상 절반 이상을 가져갔다.

사람마다 손금처럼 들여다보는 길과 지역이 따로 있었다. 이런 식으로 각각의 지역에 빠삭한 표두와 표사를 많이 거느린 곳이 아무래도 다섯 개의 당 중에서도 두 곳이기 때문이다.

빈익빈 부익부의 법칙은 세상 어디나 똑같다. 표국이라고 해서 꼭 물건을 호송해 달라는 의뢰만 들어오는 것은 아니었다. 먼 곳에 편지를 전달해 달라는 의뢰도 있고, 돈을 전달해 달라는 의뢰도 있으며, 사람을 호위해 달라는 의뢰도 있다. 그런가 하면 무림인들로부터 위협을 받고 있는 장원이나 기루, 점포, 상회 등이 일정 기간 호위를 요청해 오는 경우도 있다.

이런 자잘한 의뢰들은 대부분 십여 명 안팎의 표사들을 거느린 각(閣)에서 가져갔다. 이런 것들은 특별한 경우가 아니고서는 오당(吾堂)에서도 건드리지 않는 것이 관례였다. 각들도 먹고 살아야 하지 않겠나.

"정말 갖가지 의뢰가 있군요."

"오늘은 갑작스러운 외부인들의 참관 때문에 공개할 수 있는 것들만 한 것이오. 저기 마차에 붉은 기가 꽂혀 있는 것들은 대장궤의 직권에 따라 비밀리에 당사자들에게 직접 분배가 될 것들이오."

내가 말한 외부인이란 남궁소소와 후기지수들이었다. 동생과 그의 벗이 배표식을 참관한다는데, 형이 돼가지고 술판이나 벌이고 있을 수 있나. 해서 졸지에 이병룡도 그의 친우들과 함께 배표식에 참관하게 됐다.

"뭐가 들었기에 그렇죠?"

"대개 전장에서 다른 도시의 분타로 보내는 은전이나 귀부인들의 장신구, 벼슬아치들이 고관대작들에게 보내는 뇌물 등등. 산적이나 수적들에게 정보가 새어 나가서는 안 되는 것들이오."

초저녁부터 시작된 배표식은 삼경이 되어서야 끝이 났다. 이제 어렵게 따낸 표물을 각자의 당과 각으로 가져간 다음, 아침 일찍 포장하고 담당 장궤들에게 최종 승인을 받은 후 출발하면 된다. 본격적인 표행이 시작되는 것이다.

"다들 수고 많았네."

마지막까지 자리를 지키고 있던 이종산이 한마디를 끝으로 일어났다. 대장궤를 비롯해 모든 당주와 각주들이 자리에서 일어나 예를 갖추는 그 순간. 밖으로 막 나가려던 이종산이 발걸음을 멈추었다.

총표두 곽석산도, 대장궤 손지백도, 그리고 각 당의 당주와 각주들까지. 천룡각에 모인 오십여 명의 표두급 수뇌 전부가 약간의 시차를 두고 얼굴을 굳히기 시작했다. 심지어 나와 함께 앉아 있는 남궁소소를 비롯해 이병룡의 친우들까지도 고개를 갸우뚱했다. 지난번 표왕부에서처럼 무언가 나는 듣지 못하는 소리를 들은 것이다.

하지만 잠시 후엔 나까지도 들을 수 있었다.

딸랑…… 딸랑…….

작게 울리기 시작한 요령 소리.

딸랑…… 딸랑…….

모두가 잠든 밤, 표국에서 저런 요령 소리가 울리면 온 세상이 쩌정쩡 얼어붙는 것 같다. 어린 시비들은 무서움에 이불을 파고들고, 젊은 표사와 쟁자수들은 혹여라도 자신들이 호출될까 봐 숨을 죽인다.

웬만큼 강심장을 지닌 사람이 아니고서는 이때만큼은 날이 밝을 때까지 바깥출입을 삼간다. 괜한 호기심에 밖으로 나갔다가 '그것'들과 마주치기라도 한다면 한 달 동안 꿈자리가 뒤숭숭하기 때문이다.

나는 30년 경력의 산전수전 다 겪은 쟁자수였다. 그럼에도 불구하고 저 요령 소리만큼은 도저히 적응되질 않았다. 하지만 이번엔 달랐다. 내가 기다리던 바로 그 표물이 도착했다는 신호니까.

'드디어 왔구나!'

"저 요령 소리는 뭐죠?"

"놀라지 마시오. 이제부터 아주 기괴한 광경을 보게 될 거요."

요령 소리가 한순간 뚝 그쳤다. 전립성을 비롯해 장궤 몇 명이 서둘러 달려 나갔다.

잠시 후 다시 돌아온 그들은 대장궤에게 다가가 무언가 귀엣말을 전했다.

대장궤 손지백은 평생 표국에서 잔뼈가 굵은 칠순 노인으로 삼박군(三博君)이라는 괴상한 별호를 가졌다. 이는 그가 세 가지에 정통하기 때문인데, 첫 번째 강호에서 모르는 사람이 없었고, 두 번째 세상에서 모르는 물건이 없었으며, 세 번째 하늘 아래 모르는 이야기가 없었다. 그래서인지 그는 그닥 놀라는 눈치가 아니었다.

이윽고 손지백이 말했다.

"문을 열어라."

천룡각의 문이 활짝 열렸다. 끊어졌던 요령 소리가 다시 울리기 시작했다.

딸랑…… 딸랑…….

소리가 점점 커진다 싶더니 하얀 도복을 입고 머리에는 태극건을 두른 말라깽이 중년 도사(道士)가 요령을 흔들며 들어왔다.

그의 뒤로 '그것들'이 나타났다. 이마에는 붉은 부적을 붙이고, 양손을 앞으로 가지런히 뻗은 채 줄지어 쿵쿵 뛰어 들어오는 존재들.

남궁소소가 자리에서 벌떡 일어나며 목소리를 쥐어짰다.

"저, 저건!"

도사가 이끌고 온 강시는 모두 아홉 구. 하나같이 무릎 아래쪽의 옷자락이 찢어지고 헤져 있었다. 죽은 후에도 여기까지 오느라 얼마나 고생했는지를 알 것 같았다. 나이는 적게는 20대 후반에서 많게는 50대초반까지 있었고. 남자 강시가 일곱 구에 여자 강시가 두 구였다.

이윽고 요령이 멈추었다. 도사가 자신의 소개와 저간의 사정을 짧게 설명했다.

"빈도는 모산파(茅山派)의 제자로 이름은 도홍경이라 합니다. 닷새 전 절강성 남서쪽 선하령(仙霞嶺)에서 관병과 양민 백여 명을 학살하고 도망친 마두가 있었습니다. 때마침 인근을 지나던 많은 무림인들이 있었고, 그들은 의기투합하여 마두를 추격해 협공하다 그만 참변을 당하고 말았습니다. 그때 돌아가신 고인들 중 일부를 함께 있던 무림인들의 요청에 따라 각자의 사문으로 모셔가고 있는 중입니다. 이에 표국의 형제들에게 도움을 청할까 해서 찾아왔습니다."

"이 몸은 천룡표국의 대장궤 손지백이라고 하오. 표국을 대표해 의로운 일을 하시는 모산파의 도우(道友)께 삼가 경의를 표하는 바이오."

짧은 인사가 끝나고 모산파 도사와 손지백 사이에 긴밀한 이야기가 시작되었다. 작은 음성에 멀기까지 해서 들리지는 않았다. 하지만 그간의 경험으로 미루어 망자들의 신원을 묻고, 정확한 목적지를 묻고, 조건을 확인하는 등의 이야기가 오고 갈 것이다.

아까부터 왠지 조용하다 싶어 돌아보니 남궁소소가 하얗게 질려 있었다.

"많이 놀랐소?"

"강시를 실제로 본 건 처음이어서요. 저렇게 산 사람과 똑같을 줄 몰랐습니다."

"놀랄 것 없소. 진짜 산 사람이 무섭지, 죽은 사람은 아무것도 할 수가 없소. 강시라고 해도 그저 사람이 부리는 술법에 따라 뛰어다니는 시체일 뿐이오."

"혹시 강시도 표물인가요?"

"독립적인 표물은 아니고, 같은 방향으로 떠나는 표행이 있다면 마차 한 대를 더 추가해서 실어다 달라는 뜻이오. 물론 고인들은 관 속에 모시고."

"이런 의뢰가 자주 있나요?"

"전염병이 창궐하거나, 전쟁이 터지거나, 무림인들끼리 큰 싸움이 벌어지거나 하면 밥 먹듯이 보는 풍경이오. 하지만 지금처럼 평상시엔 일 년에 한두 번 정도?"

"왜 도사들이 직접 데리고 가지 않는 거죠?"

"숫자가 많아서 힘에 부치거나, 부패가 진행될 조짐이 보이거나, 기상이 좋지 않거나, 비록 죽은 사람일지언정 고생하는 모습을 안타까워한 가족들이 요청하거나. 이유는 많소."

"정말 별의별 게 다 표물이 되는군요."

"강시는 시체 특유의 악취가 사람을 미치게 하는 데다 가는 내내 꿈자리까지 뒤숭숭해 다들 꺼리는 표물이오."

"대신 비싸게 받겠죠?"

"거기다 표비도 싸고."

"그건 또 왜죠?"

"첫 번째는 기존에 있던 표행에 마차 한 대를 더 붙이는 것일 뿐이고, 두 번째는 망자들을 상대로 큰 이문을 남기면 3년 동안 재수가 없다는 속설 때문이오."

"모산파의 도사가 도움을 청한다고 한 말이 겸손의 의미가 아니었군요. 정말로 도움을 청하는 거였어요."

전생의 기억에 따르면 천룡표국에선 절차를 거쳐 이 표행을 받아들인다. 그 결과 표행을 떠났던 십수 명의 표사와 쟁자수들이 몰살을 당한다. 그걸 막는 길은 수단과 방법을 가리지 말고 저 의뢰를 거절하도록 하는 것밖에 없다.

이윽고 협상을 끝낸 손지백이 좌중에 앉은 각 당의 당주와 각주와 표두들을 바라보며 말했다.

"본 표국에선 고인들의 호송 의뢰를 받아들이기로 했소. 최종 목적지는 남직예의 감악산(紺岳山)이오. 모산파의 도우께서 닷새 전 세 개 문파로 전서구를 띄웠다고 하니, 감악산까지만 가면 세 문파에서 마중 나올 것이오."

손지백은 손에 들고 있는 장부를 잠시 확인하더니 다시 말을 이었다.

"우선 비슷한 방향으로 떠나는 표행단들 중 한 곳에 맡기기로 했소. 내일 아침 남직예로 출발하는 표행단은 모두 열두 곳이오. 자 어떤 표행단이 맡아주시겠소?"

그때부터 지루한 신경전이 펼쳐졌다. 차라리 그냥 시체면 낫다. 방술과 단약으로 부패를 막은 강시는 말만 시체일 뿐 생전의 모습과 똑같기 때문에 더욱 섬뜩하다. 게다가 매일 밤 관 뚜껑을 열고 단약을 뿌리고 부적을 점검하는 등, 손 가는 일이 한두 가지가 아니다. 가는 내내 코를 썩게 만드는 지독한 악취는 또 어떻고. 비위가 약한 사람은 밥을 먹지 못해 시름시름 앓다가 표행 중에 쓰러지기도 한다. 심지어 개고생하는 것에 비해 떨어지는 수당은 거의 없다.

사정이 이러하니 표행을 책임진 표두들은 서로의 눈치만 볼 뿐 좀처럼 나서는 이가 없었다.

"관 아홉 개면 마차 한 대만 더 추가하면 될 일. 선선한 가을이니 부패할 염려도 없고, 멀지도 않은 길이오. 정녕 지원하는 표행단이 없단 말이오?"

손지백이 거듭 물으며 사방을 쓸어 보았다. 그러나 사람들은 모두 시선을 피할 뿐이었다. 이대로 의뢰를 거절하면 좋으련만 그런 일은 없을 것이다. 결국 억지로 거절하도록 만들어야 한다.

내가 막 손을 들고 말하려는 순간이었다.

"이 의뢰는 거절해야 합니다."

돌연 이병룡이 자리에서 벌떡 일어나 말했다. 그는 사사롭게는 천룡표국의 삼공자였지만, 동시에 표사를 삼십여 명이나 거느린 칠각(七閣)의 각주이기도 했다.

이병룡은 다시 말했다.

"모산파의 선인(仙人)께서는 수고스러우시겠지만, 망자들께서 속한 문파로 다시 한번 전서구를 보내 직접 걸음을 하도록 요청하는 것이 어떠실는지요?"

갑자기 이병룡이 왜 저런 말을 하는 걸까? 이종산과 친우들이 보는 앞에서 존재감을 드러내고 싶은 것이다. 하지만 반드시 명분이 있어야 한다. 그럴듯하면 존재감을 드러낼 수 있으나 그렇지 못하면 바보가 되고 만다.

모산파의 도사가 물었다.

"의뢰를 거절하시려는 이유를 여쭈어도 되겠소?"

"말씀을 빌리자면 저 망자들께선 전부 무림인들이고, 망자가 된 사연 또한 무림인들 간의 싸움으로 말미암은 것입니다. 천룡표국이 불필요한 시비에 휘말릴까 우려됩니다."

일단 물꼬를 제대로 텄다. 나는 속으로 쾌재를 불렀다.

"귀하께서는 무언가 오해를 하고 있구료. 저 망자들은 위험을 무릅쓰고 흉악한 마두를 잡으려다 목숨을 잃었소. 무림인들 간의 싸움이라는 건 사건을 너무 단순화한 것이오."

"여러 명이 한 명을 공격한다고 해서 무림인들 간의 싸움이 아닌 것은 아니지요. 상대가 흉악한 마두라고 해도 말입니다. 그나마도 전적으로 모산파에서 오신 선배님의 말씀이고요."

본래 진짜 하고 싶은 말은 마지막 한마디에 담는 법이다.

이병룡은 지금 갑자기 모산파의 도사 차림을 하고 나타난 당신과 당신의 말을 어떻게 다 믿느냐는 주장을 하고 있었다. 제법 그럴듯한 주장이고, 천룡표국의 누군가는 반드시 짚었어야 할 내용이었다.

한데 이병룡이 말을 할 때마다 옆에 앉은 후기지수들의 입술이 미세하게 달싹거렸다. 전음술로 해야 할 말을 전해주고 있는 것이다.

'그럼 그렇지. 이상하게 말을 잘한다 했다.'

하지만 이것도 능력이다. 어떤 면에선 매우 무서운 능력이다. 자신의 부족함을 알고 주변의 똑똑한 친우들을 이용하는 것이니까.

유비가 적벽대전에서 이기고 형주를 얻을 수 있었던 건 제갈량을 비롯한 휘하의 인재들을 잘 활용할 줄 알았기 때문이지, 결코 유비 그 자신이 무적의 고수여서가 아니었다.

이병룡이 다시 손지백에게 말했다.

"대장궤께서도 재고해 주십시오."

손지백은 대답 대신 주변을 보며 물었다.

"모두 칠각주와 같은 생각들이오?"

지금 이 자리에는 당주와 각주를 포함해 표두가 무려 사십여 명이나 있었다. 그러나 단 한 명도 이렇다 저렇다 할 대답을 내놓지 않았다. 이 병룡의 말에 찬성을 하자니 너무 매정한 것 같고, 반대를 하자니 자신더러 그 표행을 맡으라 하면 거절할 명분이 없기 때문이다.

모산파의 도사가 인상을 찌푸렸다. 그는 매우 실망한 눈치였다.

남궁소소가 내게 물었다.

"어차피 돈도 안 되고 다들 꺼리는데 그냥 거절하면 되지 않나요? 왜 이렇게 고민하는 거죠?"

"망자들의 호송 의뢰는 그 비용이 얼마가 됐든 특별한 이유가 있지 않은 한 거절하지 않는 것이 천룡표국의 오랜 관례였소."

"그건 왜죠?"

"강시술이란 본래 전쟁터에서 죽은 수많은 시체들을 가족이 있는 고향으로 옮겨주기 위해 탄생한 술법이오. 그들이 없었으면 나라도 없고, 나라가 없으면 표국도 없소. 그때 전사자들을 헐값에 호송하던 것이 지금은 전통이 되었소."

"하지만 저들은 나라를 위해 싸우다 죽은 전사자가 아니잖습니까. 전통이나 관례라는 이유로 무조건 밀어붙일 상황이 아닌 것 같은데요?"

"관병과 양민 백여 명을 학살하고 도망친 마두를 무림인들이 추적해 협공하다 목숨을 잃었소. 전사자는 아니나 이들 역시 나라를 위해 목숨을 초개 같이 바친 사람들이오. 백성이 곧 나라니까."

그렇지만 거절해야 한다. 이미 죽은 사람을 고향에 데려다주려다 그 두 배나 많은 생목숨을 잃을 순 없으니까.

한데 무언가 이상하다. 이종산은 물론이고 총표두 곽석산, 대장궤 손지백을 비롯해 지금 이 자리에 있는 모든 사람들이 갑자기 나와 남궁소소를 바라보고 있었다.

"사람들이 우리를 보는 것 같소만."

"우리가 아니라 정룡 공자인 것 같은데요."

"나를? 왜?"

"방금 정룡 공자가 한 말을 들은 것 같습니다."

"우리끼리 한 얘기를 어떻게?"

"아무래도 다들 일류고수들이시니까요."

"이런 망할!"

뒤늦게 목소리를 죽여 보지만 이미 들을 사람은 다 듣고 난 후였다. 나는 애초부터 고수가 되어본 적이 없어서 '일류고수라면 이 정도 소리를 듣는다'하는 감이 없었다. 나름 조심한다고 했건만.

그때 손지백이 말했다.

"여기 계신 모산파의 도우께서는 나와도 일면식이 있는 분이시오. 나는 이분의 말을 전적으로 믿소. 그리고 내 대답은 사공자가 방금 그의 친우분께 한 말로 대신하겠소."

"……!"

이종산도, 손지백도, 곽석산도, 모산파의 도사도 그제야 흡족한 얼굴을 했다. 특히 이종산에게선 아내를 잃고 홀로 아들을 잘 키운 아비의 은근한 자부심까지 엿보였다.

졸지에 강호의 도의도 모르는 졸장부가 되어버린 이병룡은 나를 향해 어금니를 빠드득 갈며 자리에 앉았다. 반대로 협의에 가득 찬 유생이 된 나는 망치로 뒤통수를 한 대 세게 맞은 것 같았다.

'아, 이게 아닌데······.'

당주와 각주들이 조용하게 술렁이는 가운데 손지백이 일갈했다.

"망자들은 복룡당의 장 표두가 이끄는 표행단에게 맡기겠소. 장 표두는 표행을 하는 동안 망자들을 모심에 있어 한 치의 소홀함도 없도록 하라."

갑자기 장량기를 지목해 버렸다. 얼마 전 고중태가 표물에 장난을 치는 일로 나와 작은 신경전이 있었던 바로 그 표두였다.

대장궤가 한번 정해 버린 이상 국주가 나서도 바꿀 수 없다. 장량기는 썩은 표정을 감추며 일어나서 말했다.

"명을 받들겠습니다."

다른 표두들은 그제야 안심을 했다.

이로써 모든 표행이 정해졌다. 파장 분위기가 짙어지던 그때, 이을룡이 딴지를 걸고 나섰다.

"이런 식의 일방적인 통보라면 좀 곤란합니다."

손지백의 눈매를 좁혔다.

"복룡당주는 내게 할 말이 있소?"

"장 표두가 이끄는 표행단은 목적지가 양주입니다. 망자들은 그로부터 닷새나 더 걸리는 감악산까지 가야 하고요."

"그래서요?"

"아시다시피 저희 복룡단은 보름 후, 만포상방의 쌀 일천 섬을 복건성으로 운송하기로 되어 있습니다. 이는 복룡당의 표사와 쟁자수들이 모두 나서서 전력을 쏟아야 하는 일로, 장 표두가 이끄는 표행단 역시 속히 귀환해야 합니다."

"무슨 말을 하고 싶은지 내 모르는 바 아니나 사정은 모두에게 있소. 예정에 없던 표물이 추가되었으니 다른 각의 표사와 쟁자수들을 조금 더 보충해 줄 테니 그리 아시오."

나는 마음이 다급해졌다. 아직 한 가지 방법이 더 있기는 하다. 하지만 지금 상황에서 그건 적지 않은 저항에 부딪힐 것이다. 그렇다고 모른 척할 수도 없다.

에라 모르겠다.

"제가 가겠습니다."

나는 손을 번쩍 들고 일어섰다.

표행을 막을 수 없다면 내가 표행을 따라가 참사를 막으면 된다. 원하는 그림은 아니었지만 달리 방법이 없다. 사람들의 시선이 또 한 번 내게로 집중되었다.

모두가 뜨악했다. 회시가 한 달 후인데 난데없이 표행에 따라가겠다고 하니 다들 놀랄밖에. 그것도 강시 운반조로.

누구보다 놀란 사람은 이종산이었다. 좀 전까지만 해도 나를 더할 나위 없이 뿌듯하게 나를 바라보던 그가 지금은 죽일 듯이 노려보고 있었다.

'휴우, 승부의 시간이 온 건가.'

"표행단에는 표사와 쟁자수들만 동참할 수 있소."

"그래서 드리는 말씀인데, 대장궤께서 저를 거인표사로 고용해 주십시오. 아시다시피 전 이미 자격을 갖추었습니다."

"거인표사는 표행을 나가지 않소."

"드문 일이어서 그렇지 아주 없지도 않았습니다."

"무림 협객들을 생각하는 사공자의 협의지심은 충분히 알았으니 그만하면 됐소. 고인들은 우리가 잘 모실 테니 사공자께선 한 달 후 있을 회시 준비에나 박차를 가하시오."

"제가 향시를 본 건 오로지 거인표사가 되어 표행을 나가기 위해서였습니다. 한데 표사도 될 수 없고, 표행에도 나갈 수 없다면 전 회시를 보지 않겠습니다."

여기까지 온 마당에 더 이상 무엇이 두렵겠나. 나는 에라 모르겠다 하는 심정으로 배수진을 쳐버렸다.

사람들이 크게 웅성거리기 시작했다.

손지백이 한 손을 들어 사람들을 진정시킨 후 말했다.

"회시에 급제하면 최소 지방 현령이오. 표국에서 거인을 표사로 고용해 짧게는 몇 년에서 길게는 십 년까지 뒷바라지를 해주는 것도 바로 그 현령을 만들기 위해서고. 한데 그걸 포기하고 표사가 되겠다는 것이오?"

"그렇습니다."

이 순간, 손지백은 물론이고 천룡각 안에 있던 모든 사람들의 시선이 일제히 이종산을 향했다. 이쯤 되면 그의 입에서 불호령이 떨어질 것 같아서였다. 한데 어쩐 일인지 이종산은 조용했다. 그를 바라보는 손지백도 조용했다. 또 전음으로 대화를 하는 것이다.

이윽고 시선을 거둔 손지백이 내게 물었다.

"그토록 표사가 되려는 이유가 무엇이오?"

이 순간, 나는 이종산이 내게 기회를 주었다는 걸 알 수 있었다. 지금부터 내가 하는 대답에 표사로서의 내 운명이 달려 있다. 어떤 꼼수도 통하지 않을 것이다. 가장 솔직한 말로 정면 돌파해야 한다.

나는 이종산과 곽석산, 이갑룡, 을룡, 병룡, 각 당의 당주와 각주들 그리고 삼십여 명의 표두들을 한 명 한 명 눈에 담았다.

그리고 말했다.

"다소 불손하게 들리실 수도 있겠습니다만, 그전에 여기 모이신 선배 표사님들께 제가 한 가지 여쭙고 싶은 것이 있습니다."

일부러 선배 표사님들이라는 호칭으로 운을 띄웠다.

"여러분들께선 왜 표사의 길을 가셨습니까? 혹시 저와는 달리 벼슬길에 오를 재주가 없어 표사가 되셨습니까?"

도발적인 한마디에 좌중의 공기가 차갑게 식었다. 삼십여 명의 일류고수와 다섯 명의 절정고수가 뿜어내는 한기는 삽시간에 천룡각의 드넓은 내실을 냉탕으로 바꿔 버렸다.

나는 개의치 않고 힘주어 말을 이어 나갔다.

"대체 벼슬아치가 표사보다 나은 것은 무엇입니까? 그래서 여러분은 짧게는 십 년에서 길게는 수십 년씩을 표사로 살아오신 세월이 후회되십니까?"

내실을 가득 채웠던 한기가 빠르게 걷혀갔다. 내 말의 진의를 뒤늦게 파악한 것이다.

"왜 표사가 되고 싶으냐고 하문하신다면 제 대답은 이겁니다."

나는 여기서 선망 가득한 눈길로 이종산을 바라보았다. 적어도 지금 이 순간만큼은 가장 솔직한 눈길이었다.

"전 명표(名鏢)가 되고 싶습니다. 다른 사람들이 어떻게 생각하든, 뭐라고 수군거리든 제게는 표사가 되어 명표로 이름을 날리는 것이 벼슬길에 올라 이름을 날리는 것보다 훨씬 의미 있는 일입니다."

넓은 의미에서 표사는 칼을 차고 표국업에 뛰어든 무인 전부를 지칭하는 말이다. 국주인 이종산도, 총표두인 곽석산도, 이갑룡, 을룡, 병룡도, 당주와 각주들 그리고 표두들까지 크게 보아 모두 표사였다.

검사가 검호를 꿈꾸고, 유생이 명필을 꿈꾸듯 표사들은 누구나 명표가 되기를 꿈꾼다. 그러나 강호인들은 인색하여 명표의 칭호를 함부로 주지 않는다. 지금 중원을 통틀어 명표라 불리는 표사는 그 많은 표국들 중에서도 고작 네 명에 불과했다. 이들은 사대명표(四大名鏢)라 불리며 표사들 사이에서는 그야말로 영웅으로 추앙받았다.

천룡표국에서 명표의 칭호를 받은 사람은 젊은 시절의 이종산이 유일했다. 그는 한 걸음 더 나아가 표왕이 되었고, 모든 표사들의 살아 있는 전설이 되었다.

표사의 길을 가는 동안 수많은 종류의 희로애락을 만나게 될 것이다. 그걸 가장 잘 아는 사람이 있다면 바로 이종산이었다.

이종산만큼은 아니어도 다른 표두들 역시 백전을 경험한 사람들이었다. 어쩌면 치기 어려 보일 수 있는 내 대답이 산전수전 다 겪은, 그래서 이제는 조금 타성에 젖기도 했던 표두들의 마음을 흔들었다. 조용한 울림이 내실 전체로 퍼져 나갔다. 묵직한 침묵 속의 또 다른 언어가 가슴에서 가슴으로 전해지고 있음을 나는 느낄 수 있었다.

유일하게 이 울림에 동화되지 못하는 사람은 정룡의 형제들 세 명뿐이었다. 저들은 처음부터 명표 따위 관심이 없었다. 저들의 목표는 오로지 천룡표국의 주인이 되는 것이었다.

침묵을 깬 건 남궁소소였다.

"그런데 한 가지만 묻는다고 하지 않았어요?"

곳곳에서 가벼운 웃음보가 터졌다. 그녀의 농담 한마디로 무겁던 분위기가 한층 가벼워졌다.

손지백이 이종산을 보았다. 어떻게 할 것인지를 묻는 것이다.

그 순간, 웃음소리가 뚝 그치며 오십여 명의 표두들 전부가 긴장된 얼굴로 이종산의 입을 응시했다.

다시 한동안 침묵이 흐른 후 이종산은 가만히 고개를 끄덕였다.

손지백이 말했다.

"천룡표국은 오늘부터 거인 이정룡을 표사로 고용한다. 더불어 장량기 표두가 이끄는 감악산행 표행단에 지원조로 투입한다."

순간, 오십여 명의 표두들 사이에서 조용한 흥분이 번져갔다. 내심 모두 나를 응원했던 것이다. 반면 이갑룡, 을룡, 병룡과 그들이 이끄는 당과 각의 표두들은 불편한 기색이 역력했다.

나는 날아갈 것 같았다. 전생에서부터 그토록 원하던 표사가 마침내 되었다. 아직은 거인이라는 딱지가 앞에 붙지만, 언젠간 반드시 명표라는 딱지로 바꿀 것이다.

"오늘 배표식은 이것으로 끝……."

"저도 고용해 주십시오!"

소리를 빽 지르며 일어선 사람은 남궁소소였다. 행여라도 배표식을 끝내 버릴까 봐 그녀는 얼른 포권지례부터 했다.

"소생은 풍진양이라 하옵고, 이번 향시에서 열 번째 석차로 급제를 하였습니다. 회시를 치를 때까지만이라도 부디 거인표사로 고용해 주시면 결초보은……"

"됐고. 자네도 표행에 따라가려는 건가?"

"그렇습니다."

나는 남궁소소의 옷자락을 잡아당기며 목구멍을 쥐어짰다.

"지금 뭐 하자는 거요?"

"얼렁뚱땅하면서 혼자 어딜 튀려고요. 국수는 회시 끝나고 사줄 생각이었습니까? 어림 반 푼어치도 없는 줄 아십시오."

"표행은 귀하가 생각하는 것보다 훨씬 고된 일의 연속이오. 제대로 씻지도 못하고, 해가 지면 산속이든 들판이든 아무 데서나 잠을 자야 하고. 게다가 위험할 수도 있고."

"그런 힘들고 위험한 일로 밥을 벌어먹는 사람들도 있죠. 아이들도 키우고 부모님도 봉양하고요. 그런데 제가 오늘 만난 어떤 사람은 심지어 그게 꿈이라고 하더군요."

"……?"

"꿈까지 같이 꿀 생각은 눈곱만큼도 없지만, 며칠 경험하는 정도로 앓는 소리 할 만큼 그리 나약한 유생은 아닙니다."

남궁소소는 다시 손지백을 향해 말했다.

"양주에서 감악산까지 닷새가 걸린다고 하셨는데, 제가 사흘 만에 주파하는 길을 알고 있습니다. 공교롭게도 제 고향이 양주입니다."

"중원 전역의 강과 산맥을 문지방처럼 넘나드는 우리일세. 아무리 양주가 고향이라고 하나 우리도 모르는 지름길을 일개 유생에 불과한 자네가 알고 있다고?"

"제 손목을 걸겠습니다."

"……!"

회시에 급제하는 것이 그녀에게 어떤 남다른 의미가 있는지는 모른다. 다만 무엇 하나 부족한 것 없이 자란 그녀가 뜻한 바를 이루기 위해 이처럼 험한 길도 마다치 않는 모습에서 나는 솔직히 조금 감명받았다.

'남자였다면 진짜 친구가 될 수도 있었을 텐데……'

이종산은 자정을 훌쩍 넘겨 천룡각을 나왔다.

"석산아."

총표두라는 공식적인 호칭 대신 이름을 부른다. 옛날 생각이 나는 것이다.

"예, 형님."

곽석산도 옛날처럼 대답했다.

"너는 왜 표사가 되었느냐?"

"글쎄요. 너무 오래돼서 이제는 기억도 잘 안 납니다. 다만 지금도 가끔씩 그때 일이 생각나곤 합니다."

"또 대설산(大雪山) 넘던 일을 얘기하려고?"

"갑룡이가 태어난 지 얼마 안 되었을 때였던가요? 형님과 저 단둘이서 해남도의 다섯 개 흑도문파에게 쫓기던 일가족 네 명을 광동성에서부터 시작해 광서성, 귀주성, 사천성을 지나 대설산까지. 장장 한 달 동안 호위한 적이 있었지요."

"다섯 개 문파나 되었던가? 하긴 추적해 오는 인간들이 끝도 없이 나타났었지."

"아이들은 춥다고 울지, 젊은 어미는 고열로 냉탕과 열탕을 오가지, 아비는 우리가 행여라도 자신들을 버리고 도망칠까 봐 전전긍긍하지. 흑도 놈들은 끊임없이 나타나지. 하이고, 그때 일을 생각하면 지금도 진절머리가 납니다."

"네 녀석이 정말로 밤에 몰래 도망치자고 했었지. 아비가 그 애길 우연히 엿들은 다음 날부터는 밤만 되면 잠을 안 잤더랬지, 아마. 껄껄."

"무사히 대설산을 넘겨주고 돌아서려는데 그 어미가 자신의 머리카락과 치마폭을 잘라 미투리 두 짝을 삼아 주면서 했던 말을 기억하십니까?"

"죽을 때까지 날마다 새벽에 일어나 당신들이 산다는 천룡표국 쪽을 향해 절하겠습니다. 우리가 죽고 나면 아이들이 또 죽을 때까지 절하며 두 분의 무사 안녕을 기원할 것입니다. 부디 안녕히 돌아가십시오."

"그날 그 여인의 마른 눈동자, 미투리를 건네주던 더럽고 떨리던 손길, 동상으로 얼룩진 얼굴까지. 아직도 잊히질 않습니다."

"그게 벌써 30년 전의 일이구나."

"그날 이후 강호인들은 형님을 '명표'라고 부르기 시작했지요. 제가 명표 이종산의 의제라는 사실이 그렇게 자랑스러울 수가 없었습니다."

"지금은 안 그렇고?"

"왜 이러십니까? 지금은 저도 대천룡표국의 어엿한 총표두입니다. 비록 형님처럼 명표라는 칭호를 얻기엔 나이가 너무 많아져 버렸지만, 그래도 제가 걸어온 표사의 길도 나름 자부심을 가질 만하다고 생각합니다.”

“그 이상이다.”

“……?”

“네가 없었다면 나는 명표라는 칭호도 얻지 못했을 것이고, 지금의 자리에 오르지도 못했을 것이다. 나에게는 네가 명표다.”

이종산이 누군가를 칭찬하는 일은 정말 드물다. 당사자의 면전에다 대고 이렇게 말해주는 것은 더더욱 그렇고. 그것도 남자들끼리.

잠시, 어색한 침묵이 흘렀다.

“정말 표사가 되고 싶은 걸까?”

넷째 아들 이정룡 얘기다.

“들으셨잖습니까. 결기를 보니 그냥 해보는 말이 아니었습니다. 이런 말은 좀 그렇지만, 쇠심줄 같은 고집은 형님을 아주 빼다 박았습니다.”

“무공도 모르는 녀석이 대체 왜?”

“무공을 모른다는 게 그렇게 큰 문제가 될까요?”

“또 무슨 말로 편을 들어주려고?”

“물론 표사라면 응당 일신에 고강한 무공을 지녀 표물을 지켜야겠지요. 하지만 다른 방법으로도 표행을 성공적으로 이끄는 데 얼마든지 일조할 수 있습니다. 정룡은 이미 복룡당에서 그걸 한차례 증명한 바 있고요.”

“편하게 살려면 얼마든지 편하게 살 수 있어. 정 표사질을 해보고 싶다면 제 형들처럼 서너 해 정도 표행 경험만 쌓은 후 각주가 되어도 좋고…… 한데 녀석은 아주 평생을 표사로 살며 주유천하 할 기세니 문제지. 언제 죽을지도 모르고, 따뜻한 방 안에서 자는 날보다 길바닥에서 자는 날이 더 많은 그런 일을······."

"오래전 저도 그런 표사를 한 명 알았었지요. 그리고 30년 후 그는 절강성에서 가장 큰 표국의 국주가 되었습니다."

이종산은 삼십여 년 동안 무려 일천여 회에 달하는 표행을 단 한 번의 실패도 없이 성공적으로 이끌었다. 그래서 얻은 별호가 바로 '표왕'이었다. 강호에 수많은 표국이 있고, 그중 몇 개는 천룡표국보다도 규모가 크다. 하지만 '표왕'이라는 별호로 불리는 사람은 오직 이종산뿐이었다.

큰 표물을 정기적으로 꾸준히 보내야 하는 강호의 거상들은 '표왕'이라는 두 글자를 보고 천룡표국을 찾는다. 강호 거상들의 신뢰는 그 전설 같은 여정의 초창기에 이미 시작되었다. 이들의 '믿음과 신뢰'는 다른 이복형제들에 비해 외가가 보잘것없었던 이종산에게 강력한 힘이 되었다. 훗날 정략결혼을 하게 될 세 곳의 가문들로부터 지지를 얻은 것도 그 무렵이었다. 바로 그 힘으로 이종산은 각자의 외가를 등에 업고 표국 내 세력확장에만 골몰했던 다섯 형제들을 제치고 7대 국주가 될 수 있었다.

대신 그는 표행을 하는 삼십여 년 동안 수십 번의 죽을 고비를 넘겨야 했다. 의원들마저 포기할 정도로 중상을 입어 사경을 헤맨 적도 다섯 번이나 됐다. 그가 지금까지 살아 있는 건 기적이었다.

"녀석이 내가 걸었던 길을 되밟으며 훗날을 도모한다는 뜻이냐?"

"처음부터 그럴 생각이라면 비범한 것이고, 만약 정말로 순수하게 표사가 되고 싶은 것이라면 운명이 이끄는 대로 되겠지요."

"운명이 이끄는 대로?"

"만에 하나라도 강호의 거상들이 믿고 찾는 '명표'가 된다면 정룡은 자신의 의지와 상관없이 형들과 전쟁을 치러야 할 것입니다. 천룡표국의 주인 자리를 놓고 말입니다. 그게 아니라면 고만고만한 실력의 표사들이 대부분 그러하듯 언젠가 표행 중 고수의 칼에 목숨을 잃겠지요."

이종산의 눈동자에 한순간 정체 모를 열기가 차올랐다가 사라졌다. 그는 고개를 절레절레 흔들며 말했다.

"스물두 해 동안 녀석을 지켜보았다. 며칠 나를 놀라게 한 것은 사실이나, 그걸 녀석의 진면목일 거라고 믿는 건 아비로서의 흐린 욕심이지. 지렁이는 아무리 꿈틀거려도 결국은 지렁이일 뿐인 것을."

"지렁이 중에는 독사를 잡아먹고 멧돼지를 거꾸러뜨린다는 지렁이도 있습니다. 이를테면 지금 강호에 소문이 퍼지고 있는 오지산(五指山) 천지령(天地靈) 같은 것 말입니다."

"객쩍은 소리 말고. 함께 표행을 가겠다는 풍진양이라는 여자아이 말이야. 누군지 짐작 가는 게 있느냐?"

"전혀요. 이름이 알려지기엔 아시다시피 너무 어려서 말입니다."

"걸음걸이가 예사롭지 않았다. 분명 상당한 수준의 무예를 일신에 지녔어. 무슨 사정으로 남장에 역용까지 하고 정룡에게 접근한 걸까?"

"너무 걱정하지 마십시오. 형님께서도 보셨지 않습니까. 정룡을 보는 시선이 시종일관 따뜻했습니다. 맑고 정순한 호흡도 그렇고, 기품이 느껴지는 언행도 그렇고, 분명 명가의 후예일 것입니다."

"그래도 그냥 넘어갈 수는 없지. 누군지 알아봐."

"물론이지요."

"그리고 장량기가 이끄는 표행단의 지원조에 똑똑하고 손 빠른 표사 하나 붙여. 갑룡이나 을룡이나 병룡의 사람이 아닌 표사로."

만약의 경우를 대비해 이정룡에게 호위무사를 붙이라는 뜻이다.

"가불염이라고, 얼마 전 새로 들어온 표사가 있습니다. 한 자루 장도(長刀)를 성명병기로 쓰는데 그 솜씨가 어지간한 표두를 찜 쪄 먹습니다. 강호의 경험도 많고요."

"그 친구가 좋겠군."

천룡각을 나선 이갑룡, 을룡, 병룡 형제들은 측근들을 물린 채 셋이서 나란히 걷고 있었다.

"도대체 무슨 생각인지 모르겠습니다. 무공도 모르는 놈이 표사는 무엇이고, 표행은 또 무엇이란 말입니까. 미친놈."

이병룡이 포문을 열었다.

"밤잠을 설치며 회시 준비를 해도 모자랄 판에 왜 표행에 동참하겠다고 하는지 모르겠군. 향시에서 장원급제까지 했으니 회시에 급제하는 것도 아주 불가능한 것은 아닌데 말이야."

이갑룡이 말했다.

"아주 불가능한 것이 아닌 게 아니라 가능성이 아주 크지요. 놈은 회시를 만만하게 보고 있는 겁니다."

이을룡이 말했다.

"둘째 형님은 놈을 너무 높이 평가하시는 것 같습니다. 그 녀석이 향시에 장원급제한 것은 사실이나 회시는 차원이 다릅니다."

"설마 너도 회시를 볼 생각이냐?"

"설마라뇨? 무슨 말씀이 그렇습니까?"

"어라, 진짜 볼 생각인가 보네?"

"당연한 일 아닙니까? 저도 엄연히 향시에 급제한 유생입니다. 정룡이 장원급제를 하는 바람에 제 꼴이 좀 우습게 됐지만, 그냥 급제하는 것도 쉬운 일은 아닙니다. 경험들 해보셨으니 잘 아실 텐데요."

이갑룡과 을룡도 지금보다 조금 더 젊었을 때 향시에 몇 번 도전했다가 실패한 일을 꼬집은 것이다.

"웃기고 자빠졌네."

"둘째 형님, 말씀이 지나치십니다."

"향시는 네놈의 외가에서 지부대인에게 은궤를 갖다 주고 급제를 했다만, 회시는 어떻게 급제할 생각이냐? 북경까지 찾아가 심사관들을 구워삶을 생각이냐?"

"그, 그걸 어떻게……."

"부끄러운 줄 알아라. 이 새끼야."

사실을 가지고 칼질을 하는 데에야 쌍욕을 해도 달리 반항할 수가 없다. 철저하게 비밀로 한 일을 어떻게 알아냈는지 그저 등골만 서늘해질 뿐이었다.

"그나저나 요즘 들어 정룡이 너무 커지는 느낌이구나. 그전에는 전혀 존재감이라는 게 없었는데 말이야. 아버지께서도 녀석을 대하는 태도가 달라지셨고."

이갑룡이 말했다.

"뭘 알고 하시는 말씀이십니까?"

이을룡이 물었다.

"아버지께서 정룡에게 운철검을 하사하셨다."

"……!"

"……!"

이병룡과 이을룡은 동시에 두 눈을 부릅떴다. 운철검은 귀물이다. 인연이 없다면 돈을 쌓아놓고도 살 수가 없는 물건이다. 그걸 놈에게 주셨다고?

다시 이갑룡이 말했다.

"천한 싹은 나무로 자라지 않았으면 좋으련만."

"장량기에게 일을 좀 시켜야겠군요."

"설마 죽이라고 할 건 아니지?"

이갑룡이 농담처럼 말하는데, 왠지 이을룡과 이병룡에게는 진담처럼 들렸다. 자신들 셋 중 가장 무서운 사람이 있다면 바로 맏형인 이갑룡이다. 저 인간은 속을 알 수가 없다.

"표행을 하는 동안 정룡에게 최대한 많은 기회를 주라고 할 것입니다. 갓 나온 싹은 작은 바람에도 목이 꺾이게 마련이니까요."

"그러다 주어지는 기회마다 훌륭히 수행해 내면 어쩌려고? 아무도 기대하지 않았지만, 향시에 덜커덕 장원급제해 버린 것처럼 말이다."

"향시에 장원급제한 것과 표행은 전혀 다른 일입니다. 차라리 쟁자수 경험이라도 있다면 모르겠지만 말입니다. 후후."

6장
너희가 강호를 아느냐

"무슨 문제라도 있으십니까?"

"아니요. 아무 문제 없습니다."

"한데 왜 말을 그렇게 타십니까?"

"제 말 타는 게 어때서요?"

"엎드려 타고 계시잖습니까."

"그게 그렇게 이상합니까?"

"매우 그렇습니다."

"저기, 장 표두님."

"말씀하십시오. 사공자님."

"이미 눈치채신 것 같은데, 조금만 쉬었다 가면 안 되겠습니까? 아까부터 불알이 터질 것 같아서 그렇습니다."

"안 됩니다. 표행을 할 때는 매일매일 가야 하는 구간을 미리 정해놓습니다. 오늘은 무슨 일이 있어도 해 지기 전까지 장사곡에 도착해야 합니다. 사공자님 한 사람의 사정 때문에 지체할 수는 없지요."

거짓말이다. 작년부터 새로운 길을 개척하면서 장사곡까지는 앞으로 세 시진 정도면 충분히 도착한다. 나도 다 알고서 한 말이다. 장량기는 지금 날 골탕 먹이려 하고 있었다.

누굴 탓하겠나. 내가 말을 못 타서 생긴 일을. 말을 타고 균형을 잡는 게 이렇게나 힘들 줄은 꿈에도 몰랐다. 허리를 펴자니 아래로 떨어질 것 같고, 엎드려 있자니 불알이 으깨질 것 같다.

"차라리 말에서 내려 끌고 가시는 건 어떻습니까?"

"끌고 가려면 말을 왜 가져 왔겠소?"

"그것도 그렇군요. 그럼 전 이만."

장량기가 멋지게 말을 달려 선두로 나아갔다. 그러곤 다른 표사들과 함께 나란히 말을 탔다.

망할 놈의 이정룡. 이 자식이라도 말타기를 잘했더라면 내가 이렇게 힘들지는 않았을 텐데. 원래 그런 건 머리가 아니라 몸이 기억하는 거니까.

장삼에게 듣기로, 이정룡은 열세 살 무렵 말타기를 배우다 떨어져 팔이 부러진 일이 있었단다. 그 이후로는 무서워서 한 번도 타질 않았고, 그 바람에 나까지 이렇게 개고생을 하고 있었다.

사실 나 역시도 전생에서 마부석에 앉아 마차를 모는 것이라면 불편한 다리도 있고 해서 지겨울 정도로 했었다. 그러나 말타기를 배울 기회는 전혀 없었다.

앞으로 간 장량기가 무슨 말을 했는지 표사들이 힐끔힐끔 돌아보며 낄낄거리고 난리도 아니다.

"저것들을 확!"

남궁소소가 다가오더니 말 머리를 나란히 붙였다. 말이 흔들리는 박자에 맞춰 엉덩이가 씰룩씰룩하는 모습이 자연스럽기 그지없었다.

"그러면 힘들어서 얼마 못 가요."

"아직은 참을 만하오."

"귀하 말고 말 말입니다."

"……!"

"등을 곧게 펴고 체중을 엉덩이 안쪽 좌골에 실으세요. 다리는 마체를 껴안듯이 자연스럽게 조이고요. 고삐는 두 주먹 사이로 통과시켜 양젖 짜듯이 부드럽게 움켜쥐어야 합니다. 한번 해보세요."

남궁세가의 영애이니 말은 기똥차게 탈 것이다. 지금은 자존심 같은 걸 따질 때가 아니었다. 스승이 있을 때 얼른 배워야 한다.

"좋습니다. 잘했어요."

"자꾸 떨어질 것 같소만."

"네 발로 걷는 동물은 모두 특유의 움직임이 있어요. 지금은 그 움직임이 귀하의 몸에 체득되는 중이고요. 시간이 흐르면 자연스럽게 적응될 겁니다."

"맛만 보여주고 빼는 거요?"

"짧은 시간에 다 가르쳐 줄 수 없어서 그렇습니다. 귀하가 국수 한 그릇 먹는 동안 장원급제한 비법을 모두 말해줄 수 없는 것처럼 말이죠."

"국수 여덟 그릇에 만두 추가."

"만두는 원래 기본으로 까는 거 아닌가요?"

"죽엽청도 추가."

"말 머리의 흔들림에 고삐 쥔 팔의 움직임을 맞춰보세요. 그러면 등과 허리로 이어지는 상체의 움직임도 자연스럽게 말에게 맞춰질 겁니다."

나는 당장에 시키는 대로 했다.

맙소사. 무슨 해독제를 먹은 것처럼 단 한 방에 허리를 세우고도 비교적 안정적으로 중심을 잡을 수 있었다.

"어때요?"

"만두값은 충분히 한 것 같소."

"그럼 죽엽청값도 해볼까요?"

남궁소소가 바싹 다가오더니 별안간 제 고삐로 내가 탄 말의 엉덩이를 사정없이 후려쳤다.

"끼랴!"

"어어엇!"

말이 갑자기 미친 듯이 달려 나가기 시작했다. 가까스로 잡았던 중심이 순식간에 무너지며 금방이라도 떨어질 것 같았다. 뒤에서 표사와 쟁자수들이 와자지껄 웃는 소리가 들려왔다.

남궁소소의 외침도 들려왔다.

"어깨를 낮추고 말에게 몸을 맡기세요!"

나는 빨리 시키는 대로 했다. 조금 나아졌지만, 여전히 떨어질 듯 위태로웠다. 그러나 내게는 비장의 무기가 있었다.

'집중하자!'

시간이 느려지며 말의 움직임이 그대로 느껴졌다. 두 배나 빠른 속도로 생각을 하며 내 몸을 말의 움직임에 조금씩 맞춰갔다.

표행을 시작한 첫날, 나는 말을 타고 빠르게 달리다 무려 다섯 번을 떨어져 굴렀다. 다음 날엔 네 번, 그다음 날엔 두 번, 그리고 나흘째 되는 날 마침내 아침부터 저녁까지 한 번도 떨어지지 않았다.

엿새째 되는 날, 나는 달리는 마상에서 안장의 이쪽저쪽을 타고 넘으며 길가에 핀 꽃까지 꺾을 수 있게 됐다.

"정말 빨리 배우시네요."

"스승이 좋은 탓이오. 고맙소."

"저도 웬만하면 생색을 내고 싶은데, 이걸 저 때문이라고 하면 너무 양심이 없는 것 같군요. 이렇게 빨리 말타기를 배우는 사람은 정말 처음 봅니다."

"뭘 그 정도까지나."

놀란 사람은 남궁소소만이 아니었다. 표사와 쟁자수들은 단 엿새 만에 초보적인 마상 기예까지 펼쳐 버리는 나의 습득력에 어안이 벙벙해졌다. 이제는 누구도 비웃지 않았다.

"말타기는 기본적으로 무공을 익히는 것과 같다고 들었습니다. 이렇게 몸놀림이 좋은데 왜 여태 무공을 익히지 않은 거죠?"

"대기만성형이라고 해둡시다."

"기루와 도박장을 전전하느라 그런 건 아니고요?"

"소문은 과장되게 마련이오."

"조영영 소저와의 일도요?"

"그건 또 어찌 아시오?"

"항주의 유생들 사이에 파다하더군요."

"이건 뭐 업보도 아니고……."

"조영영 소저의 어디가 그렇게 좋았나요?"

"그녀를 본 적 있소?"

"아뇨. 못 봤습니다."

"다음에 한번 직접 보시오."

"왜요?"

"생각보다 별로요."

"소문에는 항주 사대미인이라고 하던데……."

"물론 용모야 출중하지. 하지만 벌이 향기 맡고 날아들지 꽃 모양 보고 날아드는 건 아니잖소."

"조영영 소저에게는 향기가 없다는 말인가요?"

"한 사람이 누군가를 좋아한다는 것은 그 사람의 우주를 좋아한다는 뜻이오. 생각, 습관, 목소리, 눈빛, 말투, 인품, 가치관……. 한데 이런 것들은 용모라는 말 속에 들어 있지 않소. 그리고 이런 것들은 지극히 주관적이게 마련이지."

"……?"

"조영영이 매우 아름다운 용모를 지닌 것은 맞소. 하지만 그녀를 여자로 좋아하느냐고 묻는다면 내 대답은 '아니오'요."

"단호하시네요."

"그래야 같은 질문을 또 안 할 테니까."

"알았어요. 다신 묻지 않겠습니다."

"고맙소."

"그리고 우리의 계약 건 말입니다. 표행을 가는 동안 귀하가 향시에서 쓴 답문이라도 먼저 볼 수는 없을까요?"

"그건 곧 시중에 나돌 텐데."

"항주에서 제일 큰 서점에 갔더니 보름은 지나야 뒤로 빼 올 수 있다고 하더라고요. 전 당사자를 잘 아는데 구태여 기다릴 필요도 없잖아요. 안 그래요?"

"그게 다 기억날지 모르겠네."

"설마 이제 와서 발뺌하는 건 아니겠죠?"

"혈도를 좀 가르쳐 주면 기억이 날 것도 같고."

"혈도요?"

"그때 고사장에서 귀하가 갖고 있는 판관필을 봤소. 그거 무림인들이 적의 혈도를 찍어 거꾸러뜨릴 때 쓰는 물건이잖소."

"저도 무관을 들락거리며 호신으로 약간 익힌 정도에 불과해요. 누굴 가르치고 말고 할 수준이 아닙니다. 설사 그렇다고 해도 남의 무공은 함부로 가르쳐 달라는 게 아닙니다. 그 정도는 아실 것 같은데."

"점혈법(點穴法)을 가르쳐 달라는 게 아니라 혈도의 위치와 보는 법을 가르쳐 달라는 거요. 찌르면 목숨까지 앗을 수 있는 사혈(死穴), 말을 못 하게 하는 아혈(啞穴), 사지를 마비시키는 마혈(麻穴). 뭐 그런 거 말이오. 그것까지 사문의 비밀인 건 아니잖소."

"정말 그 정도도 모르고 있었다고요? 명색이 천룡표국의 사공자인데."

"없던 일로 합시다. 나도 통 생각이 안 나오."

"알았습니다. 가르쳐 드리겠습니다."

"고맙소."

"그런데 왜 자꾸 귀하는 전부 말로 때우고 저만 뭔가를 주거나 빼앗기는 것 같은 기분이 들까요?"

"기분 탓이오."

이레째 되는 날, 갑자기 표행이 멈추었다. 선두에서 천룡표국의 표기를 들고 가던 쟁자수가 무언가를 발견했기 때문이다.

표행을 책임진 장량기를 비롯해 표사들이 자연스럽게 앞쪽으로 모였다. 나와 남궁소소도 표사였으므로 앞으로 달려 나갔다.

발걸음을 멈추게 한 건 길 한복판에 놓여 있는 가시나무 가지였다. 발로 툭 차버리고 가도 아무런 문제가 없을 것 같은 작은 가지 뭉치.

"사공자님은 왜 나오셨습니까?"

장량기가 뒤늦게 나를 발견한 것 같은 표정으로 물었다.

"표사들은 전부 모이는 것 아니었습니까?"

별말도 아닌 것 같은데 표사들이 피식피식 웃었다. 웃지 않는 표사는 남궁소소와 강시 호송을 위해 특별히 투입된 가불염밖에 없었다. 그는 전생에서 나와 함께 죽은 바로 그 표두였다. 물론 지금은 천룡표국의 일개 표사 신분이다. 서른 살의 젊은 가불염을 이렇게 다시 만나니 반갑기 그지없었다.

한데, 지금의 이 상황 왠지 어디서 본 것 같다.

"왜 다들 웃는 것입니까?"

"아, 오해하지 마십시오. 사공자님께서 표사들 세계를 너무 모르시는 것 같아 그랬을 겁니다."

"모르면 가르쳐 주십시오."

"좀 불손한 말일 수도 있는데 괜찮겠습니까?"

"물론입니다."

"정 그러시면 솔직히 말씀드리겠습니다. 본래 표사들은 거인표사를 진짜 표사라고 생각하지 않습니다. 표국 내에 머물 때도 그러할진대 표행 중에는 더 말할 것도 없지요."

"이유가 뭐죠?"

남궁소소가 뾰족한 목소리로 물었다. 그녀 자신도 거인표사로 고용된 처지이다 보니 살짝 약이 오르는 모양이었다.

"그야 당연히 표행에 전혀 도움이 되지 않기 때문이지요. 하다못해 쟁자수들은 궤짝도 지고, 마차도 밀며, 쉴 때는 밥도 짓고, 빨래도 하는 등, 표사들의 수발까지 전부 들지만 거인표사들은 말만 표사지 하는 일이 없으니까요."

나는 전생의 버릇대로 욕이 목구멍까지 나오려는 걸 꿀꺽 삼켰다. 표행이 시작되는 순간부터 표두의 말은 곧 법이다. 심지어 출발할 때 내려졌던 국주의 명령보다도 앞선다. 온갖 돌발 상황이 발생하는 표행길을 수백 리 밖에 떨어져 있는 국주가 모두 알 리 없기 때문이다.

표두의 위엄을 훼손하는 건 어떤 경우에도 옳지 않다. 그렇다고 당하고만 있고 싶지도 않았다.

"아직까지 놀고먹은 건 우리 두 사람이나 다른 표사들이나 매한가지인 것 같습니다만. 그리고 제가 표행에 대해 잘 아는지 모르는지 다들 어떻게 아시고 미리 결론부터 내려 버리시는지?"

"그럼 장난삼아 저와 내기나 하나 할까요?"

"내기라고요?"

"사공자님께서 좋아하시는 거잖습니까?"

이정룡이 한때 도박에 미쳤던 것을 꼬집는 말이다. 이 인간 말하는 본새 봐라. 말투만 깍듯이 하면서 슬금슬금 선을 넘어오네.

"장 표두님."

"예, 사공자님."

"혹시, 지난번 호백구 건으로 제게 좋지 않은 감정이 있으십니까? 듣자 하니 그 표행에서도 배제되었고, 둘째 형님께 불려가 고초도 겪으셨다고 하던데. 만약 그렇다면 죄송하게 됐⋯⋯."

"천만의 말씀을요. 그때 일은 전적으로 수하들 관리를 소홀히 한 제 책임입니다. 사공자님께서는 전혀 미안해하실 필요 없습니다. 그럴 일도 아니고요."

악감정이 남아 있는 게 맞다. 표사된 도리로 좋게 좋게 넘어가려고 했더니 안 되겠다. 싹퉁머리를 고쳐놔야지.

"그래서 무슨 내기를 하자는 겁니까?"

"지금부터 제가 하는 두 가지 질문에 정확하게 답을 하시면, 무엇이든 사공자님께서 원하는 것 한 가지를 들어드리겠습니다. 대답은 사공자님과 친우분 중 누가 하셔도 상관없습니다."

"대답을 못 하면요?"

"오늘 저녁은 두 분이서 하십시오. 표사와 쟁자수들 몫까지 전부. 아, 콩을 삶아 말들에게 먹이는 것까지도요. 어떻습니까?"

표행은 총 여섯 대의 마차에 여섯 명의 일반표사와 두 명의 거인표사 그리고 열두 명의 쟁자수로 구성되어 있었다. 말은 모두 열네 필. 이것들 모두가 먹을 밥과 콩을 단둘이서 삶으려면 아마 땀 좀 뺄 거다.

게다가 저녁밥을 짓는 것도 그렇지만, 콩을 삶아 말에게 먹이는 것은 표사가 아니라 쟁자수들의 일이었다. 장량기는 거인표사인 내게 쟁자수들이 하는 일을 시킴으로써 모욕을 줄 속셈이었다. 봐라. 너의 위치는 고작 이 정도다…… 라는 가르침과 함께.

괜찮다. 하면 된다. 까짓것 30년을 했는데 오늘 하루 더 못 할까. 그러나 질문부터 들어보고.

"질문이 무엇입니까?"

"여기 길 한복판에 놓여 있는 가시나무는 강호인들이 뒤따라오거나 마주 오는 사람들을 위해 남기는 표식으로 통칭 흑화(黑話)라고 합니다. 흑화는 업계에 따라, 방회에 따라 수많은 종류가 있습니다. 이건 표국업에 종사하는 사람들끼리 나누는 흑화로 표사라면 당연히 알아야 하는 것이지요. 이 흑화의 이름을 뭐라고 부르는지 아시겠습니까?"

'표사라면 당연히 알아야 하는'이라는 말에 유난히 힘을 준다.

듣고 있던 남궁소소가 발끈하며 끼어들었다.

"표두님, 이건 너무 심한 것 아닌가요? 정룡 공자와 저는 이번이 첫 표행입니다. 한데 표사들끼리만 아는 흑화를 어떻게 알……."

"악호난로(惡虎攔路)."

장량기를 비롯해 표사들의 눈이 휘둥그레졌다. 조금 뒤쪽에서 흥미롭게 내기를 지켜보고 있던 쟁자수들도 뜨악했다.

"……고 있었네요."

남궁소소가 뒤늦게 자신이 하던 말을 마저 이었다.

장량기가 다시 물었다.

"무슨 뜻인지도 아십니까?"

또 남궁소소가 끼어들었다.

"표두님, 그것까진 솔직히 무리……."

"앞에 녹림들이 매복해 있다는 신호입니다."

"……가 아니었네요. 푸하하."

남궁소소가 참지 못하고 웃음을 터뜨렸다. 녹림이 있다는데도 놀라는 기색은 없고, 그저 내기에 이겼다는 생각에 날아갈 것 같은 얼굴이었다.

장량기는 흙빛이 되었다. 표사들은 입이 쩍 벌어져 아무 말도 못 했다. 이번엔 쟁자수들이 뒤돌아 낄낄거리고 난리도 아니었다.

나는 궁뎅이를 툭툭 털고 일어나며 말했다.

"저녁은 표두께서 지으십시오. 표사와 쟁자수들 것까지 전부. 아, 콩을 삶아 말들을 먹이는 것도 잊지 마시고요."

새끼들이 까불고 있어. 지들이 표사질을 했다면 얼마나 했다고.

장사곡(長蛇谷)은 깎아지른 산비탈 사이로 흐르는 강이 꼭 거대한 협곡 같아서 '곡(谷)' 자를 붙이지만 실제로는 강이다.

산비탈과 강이 만나는 길 입구에 떡하니 버티고 있는 자들의 숫자는 삼십여 명. 하나같이 험상궂은 얼굴에 칼이며 도끼며 창 같은 날붙이로 무장한 상태였다.

여기서 이렇게 진을 치고 기다린 지가 제법 오래되었는지, 몇몇은 길가에 아예 커다란 솥까지 걸어놓고 무언가를 열심히 끓여대는 중이었다. 처음엔 어땠는지 모르나 지금은 매복과는 거리가 멀어 보였다.

"노, 녹림이다!"

선두에서 표기를 들고 가던 신입 쟁자수가 뒤늦게 녹림을 발견하고는 소리쳤다.

이번 표행에는 신입 쟁자수가 세 명이나 더 있었다. 그들은 말로만 듣던 녹림이 눈앞에 떡하니 나타나자 어쩔 줄을 몰라 했다.

남궁소소도 표국에서 지급 받은 장검을 뽑기 좋도록 앞으로 돌려놓았다.

"칼싸움도 좀 하시오?"

"이것저것 맛은 좀 봤습니다."

"도대체 유생이오? 무림인이오?"

"일초반식만 익혀도 무림인이라고, 아무것도 아닐 때는 무림인에 더 가까웠는데 향시에 급제하는 바람에 이제는 유생에 더 가까워졌다고 할 수 있죠."

"둘 중 한 가지만 해도 충분히 잘할 것 같은데, 왜 힘들게 이쪽저쪽을 다 섭렵하려고 하는 거요?"

"불가(佛家)의 소림사나 도가(道家)의 무당파처럼 언젠가 유가(儒家)의 무림문파를 만드는 게 저의 꿈입니다. 그러려면 회시에 꼭 급제해야 하죠. 명색이 유가문파의 개파조사인데 그 정도 경력은 있어야 하지 않겠어요?"

"……?"

"너무 허무맹랑한가요?"

"아니오. 그렇게 진지한 이유가 있는 줄은 몰랐소. 그런 얘기를 이렇게 갑자기 들을 줄도 몰랐고."

"수십 년 후의 미래를 위해 하나씩 준비하는 겁니다. 먼 훗날 고수가 되면 나만의 무공도 창안해야 하고요. 지금은 한 살이라도 어려 머리가 잘 돌아갈 때 과거시험을 봐두려는 것입니다."

"대충 둘러댈 수도 있을 텐데. 이런 중요한 얘기를 나한테 털어놓는 이유가 무엇이오?"

"첫 번째는 저도 귀하의 꿈 얘기를 들었기 때문이고, 두 번째는 그래야 앞으로 제가 무공을 펼쳐도 자꾸 캐묻지 않을 것 같아서요. 이제서야 고백하지만 제가 보기보다 싸움을 좀 하거든요."

실력을 드러내야 할 수도 있을 것 같으니까 슬슬 밑밥을 뿌려놓는 것 좀 보소. 잔머리는 얄밉지만 그녀의 꿈은 멋졌다. 진심으로 응원해 주고 싶었다.

"안타깝게도 칼 뽑을 일은 없을 테니 걱정 마시오."

"왜요?"

"돈을 뽑는 게 더 빠르고 효과적이니까."

"……!"

녹림의 진영에서 쉰 살가량의 장년인이 앞으로 걸어 나왔다. 날카롭게 찢어진 눈에 한 자루 대도(大刀)를 허리에 비껴찬 그는 곤산(崑山) 대별채(大鼈砦)의 채주 염왕도(閻王刀)였다. 떠도는 소문엔 지금까지 목을 벤 무림인들의 수가 일백이 넘는다는데, 과장된 별호처럼 소문 역시 터무니없이 과장된 것이다.

그러나 상당한 수준의 고수인 것만큼은 틀림없었다. 하나의 산채, 그것도 녹림맹에 속한 산채의 채주가 되어 십 년 넘게 한 길목을 지키는 것은 아무나 할 수 있는 일이 아니었다.

"여어, 장 표두, 오랜만이오."

"채주께서도 그간 별고 없으셨습니까?"

"우리한테 별고가 있으면 죽은 거요. 껄껄."

"이야기가 그렇게 되나요? 하하."

별 시답지 않은 말을 주고받으며 웃는데 그 모습이 꼭 오랜만에 만난 고향 사람들 같다.

"오늘은 어디까지 가는 표행이오?"

"양주에 들렀다가 감악산까지 갑니다."

"갈 길이 멀구만."

"부지런히 가야지요."

"그런데 이를 어쩌나. 간밤의 폭우로 강물이 불어 지금 당장은 길을 갈 수 없소이다. 빨라도 내일은 되어야 물이 빠질 것 같소만."

협박하는 게 아니다. 녹림들이 진을 치고 있는 뒤쪽 산비탈을 따라 난 길이 정말 범람한 강물 때문에 사라지고 없었다.

"다른 방법은 없겠습니까?"

"비만 오면 장사곡 협도가 물에 잠기는 건 어제오늘 일이 아닌데 갑자기 무슨 뾰족한 수가 생기겠소. 잘 아시면서."

"이를 어쩐다. 해 지기 전까지 무슨 일이 있어도 장사곡의 출구에는 도착을 해야 하는데……."

"기왕 이렇게 된 거 오랜만에 같이 식사나 합시다. 마침 아까도 왔다가 길이 막혀 돌아간 대흥표국(大興鏢局)의 표행단이 죽은 번견(番犬)을 두 마리나 주고 가서 삶는 중이오. 자자. 이리 오시오."

번견은 표행단이 보다 효율적인 정찰과 경계를 위해 한두 마리씩 데리고 다니는 개를 말한다. 번견이 두 마리나 죽었다는 것은 어디선가 제법 큰 싸움이 있었다는 뜻이다. 그 싸움이 다른 곳에서 있었는지, 이곳에서 있었는지는 알 수 없다.

녹림은 강물로 불어난 길의 입구를 막고 앉았고, 표행단은 그들로부터 십여 장쯤 떨어진 곳에서 마차를 등지고 앉았다. 그 중간쯤에서 표두 장량기는 채주 염왕도와 함께 개 대가리가 반쯤 튀어나온 가마솥을 가운데 놓고 술과 고기를 먹었다.

나는 남궁소소와 함께 쟁자수들 틈에 섞여 나무뿌리 같은 건육포를 씹었다.

"항상 이런 식인가요?"

"표두는 원래 어딜 가나 잘 얻어먹는 편이오."

"아니, 지금 이 상황 말입니다."

"주로 그렇소."

"제가 표국과 표행에 대해 그동안 너무 모르고 있었던 것 같군요. 녹림을 만나면 당연히 팽팽한 긴장감부터 흐를 줄 알았는데. 그러다 삐끗하면 칼부림도 나고요."

"높은 고개마다 산채가 있고, 넓은 강마다 수채가 있소. 그들을 만날 때마다 칼부림이 일어나면 남아나는 표사와 쟁자수가 없을 것이오. 그건 산채와 수채도 마찬가지고."

"아무리 그래도 한집안 식구를 길에서 만난 것 같은 이런 분위기는 좀 아니지 않나요? 표물을 의뢰한 사람들이 보면 배신감 들 것 같군요."

"길에 의지해 함께 먹고 사니 한집안 식구라는 말도 아주 틀린 건 아니오. 하지만 이렇게 사이가 좋다가 갑자기 칼부림이 일어나는 일도 왕왕 있소."

"언제 그렇죠?"

"산채의 주인이 바뀌었을 때, 표행단이 전부 처음 보는 사람들일 때, 갑자기 통행세를 터무니없이 올릴 때 등등. 평소와 달리 중요한 무언가가 바뀌면 균형을 맞추기 위해 칼부림이 오고 가고 하오. 오늘 한 걸음 밀리면 내일은 두 걸음을 밀려야 하니까."

"표행에 대해 많이 아시네요."

"서당 개 3년이면 풍월을 읊는다고 했소. 내가 놀고먹었어도 표국 밥을 스무 해 넘게 먹었소. 이 정도도 모르면 정말 반푼이지."

"확실히 소문은 믿을 게 못 되는군요."

"내가 말했잖소."

"그나저나 별일 없이 넘어가서 다행입니다."

"원래는 그랬는데 오늘은 아닌 것 같소."

"네?"

"조금 전부터 채주가 자꾸 우릴 힐끔거리오."

"우리를요? 왜요?"

"두고 보면 알겠지."

잠시 후, 장량기가 일어나더니 자신의 수하들이 아닌 나와 남궁소소의 곁으로 왔다.

"문제가 좀 생겼습니다."

"······?"

"산채에 신참이 하나 들어온 모양입니다."

"······?"

"칼 쓰는 놈인데, 진양에서 관원과 그 일가족 일곱을 죽이고 도망치다 대별채에 투신했나 봅니다. 원래는 홍등가에서 창기들 뒤봐주는 일을 했었고요."

"그래서요?"

"입산식이라고 들어보셨습니까?"

나는 대답을 않고 눈매를 좁혔다.

옆에서 남궁소소가 물었다.

"그게 뭔가요?"

"녹림도 그렇고 표국도 그렇고, 각자가 신참이 들어오면 기 싸움을 하느라 상대편 중 하나를 지명해 어깨를 견주어보는 전통이 있습니다. 이를 녹림들은 입산식(入山式)이라 하고, 우리 같은 표국 사람들은 입표식(入鏢式)이라고 하지요. 때마침 저쪽에 신참이 한 명 들어온 모양입니다. 그가 사공자님의 친우분을 지목했고요."

"저들이 저를 지목했다고요."

"그렇습니다."

"왜요?"

"그건 저들의 마음입니다."

"그러니까 지금 제가 만만해 보인 거군요."

"뭐, 그런 셈이죠."

"규칙이 뭐죠?"

"무슨 규칙을 말씀하시는지?"

"입산식인지 입표식인지 하는 그거요."

"없습니다."

"그럼 죽여도 되나요?"

나는 이 말을 '산적을 죽여 버려도 뒤탈이 없나요?'라고 들었다. 한데 장량기와 다른 사람들은 '산적이 저를 죽일 수도 있나요?'로 들은 것 같았다.

"그럼 양쪽 다 문제가 커지니 보통은 적당한 선에서 마무리가 되지요. 한쪽이 패배를 시인한다거나, 쓰러져 기절한다거나. 손이나 발 정도를 부러뜨린다거나."

장량기가 남궁소소를 살살 달랬다.

그리고 다시 내게 말했다.

"아무래도 예전에 당한 일을 복수하려는 것 같습니다. 석 달쯤 전, 이곳을 지나던 저희 표국의 신입표사가 대별채의 녹림 하나를 지목해 입표식을 치른 적이 있습니다. 그때 녹림이 발목을 크게 다쳤는데 불구가 되어 산을 내려갔다고 합니다."

"거절하면 어떻게 됩니까?"

"내일 물이 빠져도 비켜주지 않을 겁니다."

"뚫고 나가겠다면요?"

"채주는 수하들이 지켜보는 앞에서 모욕을 당했다고 여길 것입니다. 아무래도 피를 보지 않고 여길 통과하기가 어렵겠지요."

전생에서 나는 이 표행에 참여하지 않았다. 해서 여정 중에 구체적으로 어떤 일들이 일어났는지는 모른다.

그러나 큰 틀에서의 일들은 훗날 녹림들에게 들어서 알고 있었다. 석달 전에도, 오늘도 입표식이나 입산식 따윈 없었다. 장량기는 지금 대별채의 채주를 사주해 있지도 않은 신참 산적을 만들어 내게 싸움을 걸어오고 있었다.

애꿎은 남궁소소를 끌어들였지만, 그의 진짜 목표는 나였다. 처음부터 나를 지목했다가 다치기라도 하면 골치 아프니까, 내가 스스로 나서도록 해서 책임을 면하려는 것이다.

이건 장량기 혼자서 꾸밀 수 있는 일이 아니다. 놈의 뒤에 이을룡의 그림자가 어른거린다.

어느 선까지 지시를 받은 것일까? 설마 나를 죽이라고 했을까? 그 정도는 아닐 것이다. 호되게 데어서 다시는 표행을 나가겠다는 소리가 나오지 않도록 하라고 했을까? 그것도 아니면 회시를 보러 갈 수 없도록 다리를 분질러 놓으라고 했을까?

어느 쪽이든 나는 순순히 당해줄 생각이 없었다. 오히려 잘됐다. 마침 이능력을 연습할 상대가 없어 곤란했는데, 이참에 내가 어느 정도인지 시험이나 해봐야겠다.

"제가 나가겠습니다."

"사공자님."

가불염이 조용히 나를 불렀다.

"아시다시피 이 친구는 어쩌다 동행하게 된 것일 뿐, 우리 표국과는 아무런 상관이 없습니다. 제가 나가는 게 맞습니다."

"제가 채주와 매듭짓는 방법도 있습니다."

채주와 한판 붙겠다는 소리다.

모든 협상이 잘 안 풀릴 때 결국 양측은 전면전을 벌이거나 우두머리끼리 승부를 본다. 그런데 그걸 자기가 하겠다고 말한 것이다.

가불염의 돌출 발언에 표행을 책임진 장량기가 눈을 치떴다. 만약 그의 말대로 한다면 표행에도 큰 차질을 빚는다. 그러나 가불염은 전혀 신경 쓰지 않았다. 마치 표행 따위는 관심 밖이라는 듯.

"그렇게 해드릴까요?"

"짐이 되고 싶지 않습니다."

"재고해 주십시오."

"이미 결심했습니다."

"두 사람 다 그만 하세요. 저를 지목했다는 말 못 들었습니까? 당연히 제가 나가야죠."

"귀하는 나서지 마시오."

"정룡 공자. 너무 걱정 마세요. 아까 말했잖아요. 제가 보기보다 싸움을 좀 한다고요. 저도 다 생각이 있어요."

"글쎄. 나서지 마라니까!"

나는 정색을 하고 말했다. 목소리가 다소 컸던지 표사와 쟁자수들은 물론이고, 저만치 있는 산적들까지 전부 하던 일을 멈추고 나를 보았다. 남궁소소도 큰 눈이 더욱 동그래졌다.

"풍진양. 이건 우리 표국의 일이고, 귀하는 내 손님이오. 그러니 나서지 말고 가만히 있으시오."

"……?"

"알아들었으면 대답을 하시오."

"알았어요."

전에 없이 착 가라앉은 내 목소리에 심각한 분위기를 읽은 남궁소소가 조용히 물러났다.

만약 그녀가 나선다면 대별채 쪽에서 누가 나오든 채주만 아니라면 몇십 초식 안에 패대기쳐질 것이다. 그러나 그렇게 하고 싶지 않았다. 이건 어디까지나 내 싸움이었다.

나는 젊고 풋풋한 신입 쟁자수에게 다가갔다.

"이름이 무엇이냐?"

"방자광입니다."

이 녀석은 전생에서 나와 비슷한 시기에 들어왔었다. 나이가 비슷해 서로 정을 주며 한동안 동기간처럼 지냈었다. 방자광뿐만이 아니었다. 주변엔 비록 짧은 시간이었을망정 한솥밥을 먹으며 정을 쌓았던 쟁자수들이 수두룩했다.

"쟁자수 노릇은 할 만하고?"

"열심히 배우고 있습니다."

"가족은?"

"노모와 어린 여동생이 하나 있습니다."

"네가 먹여 살려야 하겠구나."

"당연히 그래야지요."

"열심히 해라."

"감사합니다."

"나랑 칼 좀 바꾸자."

"예?"

나는 들고 있던 장검을 쓱 내밀었다. 천룡표국에서 표사들에게 지급하는 질 좋은 장검이었다. 반면 신입 쟁자수가 허리춤에 차고 있는 박도는 무겁고, 거칠고, 투박한 도구였다. 전생에서 내가 30년 동안 손에 들고 휘두른 물건.

주워들은 얘기지만, 강호의 격언 중에 손에 익은 하초가 낯선 절초를 이긴다는 말이 있다. 장검이 아무리 날카롭고 좋아도 지금 내게는 손에 익은 박도만 못했다.

어리둥절해하는 방자광에게서 박도를 빼앗듯이 바꿔치기한 후 나는 장량기에게로 갔다. 그리고 뽑힌 박도를 한 손에 늘어뜨려 들고는 살짝 위협적인 자세로 물었다.

"제가 가도 되겠지요?"

"그건 물어봐야 합니다. 저쪽에서 지목한 사람은 사공자님이 아니라……."

"천룡표국의 표두가 언제부터 산적 놈들에게 허락을 구하고 입표식을 진행했습니까? 우리가 한다면 하는 거지. 아닙니까?"

"예?"

"뭔가 착각하시는 것 같은데, 이건 녹림의 입산식이 아니라 저의 입표식입니다. 동료들에게 진짜 표사로 인정받으려면 저도 입표식을 치러야지요. 마침 잘되었습니다. 가서 산적 두령에게 전하십시오. 제가 나가서 한 놈 찍을 테니 앞으로 나오라고요."

"사공자님, 이건 아이들 장난이 아닙니다."

"장 표두님."

"말씀하십시오."

"표두님은 이 표행단을 이끄는 주장입니다. 한데 다른 사람들은 모두 표사라는 말 앞에 성을 붙여 부르시면서 왜 저는 꼭 사공자라 부르는 것입니까?"

"그야 사공자님이시니까요."

"제가 이 표사라 부르시라고 해도요?"

"저는 '사공자'가 편합니다."

끝까지 표사로 인정하지 않겠다는 뜻이다. 그런데 그게 제 발목 잡는 말인 줄은 모른다.

"그러면 내가 말을 편하게 해도 되겠소?"

"예?"

"안 되오?"

"아, 아닙니다."

"승낙하실 줄 알았소. 기왕이면 나랑 내기도 하나 합시다. 낮에 보니 나 못지않게 내기를 좋아하는 것 같던데."

"무슨 내기를 말씀입니까?"

"만약 이 싸움에서 내가 지면 무엇이든 장 표두가 원하는 것 한 가지를 들어주겠소. 표행에서 빠지라면 빠지고, 쟁자수 일을 하라면 하겠소. 대신 내가 이기면 이제부터는 내가 표두요. 어떻소?"

"……!"

내가 이기면 표두를 하겠다는 말에 지켜보고 있던 표사와 쟁자수들은 눈이 가자미처럼 툭 튀어나왔다. 장량기도 말문이 막히는지 한동안 멍한 표정을 지었다.

"싫소?"

"전쟁 중에는 장수를 바꾸지 않듯, 표행 중에도 표두를 함부로 바꾸지 못하도록 표규(鏢規)에 정해져 있습니다."

"표두가 제 역할을 못 하고 표사나 쟁자수들을 위험에 빠뜨릴 때는 바꿀 수도 있다고 들었소만."

"표사의 절반 이상이 동의하고, 그중 한 명이 표두에게 비무를 요청해 꺾으면 가능하긴 하지요."

"아깝네. 머릿수가 모자라네."

머릿수만 맞으면 비무로는 얼마든지 꺾을 수 있다는 듯한 내 태도에 장량기가 입술을 바르르 떨었다.

"하면 사흘만 내게 표두의 권한을 위임하는 것은 어떻소? 그 정도는 몸이 아프거나 할 때 표두의 직권으로 가능한 걸로 아오만."

처음부터 내가 원한 게 이거였다. 더도 덜도 말고 딱 사흘만 전권을 휘두를 수 있으면 된다.

장량기는 내 의중을 파악하느라 한참이나 눈알을 굴렸다. 그러나 결국 받아들일 것이다. 약을 바짝 올려놓는 바람에 어떻게든 내가 산적에게 맞아 쓰러지는 걸 보고 싶을 테니까.

"입표식을 치르다 행여 다치시기라도 한다면 이 몸은 당주님과 국주님으로부터 살아남지 못할 것입니다."

"분명히 말하건대, 이 싸움은 내가 고집을 피워 나선 것이며, 그로 말미암아 벌어지는 모든 책임 또한 나에게 있소. 이 정도면 됐소?"

"사공자님의 뜻이 정 그러시다면 어쩔 수 없군요."

"고맙소."

돌아서자 남궁소소와 가불염의 얼어붙은 표정이 보였다. 순간, 머릿속에서 가불염의 목소리가 불쑥 울렸다.

[꼭 하셔야겠습니까?]

전음(傳音)이었다. 최소 30년 이상의 공력이 있어야만 펼칠 수 있는 기예. 나는 시전할 수 없었으므로 고개를 끄덕여 보였다.

[어쩔 수 없군요. 만약 힘에 부친다고 판단되면 '갈!'을 외치십시오.]

유사시 자신이 뛰어들겠다는 소리다.

나는 바보가 아니다. 이갑룡의 사람도 아니고, 이을룡의 사람도 아닌 가불염이 갑자기 지원조에 투입된 걸 보고 총표두의 배려라는 걸 알아차렸다. 그는 십중팔구 나를 보호하라는 임무를 맡았을 것이다. 그러나 지금은 필요 없었다

나는 사람들의 시선을 한 몸에 받으며 공터로 나아갔다. 장량기에게 신호를 받았는지 입산식을 하니 마니 하던 신참 산적 놈은 아예 코빼기도 보이지 않았다. 당연하다. 처음부터 그런 놈은 없었으니까.

각양각색의 산적들이 눈에 들어왔다. 대도를 든 놈, 도끼를 든 놈, 얼굴에 칼자국이 가득한 놈, 목덜미에 호랑이 문신을 새긴 놈 등등. 하나같이 피 냄새가 진동했다. 그 와중에도 약한 놈들은 분명히 존재했다. 누가 보아도 나약해 보이는 체구에 서열도 낮을 것 같은 자들.

나는 그런 자들을 모두 지나쳐 커다란 바위에 나른한 모습으로 기대 앉아 있는 놈을 박도로 찌르듯이 가리켰다.

"거기, 대가리 큰 놈!"

좌중이 순식간에 찬물을 끼얹은 것처럼 고요해졌다. 지목을 받은 사내는 주변을 두어 번 둘러보다 손가락으로 자신을 가리키며 되물었다.

"나?"

"그래 너. 나와!"

놈이 고개를 한차례 갸웃하더니 쓰윽 일어났다. 저게 인간이야 고목이야 싶을 만큼 거대한 놈이었다.

한 손엔 5척에 달하는 철퇴를 들었는데, 끄트머리에는 어린아이 머리통만 한 쇠뭉치까지 달려 있었다. 장대한 기골과 칼자국 가득한 얼굴, 그리고 큼지막한 철퇴에서 느껴지는 흉성은 오히려 채주인 염왕도를 능가했다.

녹림도 삼십여 명은 어처구니없음에 배를 잡고 낄낄댔다. 반대로 표사와 쟁자수들이 있는 우리 쪽 진영에서는 나직한 신음이 흘러나왔다. 내가 하필 골라도 가장 강한 놈을 골랐기 때문이다.

그르륵 그르륵.

놈이 철퇴를 바닥에 끌며 다가왔다.

"내가 누군지 알고 있나?"

"바보 아냐? 소개를 해야 알지."

"난 우마왕(牛魔王)이라고 한다. 대별채에서 부채주직을 맡고 있지."

"채주는 염왕도고 부채주는 우마왕이라. 누가 보면 천하십대마인들이라도 모여 사는 줄 알겠군. 산채는 코딱지만 하면서. 난 이정룡이다. 대천룡표국의 신입표사고."

나는 초장부터 반말까지 해가며 거칠게 몰아붙였다. 입산식도 그렇고 입표식도 그렇고, 원래 이렇게 평소에는 할 수 없는 조롱에 욕까지 해가며 기 싸움을 한다. 구경하는 사람들은 또 그런 재미로 보고.

"제법 큰소리를 치는군."

"벼락이 떨어지기 전에 천둥부터 울어대는 법이지."

"왜 날 지목했는지 물어도 되겠나?"

"원래 제물엔 소 대가리를 최고로 치니까."

"버르장머리 없는 놈!"

우마왕이 철퇴를 끌어 올리며 날아들었다. 장대한 기골만큼이나 엄청난 힘이 느껴졌다. 살짝 스치기만 해도 머리가 박살 나버릴 것 같다.

하지만 그건 보통의 무인들에게나 해당하는 말이었다. 힘이 엄청나지만 대신 팔다리가 워낙 커서 궤적도 컸고, 궤적이 큰 만큼 빈틈 또한 컸다. 시간을 느리게 보는 나에게는 그야말로 최적의 상대였다.

반면에 우마왕에게 나는 상극이었다. 호랑이가 멧돼지를 잡아먹지만, 바로 그 멧돼지의 먹이에 불과한 독사에게 물려 죽는 것과 같은 이치다.

예상이 맞았다. 일단 이능력이 발동되자 우마왕의 빈틈은 더욱 커졌다. 나는 솟구쳐 올라오는 철퇴를 향해 박도를 힘차게 내려쳤다.

쨍!

둔중한 금속성과 함께 손목이 시큰했다. 언제 떠났는지 모르게 내 손을 떠난 박도는 팽글팽글 돌며 허공을 날았다. 동시에 훅 덮쳐오는 놈의 쇳덩이 같은 주먹!

경황 중에도 나는 허리를 살짝 비틀어 놈의 주먹을 코앞에서 아슬아슬하게 흘려보냈다. 이어 재빨리 두 걸음을 크게 물러났다.

그 순간 허공으로 솟구쳤던 철퇴가 이번엔 왼쪽 어깨를 향해 뚝 떨어져 내렸다. 실로 무시무시한 기세였다. 이능력이 없었다면 내 어깨는 박살이 나고 말았을 것이다.

하지만 내겐 이능력이 있고, 우마왕의 철퇴 정도는 충분히 피할 수 있었다.

쾅!

공연히 내 뒤에 있었다가 철퇴를 맞은 바위가 날카로운 파편들을 튀기며 부서졌다. 어처구니없게도 첫 합에 박도를 떨쳐 버려 한 번의 공방조차 벌이지 못한 나는 피하고 도망치기에만 급급했다.

최소한 우마왕에게는 그렇게 보였을 것이다.

승기는 방심을 부르고, 방심은 약이 바짝 오른 사람으로 하여금 무리한 공격을 하게 만든다.

"요 쥐새끼!"

우마왕이 크게 한 걸음 다가오며 철퇴를 위에서 아래로 떨어뜨려 왔다. 속도를 끌어 올리기 위해 온 힘을 다해 내려친 일격이었다.

철퍽!

철퇴는 좀 전까지 내가 딛고 있던 곳의 진흙탕 속으로 깊이 처박혔다. 덕분에 비록 짧은 순간일망정 우마왕의 상체 또한 앞으로 한참 숙여졌다.

지금이다.

"죽엇!"

나는 몸을 던지며 우마왕의 머리끄덩이를 양손으로 덥석 잡아당겼다. 그리고 무르팍으로는 놈의 안면을 힘차게 쳐 올렸다.

쩍!

찰진 소리와 함께 묵직한 타격감이 전해졌다.

성난 우마왕이 상체를 일으키려는 찰나였다. 나는 머리끄덩이를 앞으로 확 잡아당겨 무게 중심을 무너뜨리는 한편 또다시 무르팍으로 안면을 쳐 올렸다.

쩍!

같은 동작으로 한 번 더.

쩍!

또 같은 동작으로 한 번 더.

사량발천근(四兩撥千斤)이라는 말이 있다. 넉 량의 힘으로 천 근을 움직인다는 뜻이다. 의도한 건 아니지만 지금 이 상황이 딱 그랬다.

오늘 낮, 남궁소소는 내게 일차로 열두 개의 중요 혈도들을 가르쳐 준 후 이렇게 말했다.

"잘 모르겠으면 그냥 얼굴을 집중적으로 공격하세요. 얼굴은 눈·코·귀·입이 다 모여 있어 아무 데나 대충 찍고 때려도 전부 치명적이니까요."

이것도 세 번을 하자 더는 통하지 않았다.

"으아아!"

우마왕이 괴성을 지르며 나를 멀리 떨쳐내 버렸다. 씩씩거리며 나를 찾는 우마왕은 눈 주변이 피 칠갑 되어 앞을 보지 못했다. 나는 재빨리 다가가 우마왕의 무릎 옆을 발등으로 힘차게 후려 찼다.

퍽!

둔탁한 소리와 함께 우마왕이 무릎을 털썩 꿇었다.

"다 됐어. 조금만 참아!"

나는 마지막으로 옆에서 쓰러지듯 비스듬히 몸을 던졌다. 그러곤 오른쪽 팔꿈치로 우마왕의 관자놀이에 있는 상관혈(上關穴)을 죽기 살기로 까버렸다.

뻑!

남궁소소에게 배운 요혈 중 하나, 이곳을 때리면 순간적으로 뇌가 진탕 당해 코끼리라도 정신을 잃고 쓰러진다고 했다.

세 번의 안면 강타에 이은 무릎 차기와 상관혈 타격까지. 우마왕은 '꺽!' 소리를 마지막으로 엎어지더니 그대로 감감무소식이었다.

"씨발, 이게 진짜 통하네. 헉헉……."

"분명 무공을 전혀 익히지 않은 몸인데, 어떻게 그처럼 빠른 속도로 피하다가 마지막엔 역전까지 할 수 있는 거죠?"

"무공을 모르는 건 어떻게 아오?"

"손발의 움직임이 딱 그래요. 형(形)도 없고 식(式)도 없고. 뭐랄까, 그냥 본능대로 움직이는 느낌이랄까."

"싸울 줄 모른다는 뜻이군."

"천만에요. 타고난 싸움꾼이라는 뜻이에요."

"……?"

"세상에 이런 무재를 지니고도 무공을 익히지 않았다니. 왜 그렇게 인생을 허비하고 살았는지 도통 알 수가 없군요."

칭찬인지 험담인지 모를 남궁소소의 말에 나는 괜스레 어깨가 으쓱해졌다. 어쨌든 나의 실력에 감탄했다는 소리일 테니까.

한편, 염왕도를 비롯해 녹림 삼십여 명은 그야말로 공황 상태에 빠져 있었다. 명색이 대별채의 부채주가 천룡표국 신입표사의 입표식에 제물로 끌려 나와 무참하게 발렸으니 어디 가서 말도 못 하고 얼마나 속이 끓겠나.

나무 그늘로 옮겨진 우마왕은 가까스로 정신을 차리긴 했다. 하지만 코가 내려앉고 앞니까지 대여섯 개가 쏙 빠져 버려 거의 인사불성이었다.

"덩치를 보아하니 먹성도 보통이 아닐 것 같은데, 이제 고기는 다 먹었군요. 불쌍해라. 하긴 부채주 자리를 내놓아야 할지도 모르는데 지금 고기가 문제겠어요."

"……!"

살짝 미안해지기까지 한다. 싸우기 직전에 소 대가리니 뭐니 하며 약이라도 올리지 말걸 그랬나 싶기도 하고.

표사와 쟁자수들은 산적들만큼이나 당황해하고 있었다. 무공이라곤 일초반식도 모르는, 자신들이 보기에도 개싸움을 하는 사공자가 그 무섭다는 대별채의 부채주를 곤죽이 되도록 팼으니 얼떨떨할밖에.

그때 장량기가 다가왔다.

"무사히 입표식을 치르신 걸 축하드립니다."

"모두 장 표두 덕분이오."

"실력은 충분히 증명하셨으니 지금부터 사흘 동안 표두의 권한을 사공자님께 위임해 드리겠습니다. 제가 몸이 좋지 않아서요."

그러면서 장량기는 허리춤에 매어둔 조롱박 호리병을 풀어 내게 건넸다. 본시 표사건 쟁자수건 표행 중에는 호리병을 몸에 지니고 다닐 수 없다. 호리병에 물 대신 술을 넣어두고 다니다가 몰래 홀짝거리는 걸 막기 위해서다.

그런데 단 한 사람 표두만큼은 예외였다. 표두는 술 호리병을 허리춤에 묶어 다니다가 이런저런 응급상황에서도 쓰고, 지친 표사들을 독려하며 한 모금씩 나눠주기도 한다. 그런 규칙이 오랜 세월 이어지다 보니 평상시에는 아무것도 아닌 조롱박 호리병이 표행 중에는 표두의 권한을 상징하는 물건이 되어버렸다.

나는 호리병을 건네받아 허리에 차면서 말했다.

"그렇지 않아도 골치가 많이 아프신 것처럼 보이오. 표행은 내게 맡기고 며칠 푹 쉬면서 맑은 정신을 되찾길 바라오."

장량기가 어금니를 꽉 깨물었다.

나는 감개무량했다. 표사가 된 지 불과 며칠 만에 비록 잠깐일망정 표두 노릇까지 해보다니. 기왕에 할 거면 제대로 해보자.

"가불염 표사."

"말씀하십시오."

"지금 당장 대별채의 채주에게 가서 입장을 확인하시오. 길을 터줄 것인지, 아니면 계속 시비를 걸 것인지."

"알겠습니다."

나는 이어 자리에서 쓰윽 일어나 표사와 쟁자수 전부를 쓸어 보며 큰 소리로 말했다.

"지금부터 사흘 동안 표사들은 전부 말에서 내려 걸으시오. 대신 쟁자수들이 순번을 정해 한나절씩 표사들의 말을 타시오. 또한 표사들은 사흘 안에 모든 쟁자수들이 말을 능숙하게 탈 수 있도록 가르쳐 주어야 하오. 이는 표두의 명령으로, 만약 거역하거나 게으름을 피우는 자가 있다면 천룡표국의 표규에 따라 엄히 다스릴 것이오. 장량기, 풍진양, 가불염도 예외는 아니오. 이상 끝."

밑도 끝도 없이 내려진 나의 괴상한 명령에 표사들은 모두 넋이 나가 버렸다. 장량기와 남궁소소는 마지막에 자신들의 이름까지 거명되자 눈을 휘둥그레 떴다. 쟁자수들은 무슨 상황인지 몰라 서로의 얼굴을 바라보며 웅성거렸다.

가끔 전생에서의 마지막 순간이 생각나곤 한다. 그때 내가 죽어가면서까지 시간을 벌어준 쟁자수는 모두 아홉이었다. 그중에 몇 명이나 살아서 도망쳤을까?

한두 명이라도 살아서 도망쳤다면 다행이다. 십중팔구 반나절을 도망가지 못하고 모두 죽었을 것이다. 평소에 말타기를 배워두었더라면 절반은 살릴 수 있지 않았을까? 그런데 이런 일은 생각보다 꽤 자주 있다.

그때 염왕도를 만나러 갔던 가불염이 돌아왔다.

"내일 물이 빠지는 즉시 길을 터주기로 했습니다. 통행세도 그때 건네주기로 했고요. 하지만 오늘은 여기서 숙영을 해야 할 것 같습니다."

"그건 아직 모르는 거요."

"예?"

그때였다.

둥…… 둥…… 둥……!

간헐적인 북소리에 사람들은 적아를 구분할 것 없이 소리가 난 강쪽으로 시선을 던졌다. 강과 맞닿은 산모퉁이 아래로부터 등장한 것은 삼십여 척의 비조선이었다. 대나무 이파리처럼 좁고 기다란 비조선은 속도가 말처럼 빨라 수적들이 도망치는 상선을 추적해 에워싸거나 할 때 많이 쓰였다.

비조선엔 팔뚝 굵은 장정들이 서너 명씩 들어앉아 죽으라고 노를 젓고 있었다. 각각의 비조선 끄트머리엔 밧줄이 달려 뒤쪽에 있는 육중한 무언가를 끌어당기는 중이었다.

잠시 후. 또 다른 배 한 척이 모습을 드러냈다. 놀랍게도 그건 세 개의 커다란 황포 돛에 선실까지 갖춘 내하(內河)용 작은 범선이었다.

둥! 둥!

북소리는 바로 그곳에서 울렸다. 범선을 끌고 범람한 강물을 거슬러 오르는 삼십여 척의 비조선을 다그치는 소리인 것 같았다.

"저건 또 뭐야!"

"대체 저게 무슨!"

7장
산적, 수적 그리고 쟁자수

범선이 작다고 해도 범선이다. 돛이 바람을 잔뜩 머금었다고는 하나, 비조선 삼십 척으로 하여금 범선을 끌고 범람한 강물을 오르게 하는 건 쉬운 일이 아니었다.

한데 그 일이 눈앞에서 펼쳐지고 있었다. 더 놀라운 건 돛대의 꼭대기에 달려 펄럭이는 깃발이었다. 삼각형의 깃발 안에는 붉은 이무기 한 마리가 마치 살아 있는 것처럼 요동치고 있었다.

"저건!"

"저것들이 여긴 왜?"

"이리로 오는 것 같은데!"

"산채에 남아 있는 식구들을 전부 불러라. 어서!"

마지막 외침은 염왕도의 입에서 나온 것이었다.

슈슈슉 펑! 펑! 펑!

수십 장 높이로 솟구친 세 발의 폭죽이 꽝음을 내며 터졌다. 그때부터 녹림들은 무장을 점검하고 대열을 정비하느라 분주하게 움직였다.

"대체 뭔데 그러는 거죠?"

남궁소소가 내게 물었다.

"교룡채(蛟龍砦)라고, 장사강을 비롯해 인근 수로를 무대로 활동하고 있는 수적들이오."

"수적들이 여긴 왜?"

"물속에 사는 이무기가 물 밖으로 나올 때는 무언가 물어서 끌고 들어갈 게 있다는 뜻이오. 오늘 아주 재밌는 구경거리가 벌어질 것 같소."

교룡채 배들의 목적지가 너무나 분명한 터라 녹림들은 녹림들대로, 표행단은 표행단대로 잔뜩 긴장한 채 기다렸다.

잠시 후, 비조선들과 범선이 차례로 도착했다. 온갖 괴상한 날붙이로 무장한 수적 이백여 명이 우르르 쏟아져 나오는 모습은 적의가 있고 없고를 떠나 위협적일 수밖에 없었다.

그중 눈에 띄는 자가 있었다. 두꺼운 목에 쩍 벌어진 어깨가 예사롭지 않은 그는 무려 이백 명의 수하를 거느린 교룡채의 채주 독각망(獨角蟒)이었다.

"장 표두, 오랜만이외다!"

독각망이 먼저 장량기를 알아보고 호탕하게 인사를 건네왔다.

"교룡채의 채주께서 여긴 어쩐 일이십니까?"

"천룡표국에서 장사강 물길을 건너지 못해 쩔쩔매고 있다는 소식을 듣고 도우러 왔소이다. 껄껄껄."

"무언가 착오가 있었던 것 같군요. 저희는 장사강을 건널 계획이 없습니다. 다만 강물이 범람하여 물에 잠긴 길을 지나려 했을 뿐이지요.”

“길을 덮고 있는 물은 장사강 강물이 아니랍디까?”

“무슨 말씀이신지?”

“장사곡 협도는 이제부터 우리 교룡채에서 관리할 것이오. 천룡표국
은 어려운 점이 있으면 우리에게 말씀하시면 되오.”

말인즉슨, 이제부터는 자신들이 장사곡 협도의 통행세를 받겠다는
소리다. 그 말에 본래 주인인 대별채 채주 염왕도가 가만있을 리 없다.

“이게 무슨 개 같은 소리야!”

염왕도가 허리춤에 매달은 대도를 덜렁거리며 걸어 나왔다. 이백여
명의 수적들이 갑자기 이유도 없이 도검을 뽑아 들었다.

채채채채채채챙!

대별채의 산적 삼십 명도 도검을 뽑아 들었다.

채채챙!

눈 깜짝할 사이에 개 삶는 가마솥을 가운데 두고 대별채의 산적들
과 천룡표국의 표행단과 교룡채의 수적들이 삼각형을 이룬 채 대치
했다.

“귀하가 염왕도구려. 오래전부터 명성은 듣고 있었소이다. 난 교룡채
의 채주 독각망이라고…….”

“독각망이고 나발이고. 장사곡 협도는 오래전부터 우리 대별채의 영
역이었소. 강물이 불어 길을 덮었다고 갑자기 수채의 영역이라니, 이게
무슨 뱀장어 뭍에 오르는 소리란 말인가!”

“아시다시피 이곳 장사곡 협도는 연중 절반 이상 물에 잠겨 있소. 지
금처럼 갈수기에 고작 하룻밤 폭우가 왔다고 범람한 것만 봐도 알 수

있지. 하면 당연히 장사강의 주인인 우리가 관리하는 게 맞지 않겠소?"

"어디서 통하지도 않을 궤변을! 당장 수하들을 물리고 배를 빼시오. 그렇지 않으면 결코 좋은 꼴을 보지 못할 것이오."

말이 떨어지기 무섭게 위쪽 산비탈에 숨어 있던 산적 삼십여 명이 활을 당기며 일어섰다. 산채에 남아 있던 병력을 싹싹 끌어모아 만든 매복조였다.

"쯧쯧쯧. 곤산에 산짐승이 한 마리 있어 말귀가 통하지 않는다고 하더니 귀하가 바로 그 산짐승인 모양이군. 뭣들 하느냐!"

이번엔 수적들이 각 열 명씩을 짝을 짓더니 돌연 뭍에 반쯤 끌어 올려놓은 비조선을 번쩍 들고 뒤집어 방패처럼 썼다.

"단언컨대 저 산비탈의 매복자들은 많아야 화살을 두세 발밖에 쏠 기회가 없을 것이오. 그사이 우리가 이곳을 쑥대밭으로 만들어 버릴 테니까."

"이 산을 왜 곤산이라 부르는지 아시오? 그건 예로부터 곤(鯤)이라는 독물이 이따금 발견되기 때문이오. 우리는 아예 터를 잡고 살다 보니 보통 사람들보다는 좀 더 자주 보지."

"곤산곤독!"

"곤산곤독이 뭐죠?"

남궁소소가 내게 물었다.

"곤산에서 드물게 사는 독사인데, 물리면 일곱 걸음을 떼기 전에 죽는다고 해서 칠보사(七步蛇)라고도 하오."

"그게 어쨌길래 독각망의 안색이 파래진 거죠?"

"녹림들이 화살촉에 바른 모양이오. 보통은 누르스름해지는데 시뻘건 걸 보면 떡칠을 한 것 같소. 저 정도면 스치기만 해도 즉사할 거요."

"흑도는 흑도들이군요. 말도 안 되는 이유로 땅을 내놓으라는 놈들이나, 상황이 다급해지자 화살에 극독까지 바르고 나서는 놈들이나."

"괜히 도적놈들이라 하겠소."

"그래도 다 나름의 수는 있군요."

"원래 잔꾀는 도둑이 군자보다 나은 법이오."

"그나저나 이러다 정말 전쟁이 벌어지는 건 아니겠죠? 만약 그렇게 되면 이곳은 삽시간에 피바다로 변할 거예요. 화가 우리한테까지 미치지 말란 법도 없고요."

전생에서는 남궁소소가 우려한 일이 실제로 벌어졌다. 그 결과 대별채는 궤멸적 타격을 입었고, 장사곡 협도는 교룡채의 수중으로 떨어졌다.

승리한 교룡채에서는 범선에 표물과 마차를 실어 물에 잠긴 길을 건네주려고 했다. 하지만 범선과 땅을 연결하는 나무다리가 우지끈 터지는 바람에 모든 게 수포로 돌아가 버렸다.

결국 표행단은 다음 날 오후 물이 빠질 때까지 기다려서야 겨우 협도를 통과할 수 있었다. 애초에 전쟁을 할 필요도 없었던 것이다.

하지만 이번에는 다를 것이다. 죽는 사람도 다치는 사람도 없을 것이다. 표행단은 반드시 오늘 이 길을 갈 것이고, 도적들은 한 푼도 건지지 못할 것이다.

나는 표사들을 불러 모았다.

"장사곡 협도는 대대로 대별채의 영역입니다. 강물이 불어 범람했다는 이유로 갑자기 자신들 영역이라고 우기다니요. 이런 미친놈들이 어디 있습니까?"

"이유야 어찌 되었든 우리로서는 어느 쪽도 편을 들어주어선 안 됩니다. 만약 한쪽을 편들어줄 경우 나머지 한쪽과는 원수가 될 것입니다."

"수채의 병력을 총동원한 걸 보면 대충 흐지부지 넘어가려고 뱃머리를 들이민 것은 아닌 듯합니다. 분위기가 심상치 않습니다."

"사공자님께서는 어찌 생각하십니까?"

표사들이 한마디씩 의견을 피력하는 가운데 장량기가 불쑥 내게 물었다.

이 인간이 또 슬슬 약을 친다. 이번엔 또 어떻게 소몰이를 하는지 한번 들어나 보자.

"고약하게 되었다고 생각하오."

"상황이 고약하다는 건 이미 우리 모두가 잘 알고 있습니다. 제 말씀인즉슨, 사공자님께서 결정을 해주셔야 한다는 것이지요. 그게 표두의 역할이니까요."

잔뜩 걱정하는 말투와 달리 입꼬리가 흔들린다. 이번에야말로 나를 골탕 먹일 절호의 기회라고 생각하는 것이다. 내가 사흘 동안 표두 노릇을 하겠다고 한 첫 번째 이유가 바로 지금 이 상황 때문이라는 건 까맣게 모르고.

"장 표두께서는 짐작 가시는 바가 없으신가요? 교룡채가 갑자기 저렇게 나올 때는 분명 곡절이 있을 것 같습니다만."

남궁소소가 갑자기 장량기에게 물었다. 교룡채가 저러는 이유를 알아야 해법도 있다고 생각한 모양이다.

맞는 말이긴 한데 왜 하필 장량기에게 물을까? 그녀도 나를 표두로 인정하지 않는 건가?

"나도 황당할 따름이외다."

"정말 모르십니까?"

"뭐요. 그 말투는."

"궁금해서 여쭙는 것입니다."

"내가 알면서 숨기기라도 한다는 뜻이오?"

"전혀 몰라도 문제가 있는 것 아닌가요? 불과 조금 전까지만 해도 표행단을 이끌던 표두셨지 않습니까? 산채나 수채가 돌아가는 사정 정도는 파악하고 계셨어야 할 것 같습니다만……."

"표두는 전지전능한 존재가 아니오. 세상에 산채와 수채가 얼마나 많은데 그곳 돌아가는 사정을 다 파악하고 있단 말이오?"

"그것도 그렇군요."

남궁소소는 간단하게 수긍해 버리고 대화를 끝냈다. 하지만 분위기는 마치 이 모든 게 장량기의 무능에서 비롯된 것처럼 되어버렸다.

나는 그제야 남궁소소의 의도를 알아차렸다. 이 일로 내가 큰 곤란을 겪을 것 같자 나중을 위해서라도 책임의 비중을 슬그머니 장량기에게로 옮겨두려는 것이다. 머리 하나는 정말 비상하다. 나중에 누군가와 싸울 일이 있다면 이 여자와는 꼭 같은 편을 먹고 싸워야겠다.

그리고 나도 가만있을 수 없지.

"아무래도 동사강(東沙江)의 일 때문인 것 같소."

나는 슬며시 숟가락을 얹었다. 모두의 시선이 내게로 집중되었다. 나는 천천히 말을 이었다.

"작년에 황경산(黃瓊山)에서 녹림 오십여 명이 마차가 갈 수 있는 길을 닦았소. 그 바람에 이전까지는 회양지방으로 갈 때 동사강 수로를 이용하던 상단과 표국들이 전부 황경산 고갯길로 바꾸었소. 배로 짐을 옮겨 실었다가 내리는 수고도 덜고 시간도 하루나 절약할 수 있었으니까."

가불염도 한입 보탰다.

"그 바람에 동사강 수채 하나가 작살 났다고 들었습니다. 이를 두고 장강수로맹에서 벼르고 있다고 하더군요."

다시 남궁소소가 이었다.

"이제 보니 교룡채를 앞세워 장사곡 협도를 먹은 다음 대별채를 아사시킬 작정이었군요. 눈에는 눈 이에는 이라더니. 과연 흑도다운 발상이네요."

그러고는 내게 물었다.

"한데 정룡 표두께서는 어떻게 아셨습니까?"

"표국 사람들이라면 전부 아는 유명한 사건이오. 다만 과거의 사건들을 조합해 그런 이유가 아닐까 하고 짐작했을 뿐. 어디까지나 추측에 불과하오."

"추측이 아니라 사실일 겁니다. 제가 장강수로맹의 맹주라고 해도 이런 일을 꾸몄을 테니까요. 정말 대단한 통찰력입니다."

남궁소소가 필요 이상으로 나를 추켜세우며 장량기를 힐끔거렸다. 마치 '표두란 이래야 하는 것이오'라고 말하는 듯.

나는 장량기에게 말했다.

"전낭이나 주시오."

"……?"

"통행세를 주어야 할 게 아니오."

장량기가 품속에서 전낭 하나를 꺼내 들었다. 보나 마나 동전 쉰 냥이 들어 있을 것이다. 산채를 만날 때마다 쉰 냥씩을 통행세로 주어야 하기 때문에 이런 식으로 쉰 냥 짜리 전낭을 여러 개 만들어놓는다.

"그걸로는 택도 없소."

"이게 원래 액수입니다만."

"평소라면 그랬겠지. 보시다시피 지금은 상황이 변했소. 설마 이걸로까지 날 골탕 먹일 생각은 아니겠지요?"

전낭 하나로 이 난관을 해결하라는 건 누가 보아도 억지다. 사람들의 시선을 의식한 장량기가 전낭을 하나 더 꺼내 쥐고서 말했다.

"혹시 각 쉰 냥씩 나눠주실 생각이십니까? 그렇게라도 해결된다면야 더 바랄 게 없겠습니다만."

이것 역시 누가 보아도 그렇게 해결될 턱이 없었다. 그래서 장량기도 흔쾌히 전낭을 하나 더 꺼내는 것이고.

"만약 분쟁도 깨끗하게 해결하고, 오늘 중으로 길도 건널 수 있다면 전낭 하나를 더 쓰실 의향이 있으시오?"

갑작스러운 내 제안에 모두의 눈이 휘둥그레졌다. 이거야말로 누가 보아도 말이 안 되는 소리처럼 들릴 것이다.

장량기는 한참이나 나를 노려보더니 결국 하나를 더 꺼내 도합 세 개를 땅바닥에 탁 내려놓았다. 그러나 전낭에서 여전히 손을 떼지 않은 채 말했다.

"대신 조건이 있습니다."

"이번엔 또 뭐요?"

"표사를 한 명 대동시켜 그로 하여금 전낭을 들도록 하겠습니다. 이는 표규에도 나와 있는 내용으로, 분쟁이 생겨 적장과 마주할 때는 표사를 한 명 이상 대동하도록 강권하고 있습니다."

　사실이긴 하다. 전생에서 죽기 직전에 가불염이 정체불명의 적장을 만나러 나갈 때도 진평이라는 표사를 대동해 전낭을 들게 했다. 이는 표두가 하는 일을 한 명은 처음부터 끝까지 알게 하여, 만에 하나 표두에게 문제가 생기더라도 표행을 이어갈 수 있도록 하려는 조처였다. 전낭을 들게 하는 것은 일종의 안전장치고.

　하지만 지금 장량기는 옆에서 대화를 모두 듣고 자신에게 말해줄 쥐새끼를 붙이는 게 목적이었다. 게다가 이건 어디까지나 권고이지 반드시 따라야 하는 규칙도 아니었다.

"원래대로라면 제가 가야겠지만, 그리하면 염왕도와 독각망이 저를 표두로 착각할 수도 있으니 다른 표사를 한 명 붙여 드리겠……."

"제가 가겠습니다."

　냉큼 나선 사람은 가불염이었다. 그는 장량기의 손바닥 아래에 있는 가죽끈을 획 잡아당겨 전낭을 모두 **빼앗아** 버리는 신기까지 보였다.

　부지불식간에 전낭을 **빼앗긴** 장량기가 눈알을 뒤집었다. 그러나 뭐라고 하진 못했다. 가불염이 직급은 자신보다 아래지만, 무려 총표두의 명령을 받고 나를 호위하기 위해 투입되었다는 걸 아는 상황에서 함부로 반대할 수가 없었던 것이다.

사실 이건 내가 그린 그림이 아니었다. 그러나 장량기가 붙여주는 쥐새끼보다야 입 무겁고 내 편인 가불염이 훨씬 낫다. 입 무겁고 내 편인 가불염보다는 아예 입이 좀 가볍더라도 외부인인 남궁소소가 백번 낫고.

"나는 풍진양과 함께 가겠소."

나는 남궁소소를 돌아보며 물었다.

"나를 좀 도와주겠소?"

"최선을 다해 돕겠습니다."

먹다 남은 개고기가 펄펄 끓고 있는 가마솥을 가운데 두고 나는 염왕도와 독각망을 불러 모았다.

"귀하는 누구인가?"

독각망이 대뜸 반말을 하며 물었다.

"말조심하시오! 난 지금 천룡표국을 대표해 온 것이오. 귀하들에게 인사를 하러 온 신입표사가 아니라!"

"옳은 말씀!"

염왕도가 옆에서 슬쩍 나를 편들었다. 불과 조금 전 그의 부채주가 내게 흠씬 두들겨 맞았다는 사실은 까맣게 잊은 모양이었다.

독각망은 잠시 눈알을 부라렸다. 그러나 나를 자극해 보아야 자기만 손해라는 걸 아는지 꾹 참는 기색이었다.

"좋소. 천룡표국의 입장은 무엇이오?"

됐다. 이만하면 일단 기선은 제압했다. 나는 남궁소소를 돌아보며 말했다.

"전낭 두 개를 전부 내놓으시오."

"……?"

원래 전낭은 세 개 받았다. 한데 내가 두 개라고 하면서도 전부 내놓으라고 하자 남궁소소가 살짝 당황하며 나를 보았다.

'어쩌라고요?'

'두 개만 내놔.'

'전부 내놓으라면서요.'

'두 개만 내놓으라니까.'

'설마……?'

'생각하는 그거 맞소.'

'……!'

남궁소소는 당황한 와중에도 일단 전낭 두 개를 꺼내 바닥에 내려놓았다. 그리고 표사나 쟁자수들이 볼 수 없도록 자신의 몸으로 가렸다.

나는 이 자리에 앉은 세 사람도 겨우 들을 수 있을 만큼 작은 소리로 말했다.

"전낭 하나당 쉰 냥씩, 모두 백 냥입니다. 저희 천룡표국에서 내놓을 수 있는 전부이지요."

염왕도는 평소보다 두 배나 많아진 액수에 눈을 크게 떴다. 독각망은 '고작 길 좀 막고 있다가 비켜나는 걸로 이렇게나 많이 받아 처먹었어?'라는 표정을 지었다.

남궁소소는 자신이 어처구니없는 일에 연루되었음을 깨닫고 고개를 푹 떨구었다.

"천룡표국의 입장은 간단합니다. 첫째, 우리는 장사곡 협도가 어느 쪽의 영역인지 관심도 없고, 시비에 끼어들 생각도 없습니다. 하니 시시비비는 나중에 알아서들 가리시기 바랍니다."

"……!"

"……!"

"둘째, 오늘만큼은 일정이 빠듯하니 우리를 건네주는 쪽에게 이 돈을 전부 드리겠습니다. 대별채의 채주께서는 아시겠지만, 이 액수는 평소보다 두 배가 많습니다. 일종의 급행료라고 할 수 있겠지요."

시시비비에 끼어들고 싶지 않다고 했지만, 사실 이것보다 더 확실하게 끼어드는 방법도 없다. 막힌 길에서 표마차를 건네주는 자가 길목의 주인이 되는 것은 너무나 당연한 이치니까.

염왕도가 애써 화를 가라앉히며 말했다.

"그건 불가능하오. 앞서 장 표두에게도 말했지만, 물이 빠지기 전에는 길을 건널 방법이 없소이다."

"교룡채의 채주께서도 같은 생각이십니까?"

"우린 당장 건네줄 수 있소."

"어떻게 말입니까?"

독각망이 가볍게 웃더니 한 손을 들었다. 그러자 강변에 정박한 범선의 갑판으로부터 무려 다섯 장에 달하는 크고 두꺼운 판자 두 개가 주르륵 미끄러져 나왔다. 판자는 땅에 한쪽 끝을 쾅 하고 박은 다음에 멈췄다. 배의 갑판과 땅을 비스듬하게 연결하는 선교목(船橋木)이다.

본시 항구의 하역장에서 저걸 큰 배에 여러 개 걸쳐놓고 짐꾼들이 종일 오르락내리락하면서 짐을 싣거나 내린다.

"표물은 사람이 짊어서 배로 옮기고, 표마차는 저걸 양쪽 바퀴 넓이만큼 벌려놓고 밧줄에 묶어 끌어 올릴 것이오. 그런 다음 물에 잠긴 구간을 지나 마른 땅이 나타나면 다시 같은 방법으로 내려주겠소."

물에 잠긴 곳이라고 해봐야 불과 삼십여 장밖에 안 된다. 그 짧은 길을 건너지 못해 이 사달이 난 것이다.

"천룡표국은 교룡채에 통행세를 내겠습니다."

"탁월한 결정이외다. 음하하!"

독각망이 광소를 터뜨렸다.

염왕도의 얼굴이 썩어 문드러졌다. 그가 착 가라앉은 음성으로 물었다.

"정녕 이게 천룡표국의 입장이오?"

"채주님의 억울한 심정은 잘 압니다. 하지만 저희도 어쩔 수 없음을 헤아려 주시기 바랍니다. 그리고 이 일로 대별채와의 관계가 틀어지지 않기를 빕니다."

"십 년 넘게 맺어온 관계를 하루아침에 배신하면서 무슨 헛소리를! 내 지금 이 자리에서 선언하건대, 천룡표국의 표물은 앞으로 절대 곤산을 넘을 수 없을 것이오."

"하면 대별채에서 직접 지금 우리 앞을 막아서고 있는 교룡채를 치워 버리고 길을 건네주시던가요. 본시 통행세란 그런 일을 해달라는 대가로 드리는 게 아니었습니까?"

"……!"

"본인들이 어쩌지 못해서 벌어진 일을 왜 애꿎은 천룡표국 탓을 하시는 건지 모르겠습니다. 솔직히 말해서 지금 교룡채와 싸움이 되지 않을 것 같자 저희에게 덤터기를 씌우시려는 것 아닙니까?"

"보아하니 대별채가 작은 산채에 불과하다고 무시하는 모양인데, 하면 녹림맹(綠林盟)은 감당할 수 있겠는가?"

염왕도는 한 마디 한 마디 힘주어 발했다. 꽉 다문 어금니 사이로 새어 나오는 말이 그의 분노를 짐작케 했다. 내가 노리는 게 이거였다. 그는 화가 나서 자리를 박차고 떠나야 한다. 절대로 천룡표국이나 교룡채를 만만하게 보고 한판 붙으려고 해선 안 된다.

"진심으로 하시는 말씀입니까?"

"흥, 녹림맹 무서운 줄은 아는 모양이군."

"불씨 하나가 온 들판을 태우고, 돌멩이 하나가 천 겹 물결을 일으키는 법입니다. 채주님께선 그걸 감당하실 수 있으신지요?"

"무슨 엄포인가?"

"녹림맹까지 나선다면 우리 천룡표국과 전쟁을 하겠다는 말씀이신데, 그걸 대별채의 채주께서 이렇게 즉흥적으로 결정해도 되는지 여쭙는 것입니다. 참고로 전 할 수 있습니다만."

순간 염왕도의 눈썹이 꿈틀했다. 녹림맹과 천룡표국이 전면전을 벌이면 끝내는 녹림맹이 이기게 될 것이다. 일단 머릿수가 워낙 많으니까. 그러나 녹림맹 또한 궤멸적 타격을 입게 될 것이다. 이후 너도나도 한자리 해먹겠다며 나설 것이고, 내부의 혼란을 수습하는 데만 최소 10년은 걸릴 것이다.

그런 중차대한 일을 일개 채주에 불과한 염왕도가 결정한다고? 어림 반 푼어치도 없는 소리다. 늙은이가 어디서 약을 팔고 지랄을.

"네놈은 대관절 무엇이관데 할 수 있다는 거냐?"

"표왕이 저의 아버지입니다."

"뭣!"

"제가 천룡표국의 국주이신 표왕 이종산의 넷째 아들입니다. 장량기가 제게 표두 자리를 양보한 게, 제가 입교식에서 대별채의 부채주를 때려눕힌 게 설마 우연이라고 생각하시는 건 아니겠지요?"

전부 사기에 기연 덕이지만, 염왕도가 속사정을 알 리 없다. 협상은 원래 절반은 뻥으로 시작하는 법. 나는 시원하게 엄포를 놓았다.

"가만, 넷째 아들이라면 향시에 장원급제를 했다던 그……. 어쩐지 언변이며 풍모가 예사롭지 않더라니, 알고 보니 천룡표국의 사공자이셨구려. 이거 몰라뵀소이다. 하하하."

독각망이 갑자기 넉살 좋게 인사를 해왔다. 매양 물 위에서만 사는 줄 알았더니 그 소문은 어디서 또 들었나 보다. 염왕도는 다시 한번 얼굴이 썩어 문드러졌다. 멀쩡한 표두를 놔두고 왜 새파랗게 어린 신참 표사가 나오나 했다가 이제야 모든 걸 깨닫고 어안이 벙벙할 것이다.

"다시 한번 여쭙겠습니까? 지금 선전포고하신 것 맞습니까? 그렇다면 저는 이대로 표국에 사람을 보내 아버지께 상황을 알려야겠습니다. 물론 저는 경솔하게 대처했다고 크게 곤욕을 치르겠지만, 채주님께서는 아마 목숨을 거셔야 할 겁니다."

"빌어먹을!"

염왕도는 벌떡 일어나더니 뒤에 있던 수하들을 향해 신경질적으로 외쳤다.

"모두 철수한다!"

산적들이 우르르 떠나자 독각망이 내게 말했다.

"사공자의 용기 있는 결단에 경의를 표하는 바이오."

"보셔서 아시겠지만 천룡표국은 대별채와는 돌아올 수 없는 강을 건넜고, 녹림맹과의 관계도 불편해지게 생겼습니다. 교룡채에서는 이 점을 잊지 마시기 바랍니다."

"물론이오. 교룡채와 수로맹은 결코 사공자의 호의를 잊지 않을 것이오. 더불어 앞으로의 관계 또한 더욱 탄탄해지길 빌겠소."

사공자라는 말에 유난히 힘을 준다. 천룡표국 내에서 형제들 간의 알력다툼이 있음을 알고 도움될 일이 있다면 나에게 힘을 실어주겠다고 은근슬쩍 내비치는 것이다.

내가 아무래도 형님들의 그림자가 어른거릴 수밖에 없는 대별채와의 오랜 관계를 끊고, 자신들과 새로운 관계를 맺으려는 것 역시 그런 이유 때문이라고 착각하는 모양이었다.

"지금 당장은 저의 체면부터 세워주셔야겠습니다. 뒤쪽을 보시면 아시겠지만 다들 표정이 말이 아닐 겁니다. 아무리 표두라지만 한마디 상의도 없이 오랜 동맹 관계를 깨고 새로운 동맹을 맺었으니까요."

"어찌해 드리면 되겠소이까?"

"지금부터 반 시진을 드리겠습니다. 그때까지 무슨 일이 있어도 마차와 표물을 전부 물 건너 마른 땅으로 옮겨주십시오."

"이를 말씀을. 편하게 쉬고 계시오."

독각망은 수하들을 돌아보며 사자후를 내질렀다.

"표물과 마차를 전부 배에 실어라!"

천룡표국의 진영으로 돌아오자 표사며 쟁자수 할 것 없이 전부 석상처럼 굳어 있었다.

장량기가 다가와 그를 알고 난 후 처음 보는 심각한 얼굴로 말했다.

"이러시면 안 됩니다."

"무얼 말이오?"

"작게는 대별채와 교룡채, 크게는 녹림맹과 장강수로맹의 눈치를 모두 보아야 하는 우리 입장에선 절대로 한쪽을 편들어선 안 됩니다. 갑자기 튀어나와 균형을 깬 교룡채 쪽으로는 더더욱 그렇습니다."

"내가 일을 망칠수록 장 표두께는 좋은 것 아니오?"

"이미 다 알고 계시는 듯하니 솔직히 말씀드리지요. 표행을 떠나오기 직전 이공자님으로부터 최대한 많은 기회를 사공자님께 드리라는 명을 받았습니다."

"경험 없는 내가 매번 실패를 거듭해서 끝내 아버지와 표국 사람들의 눈 밖에 나길 바라셨겠지. 형님들께서 원하는 대로 되었는데 왜?"

"이공자님의 사람이기 이전에 저 역시 천룡표국의 표사입니다. 이공자님께서 열두 살, 사공자님께서 여섯 살 때 천룡표국으로 들어와 온갖 밑바닥 일부터 시작했지요. 천룡표국은 제가 청춘을 바친 곳입니다."

"이건 또 무슨 작전이오?"

"네 분 공자님들께서 어떤 싸움을 벌이시든 좋습니다. 저 같은 일개 표사야 담벼락 위의 풀처럼 바람 따라 누울 수밖에 없겠지요. 하지만 천룡표국에 큰 해를 끼치는 일에만큼은 일조하고 싶지 않습니다. 그것만큼은 정녕 표사로서 하고 싶지 않습니다."

"호백구의 포장을 바꿔치기하는 것도 표국에 결코 이로운 일은 아닌 걸로 아오만."

"믿지 않으시겠지만, 저는 그 일에 연루되지 않았습니다."

"고중태를 때려 입막음하는 걸로 보면 범털 같았소만."

"사공자님!"

"이게 그렇게나 큰일이오?"

"단순히 대별채와 천룡표국 사이에 분쟁이 생긴 것이라면, 설혹 산적 두어 명이 죽었어도 제 손으로 해결할 자신이 있습니다."

"한데 그게 아니다?"

"문제는 대별채의 영역에서 대별채를 내치고 갑자기 쳐들어온 교룡채의 손을 들어주었다는 것입니다. 그것도 일개 표사가 아니라 천룡표국의 사공자님께서요. 반드시 녹림맹이 나설 것입니다."

"대별채와의 관계를 이어나가기 위해 교룡채와는 척을 져도 되는 것입니까? 교룡채의 뒤에도 수로맹이 있습니다만."

"그건⋯⋯."

"그리고 그렇게 걱정이 되면 처음부터 나서시지. 등 떠밀어놓고 뒤에서 웃으실 땐 언제고 이제 와서 이러시는 겁니까?"

장량기는 땅이 꺼져라 한숨을 쉬더니 말했다.

"사공자님께서 매운 생강 같은 두 늙은이를 상대하시다 버거워 나가떨어지실 줄 알았습니다. 하면 제가 나서서 대별채의 채주를 달래볼 생각이었습니다."

"남은 전낭을 전부 쥐여주면서 말이지요?"

전생에서 장량기는 실제로 그렇게 했다. 그러나 이미 작심하고 온 독각망을 고작 돈 몇 푼으로 달랠 수는 없었다.

"장 표두님의 생각은 잘 알겠습니다. 하지만 아직 끝난 것이 아니니 기다리십시오. 만약 일이 잘못되면 전부 제가 책임지겠습니다."

나도 모르게 공손한 존댓말이 술술 흘러나온다. 생각지도 않았던 표사 장량기의 모습을 보았기 때문인 것 같았다.

장량기는 무언가 더 말을 하려다 말고 굳은 표정으로 물러났다. 그러자 이번엔 남궁소소가 다가왔다. 그녀는 어깨가 닿을 만큼 바싹 다가와 앉았다. 그러곤 사람들 모르게 자신의 품속을 툭툭 친 후 모기만 한 소리로 속삭였다.

"이거 어떻게 합니까?"

"뭘 말이오?"

"전낭 말입니다. 하나 남았잖습니까."

"잘 갖고 있다가 내가 달라면 주시오."

"이걸 왜 나한테 맡겨두는 겁니까?"

"아깐 최선을 다해 돕겠다더니?"

"그땐 분쟁을 해결하려는 줄로만 알았습니다. 귀하가 중간에서 공금을 횡령하려는 작전인 줄은 꿈에도 몰랐다고요."

"남아일언중천금이오. 돕겠다고 했으면 끝까지 도우시오. 표사나 쟁자수들이 눈치채지 않게 특별히 조심하시고."

"이것 보세요. 정룡 공자……."

그때였다.

우지끈! 펑!

범선과 땅을 연결하던 선교목 하나가 터져 나가면서 마차가 강물 속으로 곤두박질쳤다. 그때부터 난리가 났다. 자맥질에 익숙한 수적들이 재빨리 강물 속으로 뛰어 들어가 마차를 끄집어냈다.

천만다행으로 마차는 바퀴 한쪽만 부러졌다. 더욱 다행인 것은 빈 마차였다는 점이고, 더더욱 다행인 것은 떨어진 게 사람이 아니었다는 점이다.

잠시 후, 독각망이 내게로 와서 말했다.

"사공자, 잠깐 얘기를 좀 할 수 있겠소?"

"문제가 생긴 것 같군요."

"표국에서 쓰는 마차가 원래 저렇게 무거운 것이오? 10년 동안 한 번도 문제가 없었던 선교목이 그만 부러졌소이다."

"워낙 험하게 사용하다 보니 바닷가에서 자라는 참나무를 켜다가 기름을 잔뜩 먹여서 만들지요. 보기보다 아주 무겁습니다. 제조단가도 높고요."

"아무래도 교룡채로 돌아가서 선교목을 몇 개 더 가져와 두 개씩 겹친 다음 다시 작업을 해야 할 것 같소이다. 다만 그러려면 내일이나 되어야……."

"내일이면 물이 빠져 길이 뚫릴 텐데, 저희 입장에서는 구태여 표물과 마차를 배에 실었다가 내렸다가 할 이유가 없지 않습니까?"

"다른 방법은 없소이다."

"이제 와서 이러시면 곤란하지요. 저는 채주님만 믿고 대별채와 척을 지면서까지 일을 벌였거늘."

"이번 한 번만 수하들 앞에서 내 체면을 좀 살려주시오. 하면 이 신세는 반드시 갚겠소이다."

"채주님 체면을 살려 드리기 위해 제 체면은 땅에 떨어져도 상관없다는 말씀이십니까? 그리고 제가 구태여 그렇게 해드릴 이유는 또 무엇입니까?"

사람들은 어쩌고 있나 하며 쓱 돌아보니 표정들이 가관이다. 수적들은 난감함에 어쩔 줄을 모르고, 장량기와 표사들은 대별채와 척까지 지며 벌인 일이 이렇게 되었으니 이제 어쩔 거냐며 혀를 끌끌 차고 있었다.

"내가 어떻게 해드리면 좋겠소?"

"제게 채주님의 체면도 살리고 제 체면도 지킬 묘안이 하나 있는데, 한번 들어보시겠습니까?"

"그게 무엇이오?"

"교룡채의 형제들께서 타고 오신 비조선 30척을 일 장 간격으로 연결한 다음, 그 위에 널빤지를 깔아 부교를 만드는 것입니다. 그리고 부교를 이용해 표물과 마차를 마른 땅까지 옮기는 것이지요."

"비조선은 충분하오만 널빤지가 없소이다. 부러진 선교목을 쓸 수도 있겠으나 너무 무거운 데다 그마저도 턱없이 모자라오."

"팔뚝 굵기의 가는 통나무를 세 개씩 엮어 널빤지 대용으로 쓰면 어떻습니까? 마을마다 좁은 개울을 건널 때 흔히 보는 애기 통나무 다리처럼 말입니다."

"좋은 생각이긴 하오만, 지금 주변은 온통 가파른 비탈에 바위들뿐이라 쓸 만한 나무를 구하려면 곤산으로 올라가야 할 것이외다."

"올라가면 되지요. 가는 데 한 식경, 나무들을 찍는 데 한 식경, 끌고 오는데 한 식경. 반 시진 조금 넘으면 충분할 것 같습니다만."

"대별채에서 가만있지 않을 것이오. 물에서라면 모를까 산속에서라면 아무리 숫자가 많다고 해도 우리는 녹림의 상대가 되질 않소이다. 적지 않은 수가 죽어 나갈 것이오. 고작 통나무 좀 얻자고 그럴 수는 없소."

"그러니까 대별채의 채주께 사정을 말하고 협조를 구해야지요. 아니면 말씀하신 것처럼 전쟁만 있을 뿐입니다."

"나더러 그 산짐승을 찾아가 고개를 숙이란 말이오? 그럴 순 없소. 내가 녹림의 산채를 찾아가 나무를 달라고 사정한 걸 알면 수로맹의 형제들에게 두고두고 비웃음을 살 것이오."

"제가 대신 가겠습니다."

"사공자께서요?"

"어쩔 수 없지 않습니까?"

"나도 나지만 사공자께서도 아까 염왕도와 그렇게 얼굴을 붉히고 싸우셨는데…… 정말 가실 수 있겠소이까?"

"채주님도 그렇고 저도 그렇고, 지금 찬밥 더운밥 가릴 때가 아닙니다. 아시는지 모르겠습니다만, 이건 저의 첫 표행입니다. 만약 여기서 어중간하게 그만둬 버리면 저는 표국에서 영원히 무능하고 멍청한 놈으로 찍힐 것입니다."

"이거 면목이 없구려. 그나저나 대별채의 채주가 순순히 허락해 줄지 모르겠소이다."

"되도록 해야지요. 전낭이나 돌려주십시오."

"전낭은 왜?"

"지금 저더러 빈손으로 대별채를 찾아가란 말씀이십니까? 그리고 스스로 장담한 일을 실패해 대별채에게 도움을 구하는 입장이니 응당 내놓으시는 게 맞지요."

"무슨 말씀인지 알겠소."

그러면서 독각망이 전낭 하나를 내놓았다.

눈이 동그래진 남궁소소가 얼른 전낭을 받으려 했다. 나는 그녀의 손목을 '탁' 치고는 착 가라앉은 음성으로 말했다.

"이게 뭡니까?"

"대별채와 교룡채가 힘을 합쳐 표물을 옮기는 것이니 각각 절반씩 나눠 가지는 게 맞지 않겠소이까?"

"이럴 거면 채주님께서 직접 가십시오."

"왜, 내 말이 틀렸소?"

"입장을 바꿔놓고 생각해 보십시오. 채주님께서 대별채의 채주시라면 쉰 냥 받고 나무를 찍어 가라고 하겠습니까?"

"……?"

"채주님과 저에게 체면이 있는 것처럼, 대별채의 채주님께도 체면이 있습니다. 백 냥을 전부 준다고 해도 나무를 안 내어줄 겁니다. 어쩌면 교룡채의 채주님더러 직접 산채로 올라와 사과부터 하라고 할지도 모르지요. 그러고는 모든 걸 없던 일로 하라고 요구할 겁니다."

"하면 우리더러 공짜로 일을 해주란 말이오?"

"이게 왜 공짜입니까? 제가 대별채와 척을 지면서까지 이 길목을 교룡채에 통째로 넘겨주었는데. 정말 아까부터 계산을 이렇게 띄엄띄엄 하시깁니까?"

독각망의 얼굴이 굳어지며 한참 생각에 잠겼다. 그러다 좀 전과 달리 차갑기 그지없는 목소리로 물었다.

"혹시 대별채와 다시 손을 잡으려는 생각은 아니겠지요?"

"교룡채에서 사소한 일로 이렇게 계속 딴지를 거신다면 저로선 그 방법도 생각지 않을 수가 없겠지요. 그리고 분명히 못 박아두건대, 어느 쪽을 선택할지는 전적으로 저의 마음입니다. 강요하지 마시기를."

나를 노려보는 독각망의 눈동자에 횃불이 커졌다. 나 역시 지지 않고 독각망을 노려보았다.

"하하하. 알았소이다."

독각망은 큰 결심이라도 한 것마냥 전낭 두 개를 전부 내밀었다. 나와 전낭을 번갈아 보는 남궁소소는 대체 이게 무슨 일이냐는 표정이었다. 그러면서도 손은 잽싸게 전낭을 받아 챙기고 있었다. 이로써 장량기에게서 받은 전낭 세 개가 다시 돌아온 셈이다.

하지만 아직 하나가 더 남았다.

"마차 수리비도 주십시오."

"그것까지?"

"제가 채주님의 체면을 지켜 드리기 위해 애쓰고 있으니, 채주님께서도 제 체면을 지켜주셔야지요. 마차 바퀴가 터져 나간 걸 모두 보았는데, 그냥 넘어간다면 표사와 쟁자수들은 저를 호구라고 뒤에서 욕할 것입니다."

"후후. 십 리 길을 넘어가면 참말이 없다더니. 사공자께서는 소문으로 듣던 것과 아주 딴판이시오. 좋소. 얼마를 드리면 되겠소?"

"쉰 냥만 주십시오."

"그렇게나 비싸오?"

"보셔서 아실 것 아닙니까? 표국의 마차는 저자에 돌아다니는 마차와는 다릅니다. 그나마 여분의 바퀴가 있어 그것만 교체하니 망정이니 박살이라도 났으면 이백 냥은 주셨어야 합니다."

"알겠소. 시작은 비록 이렇게 시끌벅적해도 이후에는 별일이 없었으면 좋겠소."

"이를 말씀입니까. 호사다마라는 말도 있지 않습니까. 앞으로 있을 모든 나쁜 일들을 첫날에 전부 액땜한다고 생각하십시오. 저도 그렇게 생각하겠습니다."

"사공자께서 그리 말씀해 주시니 한결 마음이 가볍구려. 껄껄껄."

독각망이 품속에서 전낭 하나를 꺼내더니 이제는 자연스럽게 남궁소소에게 건네주었다. 남궁소소는 반쯤 넋이 나간 채로 달달 떨면서 그것까지 챙겼다.

이제 산적 놈들을 찾아가 잘 구슬린 다음 마지막으로 크게 한 번 땡기는 일만 남았다.

나는 남궁소소와 함께 곧장 대별채가 있는 곤산을 올랐다. 한데 가불염이 따라나서겠다고 고집을 피우는 바람에 일행이 세 명으로 늘어났다. 가는 와중에 남궁소소가 자꾸 나를 곁눈질하며 자신의 품속을 턱으로 가리켰다.

나는 모기 날갯짓보다 더 작은 소리로 물었다.

"어쩌라고요?"

"눈치채면 어떡합니까?"

"눈치 못 채게 조심해야지."

"만약 눈치채면요?"

"가불염은 융통성이라곤 눈곱만큼도 없는 원칙주의자라, 표국으로 돌아가는 즉시 당신과 나를 집법당에 넘길 거요."

"저는 왜요?"

"그야 공범이니까."

"제가 한 짓이 아니잖습니까."

"전낭이 당신 품속에 있잖소."

"그러니까 빨리 가져가세요."

"일이 끝나면 조금 챙겨줄 테니 너무 보채지 마시오."

"싫습니다!"

대별채까지 올라갈 필요도 없었다. 염왕도와 그의 수하들은 장사곡 협도가 잘 내려다보이는 곳에서 이를 갈고 있었다.

내가 도착하자 산적들은 노골적인 적개심을 드러냈다. 어떤 자들은 번뜩이는 칼을 뽑아 들고 기다렸다가 내가 옆을 지나가면 위협적인 행동을 서슴지 않았다. 그러나 실제로 저 칼을 휘두르지 않을 것임을 안다. 그냥 겁만 주는 거다. 우리가 이렇게 열 받았다. 이런 의도로.

만약 저 미친놈들이 정말 칼을 휘두르면 녹림맹과 천룡표국 사이에 전쟁이 벌어진다. 제 우두머리도 못 한 일을 일개 산적 놈 따위가 할 수는 없다. 하지만 나는 좀 다르다. 내가 사고를 쳐도 저놈들이 문제 삼는 데는 한계가 있다. 족보 있는 산채를 상대할 땐 이런 게 좋다.

짝!

나는 때마침 앞을 막아서는 놈의 뺨을 사정없이 올려붙였다. 협상과 싸움의 공통점은 선빵을 날린 자가 판을 주도한다는 것이다.

얼떨결에 뺨을 맞은 놈이 당황해 어찌할 줄을 모른다.

"이, 이런 미친……!"

채채채채챙!

시퍼렇게 번뜩이는 도검 삼십여 개와 맹독을 바른 화살촉 삼십여 개가 삽시간에 나와 두 사람을 에워쌌다. 놀란 가불염과 남궁소소도 장검을 뽑아 들었다. 그러고는 약속이나 한 것처럼 나를 노려보며 우거지상을 썼다.

"정녕 끝장을 보자는 것인가!"

염왕도가 진노해 소리쳤다. 나는 더 크게 소리쳤다.

"기껏 목숨을 구해줬더니 생명의 은인 앞에 칼을 들이밀어? 아무리 인의예지(仁義禮智)를 모르는 도적 떼라지만 이 정도일 줄은 몰랐소이다!"

"무슨 개소리를 하는 거야!"

"내가 꾀를 내어 교룡채에 표물을 넘기지 않았다면 독각망은 분명 흑도의 오랜 규칙에 따라 채주께 무공으로 승부를 내자고 제안했을 것이오. 그렇지 않소이까?"

"내가 독각망을 두려워할 것 같은가?"

"두 사람이 대결했다면 십중팔구 채주께서 이기고 독각망은 크게 부상을 당했겠지요. 한데 과연 그것으로 깨끗하게 정리가 되었을 거라 생각하시오?"

전생에서 들은 바에 따르면 오히려 그 반대다. 독각망은 오십여 합을 겨룬 끝에 염왕도의 팔을 잘라 버린다. 칼과 검이 숨 가쁘게 오가는 실전에서 오십 합이면 그야말로 잠깐이다. 나는 무공을 잘 모르지만, 이 정도 격차라면 염왕도도 분명 자신이 두어 수 아래임을 직감적으로 알 것이다.

한데 내가 수하들 앞에서 당신이 십중팔구 이겼을 거라고 말해주니 살짝 당황하는 기색이 느껴졌다.

"깨끗하게 정리가 안 되면?"

염왕도의 목소리가 약간 부드러워졌다.

"부상을 당하는 순간 무슨 핑계를 대서라도 독각망의 수하들이 들고 일어났겠지요. 채주들끼리 담백하게 승부를 볼 작정이라면 수하들을 그렇게 개떼같이 끌고 왔을 리가 없지 않습니까?"

"흥, 교룡채의 독각망이 강호의 도의도 모르는 불한당인 거야 세상이 다 아는 사실이지. 오늘만 해도 하는 짓거리를 좀 보라지. 장사강 강물이 범람했다고 수십 년 동안 우리 대별채가 관리해 온 길목을 갑자기 자기들 땅이라고 우기는 게 말이나 되느냐 말이야."

말을 하다 보니 또 살짝 열이 받는 모양이었다.

염왕도가 나를 향해 다시 격앙된 음성으로 말했다.

"그래서 전면전을 막았다고 지금 내게 생색이라도 내겠다는 것인가?"

"생색 좀 내면 안 됩니까?"

"무어?"

"수적들의 수는 이백, 그에 반해 대별채 식구들의 수는 싹싹 끌어모아야 겨우 육십 명에 불과했습니다. 장담컨대 전면전이 벌어졌다면 여기 있는 사람들 절반은 죽거나 불구가 되었을 것입니다."

그러면서 나는 다시 한번 나와 일행을 향해 칼을 뽑아 들고 있는 산적들을 죽일 듯이 쓸어 보았다. 말과 행동은 이렇게 거침없이 하지만, 속으로는 심장이 벌렁거려 죽을 것 같았다. 그나마 다행인 건 말이 살짝 먹혔다는 거다. 산적들이 서로의 눈치를 보며 동요하는 기색을 보였다. 놈들도 사람인 이상 전면전의 가능성을 생각해 봤을 것이고, 바보가 아닌 이상 자신들이 크게 당했을 거라는 것 또한 알 것이다.

"그렇다고 해도 천룡표국이 우리를 배신하고 교룡채에 붙은 사실까지 변하는 건 아니지. 이 일은 반드시 후회하게 만들어줄 것이다!"

"천룡표국이 왜 대별채를 배신합니까? 그동안 우리가 이 장사곡 협도를 지나면서 함께 비비고 말아먹은 밥이 솥으로 몇 솥인데요."

나도 모르게 전생의 경험까지 말해 버렸다. 저들이 보기에 나는 엄연히 첫 표행이고, 표국 사람들과 대별채 산적들이 얼마나 많은 밥을 함께 나눠 먹었는지는 몰라야 정상이다.

하지만 갑자기 돌변한 내가 이상했던지 그런 것 따윈 아무도 신경 쓰지 않았다. 적아를 구분할 것 없이 다들 이건 또 무슨 희한한 소리야 하는 표정이었다.

"배신한 게 아니면?"

"억울하시고 화도 나시겠지만, 이번엔 그냥 넘어가십시오. 그리고 교룡채의 배가 사라지고 나면 산채의 식구들을 전부 동원해 돌과 흙으로 길을 메우십시오. 장마철이 되어 강물이 불어나도 다시는 범람하지 않도록."

"그게 무슨……?"

"그렇게 어려운 일도 아닙니다. 정확하게 범람하는 위치와 맞닿은 산 높은 곳으로 올라가 흙과 바위를 파내어 굴리면 자연적으로 아래에 쌓일 것입니다. 다만 물살에 흙이 쓸려 내려가지 않도록 마지막에 단단하게 다지고 풀과 나무도 심어야겠지요."

"그 얘기는……?"

"강물이 범람하지 않는데 교룡채에서 무슨 명분으로 자기들 권역이라고 주장을 하겠습니까? 설사 주장을 한들 제깟 놈들이 땅으로 올라와 싸우길 하겠습니까, 어쩌겠습니까. 안 그렇습니까?"

"……!"

"……!"

"……!"

산적들이고 염왕도고 간에 전부 넋이 나가 버렸다. 남궁소소와 가불염의 표정도 별반 다르지 않았다. 한참이나 웅성거리는 소리가 울렸다.

사실 이건 전생에서 3년쯤 후에 신참 녹림도가 낸 묘안이었다. 그때도 천재가 나타났다며 대별채가 한동안 뒤집혔었다.

한참이 지난 후 염왕도가 정신을 차리고 물었다.

"하면 우리와 계속 거래를 하겠다는 말씀이시오?"

원래부터 있던 길을 자기들이 일방적으로 점유하고 돈을 강탈하면서 거래는 무슨 개뿔. 거래는 내 말대로 네놈들이 길을 닦아놓고 돈을 받아야 거래지.

"말씀드렸지 않습니까? 대별채 식구들을 하나라도 다치지 않게 하기 위해 어쩔 수 없었다고요. 한데 다들 이렇게 목에 칼을 들이대다니, 정말 서운합니다. 서운해."

"야이, 놈들아. 어서 칼 치워!"

서른 개의 도검과 서른 개의 화살촉이 눈 깜짝할 사이에 사라졌다.

염왕도가 다시 내게 말했다.

"험험. 이거 아무래도 오해가 좀 있었던 것 같구려. 나는 그런 줄도 모르고. 미안하게 되었소이다."

"아직 안심하기에는 이릅니다. 선교목이 부러지는 바람에 교룡채가 표물 옮기는 일에 실패했습니다."

"안 그래도 다 보았소."

"저희 사정도 그렇고, 교룡채를 안심시키기 위해서라도 오늘은 더 말썽을 일으키지 말고 돌려보내야 합니다."

"우리가 어떻게 해주면 되겠소?"

"부교를 만들 수 있도록 어른 팔뚝 굵기의 곧은 통나무 백여 개 정도만 찍어주십시오. 산 아래까지만 굴려 보내주면 수적들이 알아서 가져갈 것입니다."

"우리더러 머리를 숙이고 들어가 교룡채 놈들을 도우라는 말이오? 내 아무리 사공자에게 신세를 졌다고는 하나 그럴 수는 없소이다."

"머리는 저쪽에서 먼저 숙였습니다."

"……?"

나는 남궁소소를 돌아보며 말했다.

"전낭을 내어 드리시오."

그러면서 턱을 긁는 척하며 남궁소소만 볼 수 있도록 손가락 하나를 슬그머니 펴 보였다. 한 개만 주라는 소리다.

남궁소소가 미세하게 고개를 끄덕이고는 전낭 하나를 꺼내 염왕도에게 건네주었다.

"이게 무엇이오?"

"독각망이 채주께 드리라고 했습니다. 전체 백 냥 중 절반이니 같이 합심해서 일단 마차부터 옮기고 보자고요."

"하. 이런 미친 인간을 보게. 내 땅을 빼앗아 가놓고 한 식경도 안 되어 쉰 냥을 주면서 합심해서 마차를 옮기자고? 도대체 뇌가 있는 거야? 없는 거야?"

"그래서 더 위험합니다. 수적이라는 본분도 망각하고 나무를 찍어 가겠다고 곤산을 오르면 어쩌시겠습니까?"

"그거야말로 내가 바라는 일이지. 교룡이 물속에서야 영험할지 모르나 산으로 들어오는 순간 도마 위의 생선에 불과할 뿐이오. 후후."

"이백 마리가 한꺼번에 올라오면 어떻습니까? 수하들을 한 명도 잃지 않고 전부 토막 칠 자신 있으십니까?"

"……!"

"참으셔야 합니다. 오늘만 참으면 장사곡 협도는 고스란히 대별채의 수중으로 들어오고 교룡채의 채주를 바보로 만들 수 있는데, 구태여 피 흘리며 싸울 이유가 무엇입니까. 안 그렇습니까?"

염왕도는 즉답을 피한 채 한참이나 생각에 잠겼다. 생각해 보나 마나 동의를 하고 나설 것이다. 그의 말처럼 뇌가 한 숟가락이라도 있다면 내 말이 맞다는 걸 알 테니까.

"향시에 장원급제했다더니 과연 탁월한 식견이오. 내 사공자께서 시키는 대로 하겠소. 그리고 대별채를 향한 변함없는 의리에 감사드리는 바이오."

"별말씀을요. 당연히 해야 할 일을 했을 뿐입니다."

"아니오. 내 오늘 일은 절대 잊지 않을 것이오."

"정 그러시면 부탁 한 가지 드려도 되겠습니까?"

"무엇이오?"

"곤독을 조금만 얻을 수 있을까요?"

"곤독은 무엇에 쓰시려고?"

"살다 보면 한 번쯤은 독을 요긴하게 쓸 날이 오지 않겠습니까? 곤산곤독이라는 말에 아까 교룡채 수적들이 새파랗게 질리는 걸 보고 더 그런 생각이 들었습니다."

"껄껄껄. 좋소이다."

그러더니 당장 품속에서 대나무 젓가락 통 하나를 꺼내서 내밀었다.

"이게 뭡니까?"

"생긴 것 젓가락 통이나 아래에서 손가락 한 마디 정도 곤독을 솜에 적셔놓았소. 필요할 때 젓가락으로 찍어 써도 되고, 꾹 누르면 독액이 흘러나올 것이오. 단 한 방울이면 코끼리도 쓰러뜨릴 수 있소."

"한데 왜 젓가락 통 속에……?"

"위장이오. 지니고 다니기도 좋고, 아무 데서나 꺼내서 만지작거려도 누구 하나 의심하는 사람이 없지. 후후."

"과연 그렇군요. 저도 젓가락 통 속에 극독이 들어 있을 거라고는 상상도 못 했습니다."

"노파심에서 하는 말인데, 아무 생각 없이 젓가락을 꺼내서 음식을 집어 먹지 않도록 조심하시오. 그날이 제삿날이 될 테니까."

"명심하겠습니다. 그나저나 이런 극독은 같은 무게의 황금보다 비싸다고 하던데, 이렇게 많은 양을 주셔도 되는지 모르겠습니다."

"사공자께서 보여준 의리에 대한 대별채의 성의요. 사양치 말고 받아주시오. 그리고 이 돈도 가져가시오."

그러면서 전낭도 돌려준다.

"전낭은 또 왜?"

"천룡표국에서 교룡채 놈들에게 준 돈을 내가 대신 돌려드리겠소."

"그걸 왜 대별채에서 주시는 겁니까?"

"사공자의 말이 맞소. 애초에 우리가 받는 통행세는 장사곡 협도를 가는 동안의 안전과 편리를 보장해 드리는 대가요. 갑자기 나타난 불한당 놈들을 치워 드리지 못했으니, 당연히 그놈들에게 빼앗긴 돈은 장사곡의 주인인 우리가 보상해 드리는 게 맞지 않겠소?"

그러면서 자신들이야말로 장사곡 협도의 진짜 주인이라는 걸 은근 슬쩍 다시 한번 강조한다. 나중에라도 천룡표국이 다시 교룡채에 붙을까 살짝 걱정되는 모양이다.

나도, 남궁소소도, 가불염도 눈이 휘둥그레졌다.

이것까진 솔직히 계산 못 했다.

"중얼중얼……."

"중을 잡아먹었소? 아까부터 뭘 그렇게 혼자 중얼거리오?"

산에서 내려오는 길에 남궁소소에게 물었다.

"기가 막혀서 그렇습니다."

"무엇이?"

"원래 우리는 강물이 범람해 길을 건널 수 없었습니다. 누가 봐도 물이 빠질 때까지 최소한 하루 정도는 기다려야 했지요."

"처음엔 그랬지."

"한데 갑자기 수적들이 나타나 시비를 걸었고, 일이 더할 나위 없이 복잡하게 얽혔나 싶었는데, 어느 순간 갑자기 모든 게 '펑!' 하고 해결되어 버렸습니다. 수적들도 격퇴하고, 물길도 건너고."

"그건 아주 작은 이득에 불과합니다."

가불염이 조용히 끼어들었다.

"이게 작은 이득이라고요?"

"장사곡 협도는 상습 침수 구간입니다. 한데 대별채의 녹림들이 길을 메우고 닦아놓으면 일 년에 절반은 반나절이나 돌아가던 길을 전부 이곳으로 바꿀 수 있습니다. 그 엄청난 일을 공짜로 부려먹게 생겼습니다."

"설마 그런 계산까지?"

남궁소소가 한없이 존경스러운 눈빛으로 나를 보았다.

남궁소소의 말도 맞고 가불염의 말도 맞다. 나는 이 모든 걸 계획했고, 다행히 큰 변수 없이 그대로 이루어졌다. 이는 염왕도와 독각망이 멍청해서도, 내가 뛰어나서도 아니다. 오직 한 가지, 내가 미래를 알고 있어서였다. 남들은 모르는 미래를 알고 있다는 게 이 정도로 막강한 힘을 발휘할 줄은 미처 몰랐다.

그러나 전혀 예측 못 한 것도 두 가지가 있었다. 하나는 염왕도가 전낭을 돌려줄 거라는 것이었고, 다른 하나는……

"그런데 말입니다."

가불염이 말했다.

"처음에 염왕도에게 준 통행세가 왜 쉰 냥밖에 안 되는 겁니까? 애초 독각망에게 전낭 세 개에 백오십 냥을 주었으니 절반이면 일흔다섯 냥이어야 하는데 말입니다. 염왕도는 또 왜 그걸 당연한 것처럼 받아들이고요."

"······!"

"······!"

"그리고 대별채에게 부서진 수레바퀴 값도 받아내야 할 텐데 말입니다. 한, 쉰 냥쯤 받으면 될까요?"

"······!"

"······!"

"방금 염왕도에게 돌려받은 쉰 냥은 장 표두에게 다시 드려야 하겠지요?"

이 정도면 나와 남궁소소의 걸음이 멈춰질 수밖에 없었다. 하필 걸려도 가불염에게 걸리다니. 집법당으로 끌려갈 생각에 남궁소소는 벌써부터 얼굴이 창백해져 있었다.

나는 최대한 차분하게 말했다.

"그게 말입니다······."

"말을 한 마리만 내주십시오."

"예?"

"앞으로 사흘 동안 표사들은 말을 타지 말라고 명령하셨지 않습니까? 저는 좀 열외를 시켜주십시오. 앞서거니 뒤서거니 하며 척후도 살펴야 하고, 임무를 제대로 수행하려면 말이 꼭 필요합니다."

"그 말씀은······."

"저는 아무것도 못 봤습니다."

어안이 벙벙해졌다. 눈앞에 있는 이 사람이 정녕 내가 알던 그 무뚝뚝하고 융통성 없는 가불염이 맞는지 의심스러웠다. 완벽한 임무 수행을 위해서라면 이 정도 타협은 가능하다 이건가?

그때 남궁소소가 불쑥 말했다.

"에잇, 모르겠다. 기왕 이렇게 된 거 저도 조건이 있습니다!"

"……?"

"……?"

"내일 하루는 객잔에서 자게 해주십시오. 푹신한 침상도 그립고, 무엇보다 따뜻한 물에 목욕 좀 하게요. 쟁자수들한테서 이가 옮았는지 가려워 죽을 것 같습니다."

그러면서 슬그머니 가불염의 옆으로 가서 선다. 둘이서 편 먹고 나와 협상을 해보겠다는 수작이다.

"반나절 동안 개고생해서 산적과 수적을 치워놓았더니 2인조 노상강도가 나타났네."

8장
오지산 천지령

장사곡 협도를 통과한 다음 날 표행단은 첫 번째 목적지인 양주에 도착했다. 마차 다섯 대에 실린 비단을 상단에 넘겨주고 나자 표물은 이제 감악산까지 가는 강시 아홉 구만 남았다. 그리고 남궁소소의 강력한 요구(?)에 따라 일행 전부가 처음으로 객잔에서 묵었다.

다음 날 아침, 우리의 최종 목적지가 감악산이라는 말을 들은 어느 상방이 그곳까지의 양곡 운송을 의뢰해 왔다. 천룡표국의 명성이 높다 보니, 표행 중에 깃발만 보고도 찾아와 의뢰를 하는 경우가 종종 있다. 이런 의뢰를 '편승표물'이라고 한다. 그래서 다시 여섯 대의 마차에 양곡과 아홉 구의 강시를 나눠 싣고 출발했다.

그때부터는 남궁소소가 선두에서 길을 잡았다. 그 뒤를 가불염과 내가 차례로 따랐다.

장량기가 다가와 물었다.

"가신 일은 잘되었습니까?"

"무슨 일 말입니까?"

"볼일이 있다시며 아침 식사로 나온 국수도 거르시고 가불염 풍진양과 함께 어딜 바삐 가셨다가 오셨지 않습니까……."

"아, 잘 처리하고 왔습니다."

"옷에 잔뜩 닭고기 냄새를 묻히고요."

"……!"

이 인간이 말을 할 거면 한 번에 쭉 이어서 할 것이지. 중간에 끊었다 하고 지랄이야 지랄은.

"지나는 길에 거지들이 병든 닭을 잡아서 모닥불에 구워 먹고 있더군요. 날씨가 쌀쌀해 잠시 곁불을 쬐었는데, 그때 냄새가 뱄나 봅니다."

"아직도 입가에 기름이 묻어 있습니다만."

앞서가던 가불염과 남궁소소가 저도 모르게 얼른 소매로 입술을 훔쳤다가, 뒤늦게 속았다는 걸 깨닫고 등짝이 어색하게 굳었다.

저런 멍청한 인간들 좀 보소.

솔직히 말하면 두 사람을 데리고 요릿집으로 가서 지네와 대추를 넣고 황토로 싸서 구운 특제 닭고기를 사 먹고 왔다. 양주가 고향인 남궁소소가 하도 맛있는 집이 있다고 그래서. 안 가면 무슨 짓을 할지 몰라서. 솔직히 나도 먹고 싶기도 했고.

"하고 싶은 말이 무엇이오?"

"전낭은 잘 전달이 되었겠지요?"

"전낭? 무슨 전낭?"

"이틀 전 대별채와 교룡채의 분쟁을 해결하겠다고 하셔서 전낭을 세 개나 드렸지 않습니까?"

"그래서 잘 해결했잖소. 뭐가 문제요? 설마하니 염왕도와 독각망이 돈도 받지 않고 합심해서 우리를 건네줬을까 봐? 그게 말이 된다고 생각하시오?"

"전 그냥 궁금해서……."

"장 표두는 그게 문제요. 차라리 밥을 많이 먹을지언정 말을 좀 줄이시오. 만 가지 시비가 말에서 비롯되는 법이오. 방금 그 말도 날더러 전낭을 가로챘냐고 물은 거잖소."

"그렇게 들리셨다면 사과드리겠습니다."

"그만합시다. 표행도 끝나가는 마당에 나도 이젠 지치오. 장 표두와 더는 싸우고 싶지도 않고."

그러면서 나는 이제는 능숙해진 솜씨로 말을 재촉해 앞으로 나아갔다. 이어 남궁소소와 말 머리를 나란히 하며 물었다.

"길은 잘 잡고 있는 거요?"

"물론입니다."

"얼마나 걸릴 것 같소?"

"양주에서 감악산까지 가려면 원래 닷새는 걸립니다. 하지만 제가 지금 가고 있는 곳을 가로지르면 사흘로 단축할 수 있죠."

"도대체 그곳이 어디오?"

"귀곡성림(鬼哭成林)입니다."

귀곡성림이라는 말에 나도, 가불염도 표정을 굳혔다. 뒤를 돌아보니 장량기도 안색이 굳었다. 양주에서 감악산으로 가는 길에 나오는 귀곡성림은 오랜 경력의 표사나 쟁자수라면 누구나 알고 있는 곳이었다.

나는 모른 척 물었다.

"귀곡성림이 어떤 곳인지 아시오?"

"하늘을 향해 뻗은 아름드리나무로 울창한 곳입니다. 끝이 안 보이는 광활한 숲에 봄에는 기화요초가 만발하고, 지금처럼 가을에는 밤과 개암 같은 온갖 열매들이 땅에 떨어져 있어 그걸 주워 먹으며 가는 재미도 있고요."

"아름다운 숲에 시간까지 단축되는데도 불구하고 사람들이 잘 이용하지 않을 때는 그만한 이유가 있을 텐데."

"원래는 상단이며 표국들 전부가 이쪽 길로 다녔습니다. 그러다 20년쯤 전이었나? 용화교(龍華敎)의 교도 천여 명이 들어와 촌락을 이루고 살면서 사람들의 발길이 뚝 끊어졌습니다."

"어찌하여?"

이 질문에는 어느새 곁으로 다가온 장량기가 대답했다.

"좋게 말해 용화교지, 실제로는 정체를 알 수 없는 신을 섬기는 사교 집단입니다. 자기들끼리 무슨 짓을 하는지 온갖 괴질에 시달리는데, 아픈 곳과 병치해서 정상인의 그것을 떼다가 삶아 먹으면 낫는다는 속설 때문에 걸핏하면 지나가는 사람을 사냥하기 때문이지요."

"사람을 사냥한다고요?"

"밤이고 낮이고 할 것 없이 척후병들이 곳곳에 숨어 있다가 외부인들이 나타나면 신호를 보냅니다. 그러면 촌락에 있던 모든 사교도들이 일을 하다가도, 잠을 자다가도 뛰쳐나와 인간 사냥을 시작합니다. 오로지 잡아먹기 위해서."

"식인종이 따로 없군요."

"적지 않은 상단과 표국 사람들이 그렇게 당했습니다. 성난 인근의 표국들이 연합하여 몇 차례 토벌전도 벌이고 했지만, 귀곡성림이 워낙 광활한 데다 교주라는 자의 용병술과 진법술이 신출귀몰해 번번이 실패했습니다."

장량기는 다시 남궁소소에게 물었다.

"감악산까지 가는 시간을 사흘로 단축할 수 있다는 게 귀곡성림 옛 길로 지나가는 것이었소? 그렇다면 이 표행을 당장 멈출 것을 요청하는 바이오."

"용화교의 교도들이 귀곡성림으로 들어오는 외부인을 사냥해 잡아먹는다는 소문은 반은 맞고 반은 틀립니다. 그러나 어느 쪽이든 제가 함께 간다면 아무 일 없을 테니 염려 붙들어 매십시오."

"귀하가 무슨 수로?"

"정확히 말하면 제가 아니라 저희 할아버지 때문입니다. 개인적인 사정상 귀곡성림의 교도들이 저희 할아버지를 매우 두려워한다는 정도만 말씀드리겠습니다."

그날 저녁 표행단은 귀곡성림에서 저녁을 맞았다. 운이 좋았는지 아직까지 사교도들의 낌새는 없었다.

남궁소소 말로는 귀곡성림이 워낙 광활해서 용화교도들을 만나는 것도 쉬운 일은 아니라고 했다. 그래서 곳곳에 그렇게 많은 척후병들이 숨어 있는 것이고.

사실 귀곡성림은 나도 계산에 있었던 곳이다. 다만 여길 어떻게 통과해야 하나 고민하고 있었는데, 뜻하지 않게 남궁소소가 알아서 인도

해 주니 속으로 쾌재를 불렀다.

장사곡 협도를 통과하면서 시간을 하루나 줄였다. 그리고 이곳 귀곡성림을 통과하면서 또 하루를 줄일 것이다. 합치면 전생의 여정에 비해 이틀이나 줄어드는 셈이다. 게다가 가는 길도 완전히 달라졌다. 전생에서는 지금으로부터 이틀 후, 밤중에 청마산(淸馬山) 입구에서 문제의 고수가 나타나 표사들과 쟁자수들을 몰살하고 사라진다. 그러나 현생에서는 내일 밤이면 최종 목적지인 감악산에 도착해 버린다. 시간으로 따져도, 장소로 따져도 문제의 고수가 나타날 확률은 매우 낮다.

그러나 마지막까지 방심해선 안 된다. 본래 예상되는 만 개의 일이 무서운 게 아니고, 만에 하나가 무서운 법이다.

표두의 권한을 위임받은 마지막 날인 오늘, 나는 표사들을 전부 불러 모았다.

"경계는 어떻습니까?"

먼저 가불염에게 물었다.

"주변 백여 장을 살폈지만 수상한 흔적은 없습니다. 두 명의 표사와 세 명의 쟁자수를 일조로 해서 반 시진씩 돌아가며 번을 서기로 했습니다."

"횃불이고 모닥불이고, 작은 불씨 하나라도 피웠다가는 경을 칠 거라는 말도 모두에게 전하셨겠지요?"

"물론입니다."

얘기를 듣고 있던 남궁소소가 불쑥 끼어들었다.

"누차 말씀드렸습니다만, 용화교도들이 나타나면 제가 무조건 해결할 수 있습니다. 구태여 불을 피우지 못하게 할 이유가 있을까요?"

"조용히 갈 수 있는 길을 구태여 떠들며 갈 필요도 없지 않겠소? 게다가 휘영청 보름달까지 떠서 앞을 보는 데도 큰 지장이 없고."

나는 최대한 흔적을 남기지 않고 조용하고 은밀하게 이 숲을 통과하고 싶었다. 특히 목격자들을 만들고 싶지 않았다. 그러기엔 귀곡성림만큼 적당한 곳이 없었다.

"불 없이 밤을 보내기엔 날이 너무 춥습니다."

"하루만 참으시오. 다른 사람들도 마찬가지고."

나는 다시 가불염에게 말했다.

"표사를 네 명으로 늘려 동서남북 사방을 살피십시오. 첫 번째 번은 저도 함께 서도록 하겠습니다."

"알겠습니다."

충직한 가불염은 이것저것 따지지 않았다. 미루어 짐작하건대 질문 자체가 내 권위를 훼손시킬 수 있다고 생각하는 것 같았다. 자신이 지키는 사람의 위엄까지 고려하는 건 정말 좋은 태도다. 이 사람은 반드시 내 사람으로 만들어야겠다.

"쟁자수들 말타기는 좀 성과가 있었습니까?"

늙은 상자수 왕삼보에게 물었다. 오늘은 쟁자수들을 대표해 그를 특별히 참석시켰다.

"다들 이제 곧잘 탑니다."

"고작 사흘 만에요?"

"고작 사흘이라고는 하나 해가 뜰 때부터 시작해 저녁까지 종일 탔으니까요. 따로 한 달 동안 연습한 사람들보다 낫습니다."

"다행이군요."

"다들 말 타는 걸 배워두어야지 하고 생각은 하고 있었습니다. 다만 비용에 시간에 좀처럼 마음을 먹지 못했는데, 사공자님께서 이렇게 기회를 주시어 감사드립니다."

개는 밥 주는 사람을 따르고, 사람은 자신의 가치를 알아주는 사람을 따르는 법이다. 단 열흘 만에 쟁자수들은 전부 내 편이 되어버렸다.

쟁자수들이 좋아하면 할수록 표사들의 얼굴은 반대로 일그러졌다. 쟁자수들이 편한 만큼 자신들은 개고생을 해야 했으니까.

"인사는 제가 아니라 표사님들께 하셔야죠. 지난 사흘 동안 일곱 표사들의 배려를 쟁자수들은 잊어선 안 될 것입니다."

"표사님들께도 감사드립니다."

왕삼보가 자리에서 일어나 표사들에게 공손히 포권지례를 했다.

나도 얼른 숟가락을 얹었다.

"저 역시 마찬가지입니다. 지난 사흘 동안 얼뜨기 거인표사의 터무니없는 명령에도 모두 군말 없이 따라주어 고맙습니다. 언젠가 이 신세는 꼭 갚도록 하지요. 특별히……."

나는 장량기를 돌아보며 덧붙였다.

"장 표두께는 그동안 짓궂게 굴어 죄송하다는 말씀을 드립니다. 모두 제가 성질이 고약한 탓입니다."

"……?"

"약속대로 내일부터는 장 표두께서 다시 표두가 되십시오. 그리고 표사와 쟁자수들을 잘 이끌어 마지막까지 안전하게 표국으로 데려가주시길 부탁드립니다."

갑자기 공손해진 내 태도에 장량기가 어리둥절한 표정을 지었다. 하지만 나쁜 말이 아니니 멋쩍어만 할 뿐 달리 이유를 묻지 않았다. 분위기가 훨씬 부드러워진 것도 사실이었다. 그 분위기를 틈타 조용히 장량기에게 물었다.

"그건 그렇고, 선하령에서 있었다는 무림인들 간의 싸움 말입니다. 지금 우리가 싣고 가는 저 강시 아홉 구가 만들어진 원인이 된."

"말씀하시지요."

"그 사정에 대해 아시는 바가 있습니까? 본래 표두들에게는 표사들은 접할 수 없는 정보들까지 제공되는 것으로 알고 있습니다만."

강호인들은 정보가 뛰어난 무림문파를 말할 때 개방(丐幇)과 하오문(下午門)을 쌍벽으로 꼽는다. 정보의 방대함에 있어서 이들 두 방파를 따라갈 곳은 단언컨대 없다. 그러나 정확성만을 놓고 보면 얘기가 조금 달라진다. 중원 전역을 돌아다니는 표사들의 입과 귀를 통해 모아진 표국의 정보는 정확도라는 측면에서 개방과 하오문보다 오히려 나을 때가 많다.

"갑자기 그건 어찌……?"

"아침에 객잔에서 무림인들이 하는 이야기를 우연히 들었습니다. 선하령에서 있었던 혈사가 단순히 협객들이 흉악한 마두를 때려잡으려다 벌어진 일이 아니라고요."

장량기는 잠시 뜸을 들이며 주변을 돌아보았다. 나뿐만 아니라 다른 표사들도 모두 비슷한 얘길 들은 모양이다. 이미 파다한 이야기를 숨길 이유는 없었다.

"오래전부터 해남도 오지산(五指山)에 천지령(天地靈)이라는 천 년 묵은 영물 지렁이가 산다는 소문이 전해져 왔습니다."

"지렁이라고요?"

"낮에는 땅속 깊은 곳에 잠들어 있다가 밤만 되면 밖으로 나와 달빛을 쬐는데, 그 기운이 얼마나 응축되었는지 잡아먹으면 100년의 공력을 얻을 수 있다고 합니다."

"그런 게 실제로 존재하긴 하는 겁니까?"

"존재하는 걸로만 따지면 그보다 더 놀랍고 영험한 영물들도 얼마든지 있을 거라고 확신합니다. 문제는 그것이 사람의 손에 잡혔다는 것이지요."

"……!"

"이는 50년에 한 번 있을까 말까 한 일로, 무림인의, 그것도 일류고수의 손에 들어가면 천하십대고수의 명단이 바뀔 수 있을 만큼 어마어마한 사건입니다."

백년공력, 천하십대고수……. 연이어 흘러나온 두 강력한 단어에 사람들은 모두가 불 속에 던져진 조개처럼 입이 쩍 벌어졌다.

"한데 그게 선하령 혈사와 무슨 관련이 있습니까?"

"처음 천지령을 잡은 사람은 해남도의 평범한 약초꾼이었다고 합니다. 그는 자기가 잡은 게 무엇인지도 모르고 여기저기 자랑하고 다니다가 그만 무림인으로 짐작되는 누군가에게 쥐도 새도 모르게 죽임을 당했죠."

귀물은 본래 피를 부르는 법이다. 경험 많은 늙은 약초꾼이었다면 분명 조심했을 터인데, 젊은 약초꾼이 제 명을 재촉했다.

"이후 천지령을 손에 넣은 사람은 계속해서 보다 강한 고수에게 죽어 나갔습니다. 그러다 한 달쯤 전엔 강서성에서 어떤 마두가 마지막으로 차지했고요."

"모산파의 도사께서 말씀하신 그 마두로군요."

"그렇습니다. 이후 마두는 강서성과 절강성의 경계에 있는 선하령에 숨어들었습니다. 선하령은 백 리에 걸쳐 뻗어 있는 데다 대낮에도 햇볕이 들지 않을 만큼 울창한 수림으로 유명한 곳이지요. 마두는 그곳에 은거하며 사람들을 눈에 보이는 족족 산 채로 잡아다 천지령의 먹이로 던져주었다고 합니다."

"사람을 지렁이의 먹이로 던져주었다고요?"

"천지령의 독성이 너무 강해서 살아 있는 사람들에게 먼저 산 채로 먹여 중화해야 한다더군요. 저도 그 방면으로는 전문가가 아니어서 자세히 알지는 못합니다."

"하면 양민들이 백 명씩이나 죽었다는 게?"

"그렇다고 합니다."

"이런 쳐 죽일!"

"이후 마두는 백여 명의 고수들로부터 협공을 받았습니다. 무려 닷새 동안이나 숨고 싸우기를 반복한 끝에 절반이 넘는 무림고수들이 죽거나 다쳤습니다. 마두 역시 중상을 입고 선하령의 더 깊은 숲으로 숨어버렸고요."

"그래서 어떻게 되었습니까?"

"시간이 흐를수록 무림인들이 대거 몰려들었습니다. 흑도와 백도를 구분할 것 없이 난다 긴다 하는 무림인 천여 명이 선하령 일대에 천라지망(天羅地網)을 편 채 포위망을 좁혀가고 있지만, 아직도 마두의 종적을 찾지 못했다고 합니다. 그게 마지막으로 들은 소식입니다."

"마두가 아니라 영물이 사람들을 불러 모았군요. 가만, 혹시 우리가 운송하고 있는 아홉 구의 강시들도……."

표사 하나가 조소 어린 표정으로 말했다.

이건 사람들로 하여금 표행에 대한 근본적인 회의가 들게 할 수도 있었다. 설사 사실이라 할지라도, 표행 중에 쟁자수도 아닌 표사의 입에서 이런 말이 나오는 건 좋지 않다.

내가 한마디 하려는데 남궁소소가 가로챘다.

"선배님 말씀도 맞습니다. 하지만 영물을 탐하는 사람들만큼이나 그것이 악인의 손에 들어가는 걸 우려하는 협객들도 많을 것입니다. 전 그렇게 확신합니다."

장량기도 표사를 나무랐다.

"아홉 구의 강시와 그들이 속한 문파는 나도 잘 아는 곳이다. 그들이 영물을 욕심내 선하령을 올랐을지는 모르나, 과거 협의가 높았던 무인들인 것 또한 사실이다. 망자들에 대한 예의를 갖춰라."

"제가 실언을 했습니다."

남궁소소에 이어 장량기까지 나서자 표사는 황급히 꼬리를 내려 버렸다.

내가 다시 장량기에게 물었다.

"그 마두는 도대체 어떤 인간입니까? 이미 소문이 파다하게 퍼졌을 테니 이것이야말로 더는 비밀일 이유가 없을 것 같습니다만."

"화조신옹(花釣神翁)이라는 늙은이입니다. 광동성 십만대산에서 홀로 초옥을 짓고 살던 자인데, 풍류스러운 별호와 달리 반미치광이에다 수법 또한 잔인하여 광동 무림인들이 치를 떨었다더군요."

"어떻길래 치를 떨기까지 했다는 겁니까?"

"그에겐 몇 가지 규칙이 있는데, 대꾸를 해도 죽이고 노려보아도 죽이고 보지 않아도 죽인다고 합니다. 또한 제아무리 고수라 할지라도 그와 대화할 때는 최소 3장의 거리를 두어야 하는데, 이는 3장 안으로 들어가면 이미 그에게 목숨을 맡긴 것과 다름이 없기 때문이라고 합니다."

"그 정도로 빠릅니까?"

"이미 선하령에서도 증명을 했다시피 마두(魔頭)라는 말이 전혀 부족하지 않을 정도지요. 초절정고수인 것만은 분명하고, 특히 철판을 찢고 바위를 쪼갠다는 백골추명조(白骨追命爪)는 무림일절이라고 들었습니다."

"그렇다고 무적은 아닐 것 아닙니까?"

"일생에 단 한 번 패배를 했는데, 그게 현 남궁세가의 가주이신 뇌검 남궁유룡 대협과의 일전이었다고 합니다. 그때 제왕검(帝王劍)의 일초에 당한 검흔이 아직도 얼굴에 번개처럼 선명하게 남아 있다더군요."

슬쩍 남궁소소를 돌아보니 눈동자에 자부심이 가득하다. 역용을 한 처지에 마음 놓고 자랑도 못 하고 속이 얼마나 답답할까.

"만에 하나 그를 만나면 대꾸도 하지 말고, 눈을 똑바로 쳐다보지 않으면서 최소 3장 이상의 거리를 유지해야겠군요. 이걸 누가 완벽하게 지킬지. 앞으로도 많은 사람들이 죽을 것 같습니다. 선하령에서 어떻게든 잡혔더라면 좋았을 것을."

"예?"

"객잔의 무림인들에게서 또 다른 이야기도 들었습니다. 아무래도 선하령의 천라지망이 뚫린 것 같다고요. 천여 명의 무림인들이 번견(番犬)까지 동원해 선하령을 샅샅이 뒤졌지만, 화조신옹도 천지령도 감쪽같이 사라지고 없었답니다."

마지막 말은 사실이지만 아직 이곳까지 전해지지 않은, 다시 말해 내가 임시변통으로 앞질러 지어낸 말이나.

예상했던 대로 사람들의 표정이 급격하게 어두워졌다.

그럴 리야 없겠지만, 이 정도면 만에 하나 화조신옹을 만나더라도 어찌 된 영문인지 몰라 우왕좌왕하는 일은 없을 것 같다. 막상 그때가 되면 여전히 기절초풍하겠지만, 최소한 머릿속의 혼란을 빨리 끝낼 수는 있을 것이다. 실전에서는 촌각의 판단과 결정에 생사가 갈리는 법이다.

"이런, 벌써 밤이 깊었군요. 다들 오늘 하루도 고생 많으셨습니다. 마지막으로 안전한 귀환을 기원하며 술이나 한 잔씩 들이켜고 해산하죠."

나는 허리춤에 묶어둔 조롱박 호리병을 풀었다. 이어 한 모금을 죽 들이켠 후 장량기에게 내미는 순간이었다.

쾅!

굉음과 함께 관을 실은 마차가 터져 나갔다. 예닐곱 개의 관짝이 반쯤 부서진 채 허공으로 솟구치더니 강시들을 토해냈다.

잠시 후, 아무런 대책도 없이 텅텅 소리를 내며 떨어지는 강시들에게선 더 이상 망자의 존엄 따윈 찾아볼 수 없었다.

그때 아직 마차의 바닥에 남아 있던 관 중 하나에서 늙은 강시 한 구가 벌떡 일어나 앉았다.

"……!"

"……!"

"……!"

강시는 정신을 차리려는 듯 고개를 한차례 세차게 흔들었다. 이어 좁은 관짝의 좌우 판자를 양손으로 잡아 종잇장처럼 찢어버리면서 몸을 일으켰다. 마차에서 내린 강시는 주위를 한동안 둘러보다가 아무나 대답하라는 듯 말했다.

"여기가 어디냐?"

그러더니 만사가 귀찮다는 듯 고개를 절레절레 흔들고 또 말했다.

"그냥 모두 죽어라."

사람들은 모두 어안이 벙벙해졌다. 갑자기 강시가 관짝들을 부수며 깨어나 말을 하는 것도 미칠 지경인데, 밑도 끝도 없이 모두 죽으라니.

"다들 고개를 숙이고 움직이지 마시오!"

"육검진(六劍陣)을 펼쳐 강시를 제압하라!"

앞말은 내가, 뒷말은 장량기가 외쳤다.

채채채챙!

오랜 세월 장량기와 함께했던 다섯 명의 표사들이 일제히 도검을 뽑아 들고 강시를 덮쳐갔다.

그런데…….

뻐버벙!

세 명의 표사가 동시에 나가떨어져 버렸다. 나머지 두 명은 칼도 떨어뜨리고 강시의 양손에 목줄기를 잡힌 채 허공에서 버둥거렸다. 그때쯤엔 장량기가 장검을 뽑아 들고는 강시의 정강이를 질풍처럼 베어가고 있었다.

"죽엇!"

순간, 강시가 양손에 쥐고 있던 표사들을 아무렇게나 던져 버린 후 허공으로 쭉 솟구쳤다. 이어 장량기의 뒤쪽으로 천 근의 바윗덩어리처럼 뚝 떨어져 내렸다.

장량기가 벼락처럼 돌며 허리를 베어갔다. 하지만 그의 검은 궤적을 절반도 그리지 못해 뚝 멈추더니 갑자기 강시의 오른손으로 옮겨져 버렸다. 그 사이 강시의 왼손은 장량기의 목줄기를 움켜쥐었다.

"컥!"

무엇을 어떻게 했는지 보이지도 않았다. 순간, 내 머릿속으로 가불염의 다급한 전음이 들려왔다.

[조용히 넘어가긴 틀렸습니다. 지금 당장 사공자님만이라도 몸을 빼십시오. 더 늦으면 기회가 없을 것입니다!]

그사이 처음 나가떨어졌던 표사 세 명이 칼을 뽑아 들고 강시를 에워쌌다. 목줄기를 잡혀 버둥대다가 버려졌던 표사 둘도 역시 칼을 뽑아 들고 가세했다.

그 순간 가불염이 표사 한 명의 등을 박차고 날아올랐다. 순식간에 강시의 전권 깊숙한 곳으로 뛰어든 그는 칼끝으로 세 가닥의 빛줄기를 허공에 그려냈다. 훗날 그에게 금라도(金羅刀)라는 별호를 안겨주는 능공십팔도(凌空十八刀)의 절초였다.

"갈!"

그러나 번개 같은 기습조차도 단정하게 묶은 강시의 상투를 자르는 데 그쳤을 뿐이었다. 가불염은 두 번의 날카로운 초식을 더 펼쳤지만, 세 번째에서 유령에게라도 당한 듯 순식간에 칼을 빼앗겨 버렸다.

그러곤 장량기처럼 강시의 다른 손에 목줄기를 잡힌 채 번쩍 들어올려졌다. 서 푼의 힘만 주어도 목이 부러져 죽어버리는 상황. 두 사람은 그저 강시의 손목을 붙잡고 몸무게라도 줄이는 것 외에는 할 수 있는 게 없었다.

그사이 강시는 묶여 있던 머리카락이 풀어 헤쳐지면서 산발이 되었다. 안 그래도 흉측한 모습이 더욱 섬뜩해 보였다.

그야말로 어른과 아이의 싸움이라고밖에 말할 수 없을 만큼 압도적인 무공이었다. 특히 장량기와 가불염은 일류라고 평가되던 무인들인데 오초지적조차 되지 않자 사람들은 모두 공황 상태에 빠져 버렸다.

"다들 3장 밖으로 물러나라니까. 어서!"

내가 또다시 일갈했다. 표사들이 어리둥절해하면서도 뒤로 조금씩 물러났다. 반대로 나는 3장 안으로 들어갔다. 이어 늙은 괴물 강시를 향해 차분하게 포권지례부터 올렸다.

"어서 오십시오. 선배님. 기다리고 있었습니다."

표사와 쟁자수들의 눈이 휘둥그레졌다. 강시를 향해 선배님이라고 부르는 것으로도 모자라 기다렸다고 하니 다들 놀라 나자빠질밖에. 한데 놀라긴 강시도 마찬가지인 것 같았다.

"내가 누군지 아느냐?"

"화조신옹 선배님이 아니십니까?"

나는 일부러 화조신옹이라는 말에 힘을 주었다. 표사와 쟁자수들이 바로 직전 장량기에게 들었던 말들을 상기하고 행동에 각별히 주의하기를 바라면서.

이번에야말로 표사와 쟁자수들의 눈이 허옇게 뒤집혔다.

그런데 사실 내가 훨씬 더 놀라고 당황했다. 호랑이도 제 말 하면 온다더니, 아직 말이 끝나지도 않았는데 진짜로 호랑이가 나타날 줄이야. 그것도 내가 운송하고 있는 관 속에서 튀어나올 줄이야.

"네놈은 누구냐?"

"우선 선배님의 수중에 잡혀 있는 저의 두 동료에게 아량을 베풀어 주십시오. 하면 반드시 선배님께 좋은 일이 생길 것입니다."

"지금 나와 협상을 하려는 것이냐?"

화조신옹의 두 눈동자가 노랗게 변했다. 양손에도 힘을 주었는지 장량기와 가불염의 얼굴이 고통으로 일그러졌다.

"선배님께서 마음만 먹으신다면 여기 있는 우리 모두 파리 목숨인 걸 잘 알고 있습니다. 어차피 도망도 못 갈 텐데 서두르실 필요 없지 않겠습니까? 우선 목이나 축이시지요."

그러면서 나는 그때까지 들고 있던 술 호리병을 서둘러 화조신옹에게 던졌다. 술병을 받으려면 최소한 한 명은 손에서 놓아야 할 테니까.

예상은 적중했다. 화조신옹이 장량기를 홱 던져 버리고는 공중에서 술 호리병을 낚아챘다. 그러곤 두어 모금을 들이킨 후 말했다.

"소흥주(紹興酒)라. 항주 놈들은 돈도 많으면서 이런 싸구려 술을 좋아한단 말이야."

그사이 나는 표사들에게 재빨리 눈짓했다. 표사들이 얼른 장량기에게 다가가 이쪽으로 끌고 왔다. 다행히 목뼈가 부러지진 않은 것 같았다.

아직도 화조신옹의 다른 손엔 가불염이 붙잡혀 있었다.

"강호에 명성이 자자하신 노선배님을 이렇게 뵙게 되어 영광입니다."

"객쩍은 소리가 많구나. 내가 화조신옹이라는 건 어떻게 알았는지, 나를 기다리고 있었다는 건 또 무슨 뜻인지 말해보아라. 호리병의 술을 모두 비우기 전에 끝내야 할 것이니라. 술이 떨어지는 즉시 모조리 죽여 없앨 것인즉. 그리고……."

"……!"

"내 허락 없이 한 놈이라도 도망치려 했다간 그 자리에서 이렇게 될 테니 그리 알아라."

말과 함께 화조신옹이 바닥에 있는 돌멩이 하나를 발로 툭 차올렸다. 돌멩이는 허공을 날아 어둠 속으로 사라지나 싶더니 '퍽!' 소리를 끝으로 잠잠했다.

잠시 후, 저만치 나무 꼭대기로부터 커다란 원숭이 한 마리가 뚝 떨어졌다. 한데 머리통이 박살이 나고 없었다. 사람들은 너 나 할 것 없이 충격에 빠졌다.

그리고 모두가 나를 보았다. 자신들의 생사가 나에게 달려 있음을 본능적으로 깨달았기 때문이다.

"선하령에서 있었던 혈사에 관한 이야기를 듣고 입장 바꿔 생각해 보았습니다. 제가 만약 노선배님이고 중상을 입은 처지라면, 어떻게 천라지망을 탈출할 것인가 하고요."

"남 걱정을 했다고? 미친놈이군."

"저라면 우선 번견들을 피해 천지령부터 빼돌리겠습니다. 그러려면 유일하게 천라지망 밖으로 나가는 무림인들의 시체만큼 좋은 숙주가 없었을 겁니다. 더구나 시체의 악취는 번견들로부터 천지령 특유의 고약한 냄새까지 감출 수 있지요."

"그래서?"

화조신옹의 표정이 굳어졌다.

"홀가분한 몸이 된 저는 몸에 남은 천지령의 냄새를 지우고 선하령 깊은 곳에 숨어 부상을 치료한 다음 나중에 천라지망을 뚫고 나가 천지령을 회수하겠습니다."

이는 내가 추론한 것이 아니고, 전생에서 표사와 쟁자수들이 몰살당한 후 천룡표국의 일급표사들이 현장을 조사하고 분석했던 내용이다.

표사들은 전부 화조신옹이 외부에서 나타났다고만 생각했다. 한데 그들이 틀렸다. 화조신옹은 강시로 위장해 처음부터 관 속에 있었다. 그것도 모른 채 저 괴수를 마차에 싣고 여기까지 왔다고 생각하니 온몸에서 소름이 돋았다. 더 소름 돋는 건 처음 모산파의 도사에게 이끌려 강시들이 천룡표국으로 들어왔을 때, 화조신옹은 내상을 입기는 했으나 멀쩡한 정신으로 강시 흉내를 내었을 거라는 점이다.

그나저나 대체 어떤 자극이 주어졌기에 저 인간은 전생에서 보다 이틀이나 앞서 깨어난 것일까?

"한데 제가 틀렸군요. 처음부터 이렇게 저희가 호송하는 관 속에 강시로 위장해 계실 줄은 꿈에도 몰랐습니다. 그로 미루어 아마도 지금 그 모습 역시 노선배님의 진짜 얼굴이 아니겠지요?"

화조신옹은 실로 대단한 인간이었다. 다른 사람의 시체로 위장해 무려 이십 일 가까이 관 속에 누워 지내려면 세 가지 상승의 공부가 필요했다.

첫째는 인피면구 제조술이고, 두 번째는 근육을 일시적으로 변형하는 축근공(縮筋功)이고, 세 번째는 심장 박동을 멈추어 끝내는 체온까지 싸늘하게 떨어뜨리는 귀식대법(龜息大法)이다.

나는 지금 겉으로는 태연한 척 말을 하고 있지만, 속으로는 심장이 벌렁거리다 못해 금방이라도 목구멍으로 올라올 것 같았다. 하지만 표사와 쟁자수들은 속도 모르고 나의 분석과 추리력에, 그리고 당면한 현실에 모두 경악을 금치 못하고 있었다.

"선하령 밖으로 나가는 시체는 많았다. 내가 하필 네놈들이 호송하는 강시에 천지령을 숨겼을 줄은 어찌 알았느냐?"

"천라지망이 뚫렸다는 걸 알았을 때 천하인의 눈은 당연히 광동성의 십만대산을 향하겠지요. 그러니 저라면 반대로 장강을 건너 북으로 향할 것이고, 그날 선하령에서 죽은 무림인들 중 강북 무림인들은 아홉 명밖에 되지 않았다고 들었습니다."

"천지령이 네놈들이 운송하는 강시들 속에 섞여 있다는 걸 알았으면 왜 배를 가르고 꺼내지 않았지?"

"순전히 추측만으로 아홉 구의 배를 전부 갈라보라고요? 아무리 천지령이 욕심나도 협명이 자자했던 망자들을 욕보였다가 그들의 문파로부터 무슨 봉변을 당하려고요."

화조신옹이 한 손으로 지금까지 뒤집어쓰고 있던 인피면구를 쫙 찢었다. 그러자 불꽃이 타오르는 것 같은 노란 눈동자와 함께 창백한 얼굴의 칠순 노인이 모습을 드러냈다. 얼굴을 왼쪽에서 오른쪽으로 선명하게 가르고 지나간 번개 모양의 흉터도 있었는데, 남궁유룡의 제왕검에 당했다는 바로 그 칼자국 같았다.

무시무시한 화조신옹의 진짜 용모에 표사와 쟁자수들은 '아!' 하고 낮은 신음을 터드렸다.

"놀라운 놈이로구나. 선하령에 몰려든 무림인 천여 명을 속였는데, 고작 일개 표사에 불과한 놈이 간파했었다니."

"선하령의 천라지망이 뚫렸다는 소식을 들은 후에서야 저도 어떻게 그것이 가능했을까 하고 의문을 품다가 세운 가설입니다."

"그래서 나를 기다린 이유는?"

나는 대답 대신 품속에서 재빨리 폭죽을 꺼내 허공으로 쏘아 올렸다.

슈슈슉 펑!

폭죽은 밤하늘에 긴 꼬리를 만들며 날아오른 후 터졌다.

"뭐 하는 짓이냐!"

놀란 화조신옹이 외쳤다.

"기다려 보시면 압니다."

잠시 후, 수백 장 밖 사방을 둘러싸고 있는 산릉선으로부터 개 짖는 소리가 일제히 울려대기 시작했다.

컹컹! 컹컹!

그 소리가 어찌나 우렁찼는지 듣기만 해도 투지가 느껴질 정도였다. 하지만 그건 시작에 불과했다. 개 짖는 소리가 시작된 다음에는 난데없이 신호용 폭죽이 사방에서 솟구쳐 올라 밤하늘을 수놓았다.

슈슈슉- 펑! 펑! 펑!

폭죽은 어림잡아도 서른 개는 족히 되었는데, 전부 이곳 숙영지 쪽을 향해 비스듬히 쏘아지고 있었다. 마치 처음 쏘아진 신호용 폭죽을 놓친 사람들에게 어디로 달려가야 할지 좌표를 알려주는 것처럼. 귀곡성림에 사는 용화교의 척후병들이 사냥감의 출현을 본진에 알리는 신호였다.

상상도 못 했던 나의 행동에 사람들은 모두 깜짝 놀랐다. 그러나 화조신옹만큼 놀라지는 않았다.

"저것들이 다 무엇이냐!"

"천라지망입니다. 선배님께서 마침내 나타났다고 신호를 보냈으니 길어야 한 식경 후면 남직예의 서른 개 문파에서 동원된 고수 천여 명이 번견을 앞세우고 달려올 것입니다."

"……!"

"선하령에서는 용케도 뚫고 나가셨지만, 이번엔 통하지 않을 것입니다. 하지만 아직 선배님께서 목숨을 보존하실 길이 한 가지 있습니다. 제가 무림인들을 따돌리고 빠져나가는 길을 압니다."

"……!"

"자, 이제 선택을 하십시오. 제 동료들을 모두 살려 보내주고 저와 얘기를 좀 더 해보시겠습니까? 아니면……."

"……?"

"여기서 천지령도 빼앗기고, 일천 무림인들을 상대로 마지막까지 저항하다가 끝내 개밥으로 생을 마감하시겠습니까?"

마지막 말은 어금니까지 빠드득 갈며 말했다. 혹시라도 화조신옹을 만나거든 대꾸를 하지 말고, 똑바로 보지 말 것이며, 3장 안으로 들어가지도 말라고 했다. 한데 내가 지금 그걸 다 하고 있었다. 심지어 협박까지 하고 있었다.

기왕 협박하려면 목숨을 걸고 인정사정없이 몰아붙여야 한다. 그래야 상대가 진짜라고 받아들이고 공포를 느낀다.

남궁소소, 가불염, 장량기를 비롯한 표사와 쟁자수들은 눈 하나 깜짝 않고 거짓말에 협박까지 하는 내 모습에 넋이 나간 얼굴들이었다. 호랑이한테 물려 가도 정신만 차리면 산다. 비록 돌발 상황이 발생했지만, 이번에는 절대로 사람들을 희생시키지 않을 것이다.

그리고 나에게는 만약의 경우를 위해 준비한 계획이 한 가지 더 있었다. 그것까지 쓰게 될 줄은 정말 몰랐지만.

화조신옹이 착 가라앉은 음성으로 물었다.

"나를 잡기 위해 천라지망을 펼쳐놓고 기다렸다면서, 빠져나가는 길을 가르쳐 주겠다는 건 또 무슨 이유이더냐?"

하나의 거짓말을 감추기 위해 세 개의 또 다른 거짓말을 해야 한다더니, 지금 상황이 딱 그랬다. 만약 누가 들어도 그럴듯한 이유를 대지 못하면 지금까지 내가 쌓아 올린 거짓말이 전부 모래성처럼 무너질 것이다.

한 가지 좋은 구실이 있기는 한데, 그게 모양새가 좀 그랬다. 나는 사람들의 눈치를 한번 쓰윽 본 후 에라 모르겠다 하는 심정으로 말했다.

"천지령을 반 토막만 주십시오."

천지령 반 토막을 달라는 내 말에 남궁소소와 장량기 가불염 등은 울지도 웃지도 못하고 표정만 굳었다. 표사와 쟁자수들도 마찬가지였다. 어처구니없는 한마디였지만, 어떻게든 자기들부터 살려 보내려는 내 속셈을 알기에 다들 얼굴이 무거웠다.

나는 속으로 민망하기 짝이 없었다. 하지만 애써 진지한 표정을 지으며 다시 화조신옹을 뚫어지게 보았다. 그는 이미 선하령에서 천라지망에 갇혀 한차례 죽을 고비를 넘긴 일이 있다. 아무리 대범한 인물이라고 해도 불과 스무날 만에 장소를 옮겨 똑같은 상황이 벌어지면 진절머리가 나지 않을 수 없을 것이다.

하지만 이 모든 건 일단 속아 넘어가야 성립이 되는 말이었다.

"푸하하하!"

화조신옹이 앙천광소를 터뜨렸다. 그러다 갑자기 미치광이처럼 웃음을 뚝 그쳤다.

"이제야 네놈이 누군지 생각났다. 그날 모산파의 도사 놈이 나와 강시들을 이끌고 천룡표국을 찾아갔을 때, 네놈이 이렇게 말했었지."

"······!"

"비록 전사자는 아니나 이들 역시 나라를 위해 목숨을 초개 같이 바친 사람들이다. 백성이 곧 나라니까. 하여 이문과 편리를 따지지 말고 운송하는 것이 강호의 도리다."

"······!"

"한데 이제 와서 강시들을 미끼로 천라지망을 펼친 것도 모자라 활로를 알려줄 테니 천지령 반 토막을 달라고?"

"······!"

"네놈을 부르는 늙은 대장궤의 호칭이 아마 사공자였지. 하면 너는 표왕 이종산의 넷째 아들이겠군. 후후. 표왕은 협명이 천하에 진동하는 자인데 어찌 이런 견자(犬子)를 보았을꼬."

"······!"

"하지만 나는 네놈이 마음에 든다. 좋다. 나를 안전하게 빼돌려 준다면 천지령 반 토막을 주마."

당연히 거짓말일 것이다. 상관없다. 내 목적은 천지령이 아니라 어디까지나 그를 속이는 것이니까. 다행히 그는 완전히 속은 것 같았다.

하지만 시간이 없었다. 우물쭈물하다가 용화교의 교도들이 나타나기라도 하는 날엔 모든 게 도로아미타불이다.

"하면 저의 동료들을 보내주시지요. 선배님께서 어디로 가는지를 다른 사람들이 알아선 곤란하지 않겠습니까?"

"나를 바보로 아는 게냐? 그렇다면 더더욱 죽여 없애야겠지. 저들이 네놈이 알고 있다는 그 활로를 이미 알고 있어서 무림인들에게 가르쳐 줄지도 모르니까 말이야."

"저의 동료들 중 단 한 명이라도 목숨을 잃는다면 맹세코 저는 선배 님께 한마디도 하지 않을 것입니다. 쉬운 길을 놔두고 구태여 어려운 길로 가실 이유가 무엇입니까?"

"제법 배짱이 두둑하다만 내게는 안 통한다. 내 다른 놈들을 모조 리 죽인 후 네놈의 입과 귀를 찢고 눈알을 파낼 것이다. 어디 그때에도 입을 다물 수 있는지 보자."

그러면서 화조신옹은 당장 손안에 든 가불염의 목부터 부러뜨리려 했다.

이건 생각지 못한 상황이다. 아무리 미치광이기로서니 무림인 천 명 이 몰려오고 있는 상황에서도 배짱을 부릴 줄이야. 살다 살다 이런 광 오하고 미친 인간은 처음 보았다.

그때였다.

"뇌검(雷劍)이 오고 있어요!"

갑자기 빽 소리를 지른 사람은 남궁소소였다. 뇌검이라는 말에 화조 신옹의 눈동자가 크게 흔들렸다.

그는 남궁소소를 잠시 뚫어지게 바라보다 얼굴을 묘하게 일그러뜨 렸다.

"네년은 누구냐? 왜 남장을 하고 있는 거지?"

남궁소소의 눈동자가 튀어나올 만큼 커졌다. 표사와 쟁자수들 역시 이건 또 무슨 날벼락 같은 소리냐는 표정들이었다.

모두의 시선이 한쪽으로 향했다. 그러나 남궁소소는 이미 각오한 일인 듯 담담하게 말했다.

"어차피 말만으로는 안 될 거라 생각했어요."

그러곤 갑자기 자신의 얼굴 여러 곳의 혈도를 빠르게 짚었다. 순간, 그녀의 얼굴이 밀가루 반죽이라도 된 것처럼 조금씩 변하더니 어느새 본래 모습으로 돌아왔다.

"뭐, 뭐야!"

"진짜 여자잖아!"

"뭐가 어떻게 된 거야?"

표사들이며 쟁자수들이고 간에 입이 쩍 벌어져서 어쩔 줄을 몰랐다. 자신들과 열흘 동안 동행한 거인표사가 역용을 하고 있었다는 사실만으로도 충격적일 것이다. 한데 상상도 못 할 만큼 아름다운 여자가 눈앞에 나타났으니 죄다 놀라 나자빠질밖에.

남궁소소는 나를 향해 말했다.

"나중에 따로 말씀드리죠."

그리고는 허리춤에 있던 검을 벼락처럼 뽑아 휘둘렀다. 곁에 있던 어른 허벅지 굵기의 생나무 밑동이 '쩍!' 소리와 함께 사선으로 깨끗하게 잘려 나갔다. 너무나 깔끔하고 위력적인 검술에 모두의 입이 다시 한번 쩍 벌어졌다.

화조신옹을 비롯해 장량기와 몇몇 표사들의 눈은 특별히 더 커졌다. 검술의 유파를 알아본 것이다.

화조신옹이 착 가라앉은 음성으로 말했다.

"뇌검과 무슨 사이더냐?"

"뇌검 남궁유룡 대협이 바로 저의 조부님이십니다. 이제 뇌검이 오고 있다는 저의 말이 괜한 엄포가 아니라는 걸 아시겠지요?"

화조신옹은 정말로 놀란 표정이었다. 일생에 단 한 번 패배를 안겨준 초절정의 검사. 지금도 그의 얼굴엔 그때 당한 칼자국이 선명하게 새겨져 있었다. 천지령을 복용해 백년공력을 얻었다면 모를까, 현재로선 뇌검의 상대가 되지 않는다는 걸 그도 잘 아는 것이다.

표사와 쟁자수들은 이번에야말로 눈을 허옇게 뒤집어 떴다. 거인표사가 역용을 한 것도, 그게 아름다운 여자였다는 것도 모자라 남궁세가의 영애이기까지 했으니 지금쯤 기절초풍할 지경일 것이다. 더불어 남궁소소는 이제 매우 위험해졌다. 남궁유룡에게 원한이 있는 화조신옹에게 자신의 신분을 노출해 버렸으니 말이다.

남궁소소가 다시 외쳤다.

"그를 죽이면 맹세코 나를 비롯해 여기 있는 사람들 모두가 사생결단의 각오로 마지막까지 싸울 것입니다. 물론 우리 모두 죽겠지만, 선배님의 발걸음을 최소 반 식경은 붙잡아둘 수 있다고 확신합니다."

그 순간, 십여 마리의 번견들이 또다시 컹컹 짖어댔다. 소리의 울림이 아까보다 훨씬 크고 가까워졌다. 화조신옹의 눈동자가 커졌다. 이능력을 발동하지 않았는데도 촌각이 한 시진처럼 느껴졌다.

이윽고 화조신옹이 말했다.

"열을 세겠다. 그때까지 내 눈에 띄는 놈이 하나라도 있다면 맹세코 머리통이 붙어 있지 못할 것이다."

화조신옹이 가불염을 휙 던졌다. 남궁소소의 협박이 먹혔다. 표사들이 얼른 달려가 상태를 살폈다. 다행히 큰 부상은 없어 보였지만, 어쩐 일인지 몸을 일으키지 못했다. 아무래도 처음 사로잡힐 때 마혈을 짚인 모양이었다.

나는 얼른 장량기를 돌아보며 말했다.

"얼른 사람들을 이끌고 가십시오."

"사공자님."

"시간이 없습니다. 어서!"

"명을 받들겠습니다."

장량기는 가불염을 번쩍 들어 말에 태웠다. 이어 뒤를 돌아보며 사람들에게 외쳤다.

"표물은 전부 버리고 사람들만 간다. 나머지 여덟 필의 말은 걸음이 느린 쟁자수들이 타고, 표사들은 육검진으로 쟁자수들을 호위하며 전속력으로 숲을 빠져나간다. 실시!"

화조신옹 외에도 숲에는 위험이 한 가지 더 도사리고 있었다. 그건 무리 지어 사람을 사냥한다는 용화교의 교도들이었다. 내가 서두르라고 장량기를 다그친 것도 그 때문이다. 다행히 장량기는 내 말뜻을 충분히 알아들었다.

표사가 중간에 표물을 버리고 도망친다는 건 상상도 할 수 없는 일이다. 이번 일은 장량기에게도, 그를 따르는 표사들에게도 두고두고 오점으로 남을 것이다. 그러나 오점을 안고 사는 것이 여섯 명의 표사와 열두 명의 쟁자수를 잃는 것보다 낫다. 표행을 이끄는 표두라면 당연히 그래야 한다. 장량기가 비록 나와 대립각을 세우기는 했지만, 근본까지 나쁜 사람은 아니었다.

"소저도 가시오."

"저는 남겠어요."

"도대체 당신이 왜!"

"저를 지켜주려는 마음은 고맙지만, 제가 가면 엉뚱한 사람들이 다 칠 거예요. 게다가 이곳의 지리는 제가 가장 잘 알고요."

우리를 사냥하러 온 용화교도들이 거꾸로 화조신옹에게 죽임을 당할까 걱정되는 것이다. 또한, 내가 화조신옹에게 약속한 빠져나가는 길 역시 자신의 도움이 절대적으로 필요하다는 뜻이다.

나는 그렇다고 쳐도, 용화교도들은 죽어 마땅한 놈들인데 왜 저리 신경을 쓰는지 모르겠다. 아무래도 무슨 사연이 있는 것 같았다.

남궁소소와 나의 갈등은 간단하게 해결이 되어버렸다.

"시끄럽다. 계집도 함께 간다. 저년은 내가 따로 쓸데가 있느니라. 너는 호리병에 술이나 다시 채워라."

그러면서 화조신옹이 호리병을 내게 던졌다. 이어 그는 아무렇게나 널브러져 있는 강시들 곁으로 가더니 그중 하나를 골라 어깨에 번쩍 짊어지더니 말했다.

"가자!"

졸지에 화조신옹의 인질이 된 나와 남궁소소는 열심히 길잡이 노릇을 했다. 나로서는 천라지망이 가짜라는 걸 들키지 않기 위해서라도 최선을 다해야 했다. 남궁소소는 남궁소소대로 용화교도들이 멋모르고 화조신옹의 앞에 나타나 개죽음당하는 걸 막기 위해 필사적이었다.

그 결과 아침이 되자 귀곡성림을 완전히 벗어날 수 있었다. 한데도 화조신옹은 나와 남궁소소를 죽여 없애지 않았다. 뿐만 아니라 여전히 길잡이 삼아 길도 없는 야산들을 달리게 했다.

사흘쯤 지났을까? 며칠 동안 제대로 씻지도 먹지도 못하고 야산을 헤맸더니 남궁소소도 그렇고 나도 그렇고 거지가 따로 없었다. 심지어 내게선 시체 썩은 냄새까지 났다. 계속해서 강시를 업고 다녔기 때문이다.

화조신옹이 남궁소소는 따로 쓸데가 있어 체력을 아껴두어야 한다며 강시를 일절 업지 못하도록 했다. 그 바람에 나만 개고생도 이런 개고생이 없었다. 그나마 강시가 내 반 토막만 한 키에 뼈다귀처럼 삐쩍 마른 노인 것이 다행이라면 다행이었다.

"제가 대신 좀 업을까요?"

"됐소. 저 개 같은 늙은이가 눈치채는 날엔 나를 죽이려 들 거요. 내 언젠가 저 늙은이를 반드시 잘근잘근 씹어 먹어……."

"뭣들 하느냐!"

"예, 갑니다. 선배님!"

여정은 계속됐다. 선하령에서 얼마나 식겁을 했는지, 아니면 남궁유룡이 추적해 오고 있다는 공포 때문인지 화조신옹은 언제까지고 인적이 없는 야산들만 고집했다. 심지어 불도 못 피우고, 발자국이 남을 만한 습지는 근처에도 못 가게 했다.

배고프면 아직 동면에 들지 않은 뱀이며 개구리 등을 잡아 날것으로 뜯어 먹었다. 물은 계곡을 만날 때마다 배 속에 빵빵하게 채워 넣었다. 공력이라곤 좁쌀만큼도 없었던 나는 낮에는 강시를 업고 가느라 죽어 나가고, 밤에는 통나무처럼 감각이 없어진 다리를 붙잡고 추위에 오들오들 떨어야 했다. 그러면 남궁소소가 다가와 지금은 남녀유별을 따질 때가 아니라며 뒤에서 꼭 끌어안고 진기를 나눠주었다.

그리고 우리는 화조신옹이 잠든 틈을 타 서로의 귓가에 대고 조용히 속삭였다. 어떻게 이 상황에서 벗어날지, 어떻게 화조신옹을 쓰러뜨릴지, 아니면 어떻게 도망을 칠지.

우리가 세운 계획이 모래성이라면, 아마도 백 번은 더 쌓고 허물었을 것이다. 그리고 마침내 하나의 계획이 완성됐다.

일체의 흔적을 남기지 않는 잠행 중에도 화조신옹은 한 번씩은 꼭 외진 곳에 위치한 인가를 스쳐 갔다. 그리고 몰래 들어가 화전민들이 조상의 제사 때 쓰려고 담아놓은 술을 표나지 않게 딱 호리병 한 병만큼만 훔쳐서 나왔다.

닷새째 되던 날, 이번에도 인가를 발견한 화조신옹이 술을 훔치러 들어가려 할 때 내가 슬그머니 한 다리를 걸쳤다.

"이번엔 저도 같이 들어가면 안 되겠습니까?"

"……?"

"허구한 날 뱀과 개구리만 잡아먹는 것도 이젠 지겹습니다. 인간적으로 남은 밥이라도 좀 훔쳐 먹을 수 있게 해주십시오. 부탁드립니다."

"흔적이라도 남길 수작이라면……."

"저를 죽이십시오."

겨울을 재촉하는 비가 추적추적 내리는 날, 우리는 어느 이름 모를 야산의 커다란 동굴에서 저녁을 맞았다.

산꼭대기로도 성에 차지 않는지, 아름드리 전나무에까지 새처럼 날아올라 사방을 살피던 화조신옹이 동굴로 돌아왔다.

"불을 피워도 좋다."

"……?"

"이만하면 충분히 벗어난 것 같군."

맙소사. 지금까지 무림인들이 추적해 오고 있다 생각한 건가? 귀곡성림을 벗어난 지 꼬박 열흘이 지났는데도?

행여 생각이 바뀔세라 나는 바람에 날려 들어온 낙엽들을 쓸어 모아 불을 지피기 시작했다. 불을 피우고 손을 쬐자 온기가 온몸으로 퍼져 나가며 그제야 좀 살 것 같았다.

불빛에 비친 남궁소소는 거지도 이런 상거지가 따로 없었다. 머리카락은 풀어 헤쳐져 산발이고, 얼굴엔 땟국물이 줄줄 흘렀다.

'젠장, 그래도 예쁘네.'

아마도 나는 더했으면 더했지 덜하진 않을 것이다. 시체 냄새는 몸에 배다 배다 이제는 내가 강시인지, 강시가 나인지 구별이 안 될 지경이었다.

"이거 좀 삶아 먹어도 되겠습니까?"

나는 손바닥만 한 개구리 세 마리를 거꾸로 들어 보였다. 낮에 계곡을 지날 때 발견해 저녁에 삶아 먹으려고 챙겨둔 것이다.

"좋을 대로."

나는 먼저 배를 따고 내장을 전부 긁어냈다. 다음엔 미리 빗물을 받아둔 작은 솥단지에 넣고 삶기 시작했다. 반쯤 깨진 솥단지는 어젯밤 술을 훔치기 위해 들렀던 화전민 초가집에서 주운 것이었다. 그리고 부엌에서 훔쳐온 밀가루도 조금 있었다. 물이 펄펄 끓는 사이 나는 빗물에 밀가루를 개어 반죽을 만들기 시작했다.

화조신옹이 물끄러미 보다가 물었다.

"무슨 짓이냐?"

"국수 만들어 먹으려고요."

"개구리 우려낸 물로?"

"육수가 있어야 하니까요."

"이상한 놈이로고."

"육수라는 게 대단한 것이 아닙니다. 무엇이든 고기를 우려낸 물에 소금 넣고 간을 맞추면 훌륭한 육수가 됩니다. 말이 나왔으니까 말인데 칼 좀 빌려주십시오."

"칼은 왜?"

"면을 잘라야죠."

"대충 손으로 뜯어 넣어."

"선배님은 안 드실 겁니까?"

화조신옹은 잠시 생각하더니 말했다.

"한 그릇도 안 되는 걸 누구 코에 붙인단 말이냐."

그러면서도 품속에서 단검 한 자루를 쓱 꺼내 툭 던졌다.

황금을 정교하게 세공해 만든 손잡이, 부엉이 눈깔처럼 박혀 있는 야광주까지. 한눈에 보기에도 범상치 않아 보이는 저 단검은 내가 이 종산을 만난 첫날 얼렁뚱땅 챙긴 바로 그 보검이었다. 한데 인질이 되어 끌려오던 날 화조신옹에게 그만 빼앗겨 버렸다.

　나만 그런 게 아니어서, 남궁소소도 표사용 장검과 품속에 지니고 있던 판관필까지, 무기가 될 수 있는 것들은 전부 빼앗겼다. 하지만 칼을 잠시만 빌려달라고 하면 화조신옹은 귀찮은 내색을 하면서도 곧잘 빌려주었다.

　사실 나와 남궁소소에게 무기가 있건 말건 화조신옹에겐 큰 차이가 없었다. 다만 자신이 잠들었을 때 기습을 할까 봐 염려되어 빼앗아 갔을 뿐.

　육수가 어느 정도 우러나오자 개구리를 건져 돌판 위에 놓고 먹기 좋게 팔다리를 뚝뚝 끊어 다시 넣었다. 그런 다음 반죽한 면도 전부 썰어 넣었다. 마지막으로 훔쳐 온 소금 약간과 주운 푸성귀 몇 가지를 털어 넣는 것으로 모든 준비가 끝났다. 이제 면이 익기를 기다렸다가 먹기만 하면 된다.

　고기 냄새가 퍼지자 회가 동하는지 남궁소소가 맞은편으로 다가와 앉았다.

　"냄새가 좋군요."

　"같이 먹겠소?"

　"물론이죠."

　"사양할 줄 알았는데."

　"이것저것 가릴 때가 아니잖아요."

　"조금만 기다리시오. 금방 삶아주겠소."

　"일부러 속이려고 한 건 아니었어요."

　"……?"

"남장하고 찾아간 것 말이에요."

"속은 적 없소."

"설마, 알고 있었어요?"

남궁소소가 눈을 동그랗게 떴다.

"물론이오."

"언제부터요?"

"그날 객잔에서 두 번째 봤을 때부터."

"객잔에서 두 번째라면…… 혹시 백선객점에서 다른 후기지수들과 함께 있을 때 말인가요?"

"그렇소."

"어떻게 알았죠?"

"감포초 때문에 생긴 귓불의 반점을 보고 알았소."

"말도 안 돼. 그럼 제가 남자인 척하는 걸 보고도 계속해서 모른 척 했단 말인가요?"

"그렇소."

"왜요?"

"처음엔 이렇게까지 친해질 줄 몰랐고, 나중엔 말할 기회를 놓쳤소. 그리고 먼저 속인 사람은 내가 아니라 소저이오만."

"……!"

잠시 침묵이 흐른 후에야 남궁소소가 풀 죽은 목소리로 말했다.

"죄송해요."

"나도 미안하오."

"그런데 우리 친해진 것 맞나요?"

"이렇게 볼 꼴, 못 볼 꼴 다 봤는데. 이 정도면 친해진 것 아닌가?"

우리는 개구리 국수가 익어가는 솥을 가운데 두고 서로의 거지 같은 얼굴을 바라보며 피식피식 웃었다. 이런 상황에서도 웃음이 나온다는 게 신기하다.

대화를 나누는 사이 면이 거의 다 익었다. 나와 남궁소소는 서로를 바라보며 미세하게 고개를 끄덕였다. 이제 죽느냐 사느냐를 결정해야 할 시간이 왔다.

화조신옹은 무기가 될 만한 것들은 전부 빼앗아 갔지만, 한 가지만은 빼앗지 않았다. 그건 대별채의 채주에게서 받은 대나무 젓가락 통이었다.

당연하다. 젓가락은 젓가락일 뿐 무기가 아니었으니까.

나는 대나무 젓가락 끝을 통 속에 넣고서 한번 꾹 눌러 독을 듬뿍 묻혔다. 그리고 슬그머니 솥단지 옆에 내려놓았다.

어떻게든 화조신옹이 이 젓가락을 쓰도록 만들어야 한다. 그걸 위해 이 지랄을 하면서까지 국수를 말았다. 국수가 아니라면 젓가락을 쓸 일이 도저히 없었으니까.

덧붙여 반죽을 썬다는 명목으로 단검도 회수했다. 화조신옹이 이 젓가락을 사용해 마비되는 순간, 재빨리 달려들어 단검으로 숨통을 끊어 놓으면 된다.

일단 아무 이상 없다는 걸 무의식적으로 인지시켜야 한다. 이를 위해 남궁소소가 나뭇가지를 부러뜨려 만든 젓가락으로 한입 먹었다.

"어떻소?"

"개구리에서 닭고기 맛이 난다더니 사실이군요."

나는 화조신옹을 돌아보며 무심히 툭 던지듯 물었다.

"안 드십니까?"

"네놈들이나 실컷 처먹어라."

그러면서 화조신옹은 자리에서 쓱 일어나더니 갑자기 강시에게로 다가갔다. 이어 손가락을 매 발톱처럼 구부려 강시의 배를 쓱 그었다. 그러자 강시의 뱃가죽이 예리한 칼에 잘린 것처럼 쩍 벌어졌다. 동시에 지독한 악취와 함께 반쯤 썩은 내장이 주르륵 쏟아져 나왔다.

"읍!"

"읍!"

날벼락 같은 광경에 나와 남궁소소는 앞다투어 손으로 입을 틀어막았다. 하지만 화조신옹은 아무렇지도 않게 양손으로 강시의 흘러나온 창자를 잡았다. 그러곤 젓갈 양념 버무리듯 정성껏 주물럭거리기 시작했다.

"읍!"

"읍!"

어느 순간, 화조신옹의 눈동자가 커졌다. 그는 대장의 한쪽 끝을 손가락으로 뚝 끊었다. 그러자 놀랍게도 황금처럼 싯누런 가운데 한줄기 붉은 기운이 도는 커다란 기생충 한 마리가 살아서 꿈틀꿈틀 기어 나왔다.

"읍!"

"읍!"

자세히 보니 그건 기생충이 아니었다. 지렁이였다. 수많은 사람의 목숨을 앗아간 오지산 천지령이 드디어 모습을 드러낸 것이다.

토악질을 할 것 같은 와중에도 나와 남궁소소는 화조신옹의 손바닥

위에서 꿈틀거리는 미지의 생명체를 신비롭게 지켜보았다.

"착하지 아가야. 이제 슬슬 때가 되었단다. 마지막으로 특별히 젊고 싱싱한 먹이를 줄 테니 붉은 기운은 전부 씻어버리고 오직 황금빛 기운만 남아서 나오너라. 크크크."

나와 남궁소소는 서로를 바라보며 동시에 표정을 굳혔다. 열흘 전 귀곡성림에서 장량기와 나누었던 대화가 번개처럼 떠올랐다.

"마두는 십만대산에 은거하며 사람들을 눈에 보이는 족족 산 채로 잡아다 천지령의 먹이로 던져주었다고 합니다."

"사람을 지렁이의 먹이로 던져주었다고요?"

"정확하게 말하면, 천지령을 그대로 복용할 경우 내장이 통째로 녹아버리기 때문에 산 사람을 이용해 독성을 중화하는 과정이라고 하더군요. 저도 들은 얘기라 자세히는 모릅니다."

화조신옹이 남궁소소를 쓰윽 돌아보았다.

남궁소소의 얼굴이 백지장처럼 하얘졌다.

"왜 절 쳐다보는 거죠?"

"금방 끝날 것이다."

"잊으신 것 같은데, 저는 뇌검의 손녀입니다. 절 죽인다면 단언컨대 선배님의 목숨도 보존할 수가 없을 겁니다!"

"내가 천지령을 복용한 후에도 뇌검을 두려워할 것 같으냐? 대법이 성공적으로 끝나고 나면 네년의 목부터 자를 것이다. 그런 다음 저 이상한 놈의 뱃가죽을 벗겨 네 머리통을 싸고 뇌검을 찾아갈 것이다. 크크크."

말이 끝나기 무섭게 화조신옹은 남궁소소에게 다가갔다. 그녀는 발작적으로 신법을 펼치며 도망치려 했다. 그러나 초절정 고수인 화조신옹의 마수를 피하기에는 그녀가 익힌 무공이 너무나 보잘것없었다.

"아악!"

순식간에 턱을 잡힌 남궁소소가 목구멍이 찢어지도록 비명을 질렀다. 화조신옹은 그녀를 허공에 번쩍 들어 올렸다. 동시에 혈도를 빠르게 짚어 사지를 마비시켜 버렸다.

몸이 뻣뻣하게 군자 이번엔 턱관절을 잡아 엄지와 검지로 꾹 눌렀다. 남궁소소의 입이 하늘을 향한 채 쩍 하고 벌어졌다. 튀어나올 듯 커진 눈엔 공포가 가득했다.

화조신옹이 다른 손으로 꿈틀대는 천지령을 높이 들어 그녀의 입속으로 천천히 넣으려 했다.

"이빨로 깨물지 않도록 조심해야 하느니라. 천지령이 죽어버리면 모든 게 수포로 돌아가니까 말이다. 크크크."

"죽엇!"

나는 젖 먹던 힘까지 끌어 올려 화조신옹을 덮쳐갔다. 손에는 좀 전까지 밀가루 반죽을 썰던 보검이 들려 있었다.

시간이 느리게 흘렀다. 공포에 질린 남궁소소와 나의 기습을 눈치챈 화조신옹의 표정이 동시에 들어왔다.

화조신옹의 무공은 실로 경악스러웠다. 분명 그의 발이, 동선이 그대로 보이는데도 불구하고 그냥 훅! 덮쳐왔다. 이능력이 발동되었는데도 이 정도라면, 일반적인 상황에서는 저 발이 도대체 얼마나 빠르게 느껴질까? 아마 보지도 못하고 당했으리라.

뻥!

나는 화조신옹의 발길질에 배를 냅다 걷어차이고는 나가떨어졌다. 순간적으로 숨이 턱 하고 막혔지만 죽을 것 같진 않았다.

그나마 부지불식간에 화조신옹의 발등으로 단검을 뻗었고, 그 바람에 끄트머리라도 살짝 찔렀다는 것이 다행이라면 다행이다. 마지막 순간 화조신옹이 본능적으로 발등의 각도를 틀고 힘을 회수했으니까. 안 그랬다면 지금쯤 나는 배가 터져 죽었을 것이다.

화조신옹의 신발은 어느새 핏물이 번지고 있었다. 한데 이게 그의 관심을 끌었다.

"어떻게 그리 빠르지?"

"저는 좀 빠르면 안 됩니까?"

"무공을 익힌 흔적이 없거늘."

손이 빠른 게 아니라 눈이 빠른 거다. 그만큼 먼저 판단하고 반응하니 손이 빠른 것처럼 보일 뿐.

무공은 눈이 칠(七)이라는 말이 실감 났다. 무공이라곤 일초반식도 모르는 내가 대별채의 부채주를 쓰러뜨리고, 초절정 고수인 화조신옹으로부터 빠르다는 소리도 들으니 말이다.

"남들은 백 년에 한 번 나올까 말까 한 무재라고 합니다. 이제 됐습니까?"

화조신옹은 남궁소소를 휙 던져 버린 후 나에게 다가왔다. 나는 그때까지 들고 있던 단검을 필사적으로 휘두르며 저항했다.

"오, 오지 마! 오지 마!"

하지만 화조신옹은 가볍게 한 손을 휘저어 단검을 떨어뜨려 버렸다. 이어 내 턱을 잡고 번쩍 들어 올렸다. 우악스러운 완력에 입이 저절로 쩍 벌어졌다.

"생각이 바뀌었다. 네놈을 천지령의 마지막 먹이로 던져주어야겠다. 살아 있는 인간의 배 속에서 마지막 남은 한 줌의 독성까지 깨끗이 중화하고 나면, 그때 내가 네놈의 배를 갈라 천지령의 천 년 정기를 취하리라!"

말이 끝나기 무섭게 화조신옹의 한쪽 손에 있던 황금색 천지령이 머리부터 내 입으로 천천히 들어오기 시작했다.

"컥! 컥!"

나는 손발을 버둥거리며 저항해 보았지만 소용없었다. 천지령은 어둡고 습한 곳을 좋아하는 본능 때문인지, 순식간에 목구멍을 타고 내 배 속으로 쏙 들어가 버렸다. 그제야 나는 화조신옹의 손아귀로부터 자유로워질 수 있었다.

그리고 시작된 극통! 이 괴물이 온갖 체액으로 가득 찬 내 배 속에서 죽지 않으려고 독을 뿜어내 자신을 보호하는 모양이었다. 동시에 극강의 한기가 오장육부로 빠르게 퍼져갔다. 천 년 동안 밤만 되면 땅 밖으로 나와 달빛을 쬐었다더니, 기운 자체가 인세에 보기 드문 극음의 성질을 지닌 것 같았다. 창자가 녹으면서 동시에 얼어버리는 것 같은 이 모순적인 극통에 나는 배를 잡고 데굴데굴 굴렀다.

"으아악!"

"손가락을 입에 넣어서 토해보세요!"

남궁소소가 외쳤다. 그녀는 마혈을 짚혀 사지가 뻣뻣하게 굳었지만, 입만큼은 펄펄 살아 있었다.

나는 죽을 것 같은 고통 속에서도 남궁소소가 시키는 대로 했다. 몇 번의 구역질을 했지만, 살아 있는 천지령은 오히려 더 깊은 곳으로 들어가 버렸다.

"천지령을 반 토막만 달라고 하지 않았느냐? 한 마리를 통째로 주었거늘 어째서 그렇게 괴로워하는 것이더냐. 음하하!"

한바탕 광소를 터뜨린 화조신옹은 느긋하게 동굴 안쪽으로 갔다. 이어 내가 차려 놓은 국수 솥단지를 힐끗 보며 말했다.

"쯧쯧. 거지도 아니고."

그러곤 한쪽에 놓아두었던 술 호리병을 찾아 뚜껑을 열고 평소처럼 시원하게 쭉 들이켰다.

"……!"

"……!"

나와 남궁소소는 고통도 잊은 채 화조신옹을 뚫어지게 바라보았다. 모든 준비가 끝났다는 안도감 때문일까? 화조신옹은 평소라면 세 번에 걸쳐 나눠 마셨을 술을 한 번에 싹 다 비워 버렸다.

"뭘 그렇게 쳐다보는 거냐?"

다음에 벌어질 일이 너무나 무서워 나도 남궁소소도 대답을 할 수가 없었다.

순간, 화조신옹이 두 눈을 부릅떴다.

"우우우우웩!"

그는 나와는 달랐다. 저 배 속 깊은 곳으로부터 기운을 역류시켜 방금 먹은 술은 물론이고, 아침에 먹은 뱀의 잔해까지 전부 한방에 게워 냈다. 그러나 이미 식도며 위장에 붙은 독까지 깨끗하게 씻어낼 수는 없었다. 한 방울이면 코끼리도 쓰러뜨린다는 극독이 아닌가. 화조신옹이 척후를 살피러 간 사이 나는 그걸 술에 무려 열 방울이나 타두었다.

"이런 찢어 죽일!"

대로한 화조신옹이 노래진 눈으로 화염을 줄기줄기 쏟으며 다가왔다. 그러다 갑자기 '우웩!' 하고 검고 냄새 나는 피를 한 줌이나 토했다.

심상치 않은 독기를 느낀 화조신옹은 응징은 나중으로 미루고 재빨리 가부좌를 틀고 앉아 운기행공을 시작했다. 잠깐 사이에 그의 얼굴이 시꺼멓게 변했다. 정수리에선 어느새 하얀 김이 모락모락 피어올랐다.

내가 말했다.

"허구한 날 술 호리병을 끼고 사시더니, 오늘 하루 놓아두고 가셨더군요. 덕분에 손을 쓸 수 있었습니다. 선배님의 모습을 보아하니 잠깐은 시간이 있을 듯하군요. 회광반조라 생각하시고, 지나온 삶을 반성하시기 바랍니다."

노골적인 조롱에도 불구하고 화조신옹은 미동조차 하지 않았다. 그는 오로지 운기행공에만 집중했다. 지금은 삶과 죽음의 갈림길 앞에서 촌각을 다투고 있기 때문이다.

독이 이렇게 무서운 것이다. 천하의 난다 긴다 하는 고수도 맹독 앞에서는 한낱 피조물에 지나지 않는다.

남궁소소가 다시 내게 외쳤다.

"귀하도 운기행공을 하세요."

"나는 할 줄 모르오."

"그것도 안 배우고 뭐 했어요!"

"내가 하고 싶은 말이오."

"제가 가르쳐 줄게요. 빨리 가부좌부터!"

"그걸 한다고 살겠소?"

"하는 데까진 해봐야죠!"

"쓸데없는 짓이오. 전해 들은 운공법으로 죽음을 피할 수 있었을 것 같으면 그 많은 무림인들이 왜 천지령의 숙주가 되어 죽었겠소?"

말을 하다 보니 부아가 머리끝까지 치밀어 오른다. 쉰 살이 되도록 장가도 못 가보고 고생고생하며 살다가, 하늘이 도와 부잣집 넷째 아들로 환생까지 했는데.

나는 아까 떨어뜨린 단검을 주워 들었다. 죽을 때 죽더라도 저 늙은 이의 숨통은 확실하게 끊어놓고 가야 한다.

"이제 가셔야지요!"

나는 운기행공 중인 화조신옹의 목을 성난 들소처럼 찔러갔다.

"죽엇!"

화조신옹은 순순히 목숨을 내놓지 않았다.

뻥!

가슴에 일장을 맞고 날아간 나는 동굴 벽에 등을 부딪친 후 떨어졌다. 오장육부가 뒤죽박죽으로 섞여 버린 것 같은 고통이 전해졌다. 그러나 화조신옹이 치러야 할 대가는 더욱 컸다.

"우웩!"

검은 핏덩이를 한 사발이나 토해낸 그는 또다시 운기행공에 들어갔다. 그만큼 사정이 다급한 것이다.

숨이 턱 막히는 듯한 고통도 잠시, 나는 또다시 일어나 단검을 찾아 주위를 두리번거렸다. 하지만 아뿔싸, 단검은 가부좌를 틀고 앉은 화조신옹의 바로 무릎 아래 있었다. 저걸 집으려고 갔다간 이번에야말로 무사하지 못할 것이다.

사람을 죽이는 게 꼭 칼만은 아니다. 나는 비에 젖은 나뭇잎을 여러 장 주워 겹친 다음 아직도 펄펄 끓고 있는 솥단지 양쪽을 집어 들었다. 이어 멀찌감치 서서 운기행공 중인 화조신옹의 얼굴에 사정없이 끼얹어 버렸다.

촤아악!

뜨거운 육수와 퉁퉁 불은 면발과 개구리 잔해가 화조신옹의 얼굴과 몸 곳곳에 붙었다. 정수리에서만 나던 김이 얼굴과 가슴 전체에서도 모락모락 피어올랐다.

"국수 맛이 어떻소?"

대답이 나올 리 없다. 질끈 감은 화조신옹의 눈까풀만 파르르 떨리고 있었다.

운기행공 중에는 물리적인 행사는커녕 집중을 방해하는 그 어떤 말도 해선 안 된다. 주화입마(走火入魔)에 빠져 죽거나 미치광이가 될 수도 있기 때문이다. 해서 무림인들은 완벽한 안전이 보장되지 않는 장소에서는 함부로 운기행공을 하지 않는다. 부상 등으로 말미암아 부득불 해야 할 때는 반드시 같은 문파의 사형제 또는 믿을 만한 사람으로 하여금 호법(護法)을 서게 한다.

화조신옹은 배 속으로 들어간 맹독 때문에 이것저것 따질 계제가 아니었다. 그는 지금 목숨을 걸고 운기행공 중이었다.

"노선배, 소문에 듣자 하니 뇌검에게 십초지적으로 당하셨다면서요? 대답 좀 해보시오. 어차피 죽을 거, 운기행공은 그만하고 나랑 이야기나 하다가 갑시다. 이것 보시오. 선배."

"지금…… 뭐 하시는 거예요?"

"말로 사람 죽이는 거 본 적 있소?"

"아뇨."

"지금부터 내가 그걸 보여주겠소."

그러면서 나는 다시 화조신옹에게 말을 걸었다.

"노선배. 뒤에 뱀이 나타났소. 곤산곤독이라는 독사인데, 물리면 일곱 걸음 안에 죽는 독사요. 뇌검에게 당해 십초지적으로 죽는 게 빠를 것 같소? 아니면 곤산곤독에 물려 죽는 게 빠를 것 같소?"

"그게 아니라. 괜찮냐고요!"

"뭐가 말이오?"

"천지령이 배 속에 들어 있잖아요. 좀 전엔 죽겠다고 데굴데굴 구르더니 지금은…… 멀쩡한 것 같아서요."

"……!"

뭐가 어떻게 된 거지? 죽을 것처럼 아프던 배가 왜 갑자기 잠잠한 걸까?

나는 숨을 죽인 채 모든 신경을 배 속으로 집중했다. 마치 무림고수들이 기운을 돌려 몸속을 더듬는 것처럼. 그리고 어렴풋하게나마 느낄 수 있었다. 독을 제멋대로 뿜어내던 천지령이 무슨 이유에선가 바짝 움츠러들었다는 걸. 무심코 들어간 동굴 저 깊은 곳에서 한 마리 맹수가 웅크리고 있는 걸 발견한 것처럼 말이다.

"무슨 일이에요?"

"나도 모르겠소."

"지금이라도 가부좌를 틀고 앉아 운기행공을⋯⋯."

그때였다. 갑자기 배 속 저 깊은 하단전으로부터 뭐라 말할 수 없이 뜨거운 기운이 솟구쳐 오르기 시작했다. 그에 맞춰 창자가 빠르게 꿈틀거리기 시작했다. 배꼽 위쪽에 있던 천지령이 갑자기 윗배를 지나 중단전으로 올라오는 것이었다.

그러나 열기는 순식간에 윗배를 지나 중단전까지 덮쳐 버렸다. 배 속에 불이라도 난 것처럼 뜨거웠다.

"으아아악!"

하필 동굴 안에 모닥불까지 피워놓은 상태였다. 열기를 참지 못한 나는 미친놈처럼 밖으로 뛰쳐나갔다. 동굴 밖 숲으로 나와 추적추적 내리는 비를 맞는데도 열기는 좀처럼 가시지 않았다.

열기는 천지령이 있는 것으로 짐작되는 중단전에서 더 맹렬하게 끓어올랐다. 급기야 중단전 어림에서 모락모락 연기가 났다. 연기는 작은 불로 변하더니 잠깐 사이 옷에 주먹만 한 구멍을 내며 타올랐다.

"으아아악!"

소스라치게 놀란 나는 재빨리 윗옷을 벗어 던져 버렸다. 그러자 훤히 드러난 문양이 빛으로 하얗게 빛나고 있었다. 전날 백선객점에서 이병룡과 싸우고 난 후에 나타난 바로 그 고대 죽간본의 부적이었다. 예전엔 불이 났어도 뜨거움을 느끼지 못했다. 한데 지금은 부뚜막에 들어간 돼지가 된 기분이었다.

빛은 내 몸 전체를 야광주처럼 하얗게 밝히다가 다시 중단전으로 점점 모여들었다. 그러면서 맹렬한 섬광으로 빛나기 시작했다. 마치 부정한 무언가를 에워싸고 그대로 태워서 죽이려는 듯.

나는 천지령을 두려움에 떨게 한 것이 부적의 기운임을 뒤늦게 알아차렸다.

천지령도 만만치 않았다. 놈은 본능적으로 죽음의 위기를 느꼈는지 더욱더 강렬한 한기를 뿜어내며 필사적으로 저항했다.

고래 싸움에 새우 등 터진다더니, 지금 내가 딱 그 짝이었다. 모조리 태워 버릴 것 같은 화기와 모조리 얼려 버릴 것 같은 한기가 내 배 속에서 용과 호랑이처럼 뒤엉켜 싸웠다.

"이 씨발 것들이 왜 남의 배 속에서!"

급기야 숨이 턱턱 막히고, 심장 박동이 무슨 질주하는 말발굽 소리처럼 뛰기 시작했다. 머릿속에서는 천둥소리가 꽝꽝 울려댔다. 지금 내 배 속은 한마디로 전쟁터였다.

"으아아아악!"

나는 동굴 안에 있는 화조신옹이 운기행공을 하다 깜짝 놀라 주화입마에 걸릴 만큼 크게 비명을 지른 후 까무러쳐 버렸다.

밤새 냉탕과 열탕을 오가고, 다시 깨어났다가 까무러치기를 몇 번이나 반복했는지 모른다. 마지막으로 까무러쳤다가 다시 깨어나 보니 어느새 여명이 밝았다.

나는 비 그친 숲속 한가운데 웃통을 깐 채 오들오들 떨면서 자고 있었다. 이 와중에 청명한 숲의 공기가 너무나 상쾌하게 느껴진다. 오장육부를 굽고 얼리기를 반복하던 두 개의 기운도 감쪽같이 사라지고 없었다.

누가 이겼지? 부적? 천지령? 아니면 양패구상?

어느 쪽이든 상관없다. 화조신옹의 엄포와 달리 내가 죽지 않고 살아 있다는 게 중요했다.

순간 머릿속을 번쩍하고 스치는 생각이 있었다.

"남궁소소!"

벌떡 일어난 나는 황급히 동굴 안으로 달려갔다. 화조신옹은 밤새 반쪽이 된 몸으로 등신불처럼 굽은 채 죽어 있었다. 주변은 그가 토해 낸 것으로 짐작되는 검은 핏덩어리들이 한 말이었다. 마치 시골 장터에서 돼지를 잡고 난 흔적 같았다.

조금 떨어진 곳에는 남궁소소가 엎드려 있었다. 한데 그녀의 얼굴이 이상했다. 새파랗게 질려 있는 것이 그녀 역시 꼭 죽은 사람 같았다.

"소저!"

황급히 뛰어가 그녀를 끌어안고 흔들었다. 몸이 얼음장처럼 차가웠다. 코에 귀를 대보니 실낱같은 숨소리가 들린다. 마혈을 짚힌 상태에서 추운 날씨에 너무나 오랫동안 방치되었다.

"잠깐만 기다리시오!"

나는 황급히 나뭇잎을 쓸어 모아 모닥불 자리에 올렸다. 작대기를 찾을 사이도 없이 손가락으로 재를 휘저었다. 천만다행으로 아직 깨알 같은 불씨가 남아 있었다.

"훅! 훅!"

잠시 후, 불이 붙자 남궁소소를 모닥불가로 끌어다 눕혔다. 그리고 남녀유별을 따질 겨를도 없이 발끝에서 머리끝까지 쉬지 않고 주물러 댔다.

"제발."

"으으……."

"소저, 정신 차리시오!"

얼른 콧구멍에 귀를 대보니 숨소리가 훨씬 선명해졌다. 손과 볼을 만져보니 온기도 느껴지고, 얼굴도 혈색이 돌아오고 있었다.

됐다. 아직 의식까지 완전히 돌아오진 않았지만, 저승길에서는 확실히 발걸음을 돌린 것 같았다.

30년 쟁자수 경험으로 미루어 추위에 정신을 잃었을 때는 따뜻한 물로 오장육부를 덥히는 것이 가장 효과가 빠르다.

나는 구석에서 뒹굴고 있는 솥을 주워 들었다. 밖으로 나가 깨끗한 냇물에 박박 씻은 다음 물을 끓여 먹일 생각이었다.

동굴을 나가기 직전 걸음을 뚝 멈추었다. 그리고 천천히 화조신옹을 바라보았다. 그는 좀 전과 달라진 게 하나도 없었다. 밤새 반쪽이 된 몸, 등신불처럼 구부정한 자세, 주변의 피바다, 그리고 생기라곤 찾아볼 수 없는 목내이(木乃伊-미라) 같은 얼굴.

하지만 느낄 수 있었다.

"살아 있어."

한 방울이면 코끼리도 쓰러뜨린다고 했던 곤산곤독을 열 방울이나 처먹고도 그는 살아 있었다. 그 흉악한 독을 해독제도 없이 혼자서 하룻밤 사이에 전부 태우고 게워낸 것이다.

"이런 미친!"

나는 거침없이 다가가 들고 있던 쇠솥으로 그의 머리통을 사정없이 후려쳤다. 하지만 쇠솥은 그가 내지른 일장에 맞아 튕겨 날아가 버렸다.

텅! 쨍그랑!

그때 화조신옹이 눈을 번쩍 떴다.

내가 화조신옹이 살아 있음을 알고 놀란 만큼이나 화조신옹 역시 나를 보고 놀란 얼굴이었다.

"어떻게 살아 있는 거지?"

"미친, 누가 할 소릴!"

"대체 어떻게…… 왜……."

"덕분에 한 끼 잘 먹었소."

"이노옴!"

동굴이 쩡쩡 울리는 사자후와 함께 화조신옹이 내 목을 덥석 잡으며 일어났다. 순식간에 나는 허공으로 번쩍 들어 올려졌다.

"컥! 컥!"

숨이 턱 막히는 충격에 본능적으로 그의 손목을 붙잡고 버둥거렸다. 화조신옹은 코를 내 입에 대고 킁킁 냄새 맡더니 고개를 갸우뚱거렸다.

"천지령이 녹아 없어져 버렸군."

"컥! 컥!"

"더욱 잘되었다. 독성은 사라지고 약성만 고스란히 녹아 있을 터. 네 놈의 피를 전부 빨아 먹어야겠다."

순간, 나는 손가락 두 개로 화조신옹의 눈을 벼락처럼 찔러갔다.

전광석화 같은 화조신옹의 손은 불과 한 자도 안 되는 거리에서 죽기 살기로 뻗은 내 손을 귀찮은 파리 치우듯 '탁' 쳐내 버렸다.

"아이야. 발버둥 쳐도 소용없단다. 저항하면 고통만 가중될 뿐. 최대한 빨리 끝내줄 테니 얌전히 있거라."

그러면서 왼쪽 목덜미의 경동맥이 지나가는 살점을 찝어 쭈욱 잡아당겼다. 여기에 이빨로 구멍을 뚫어 피를 쪽쪽 빨아 먹을 생각인 것 같았다.

나는 화조신옹의 손목을 덥석 잡은 다음 괴성을 지르며 밀어냈다.

"으아악!"

그런데…… 이게 됐다! 놀랍게도 화조신옹의 손이 밀리고 있었다. 심지어 그렇게 젖 먹던 힘까지 쥐어 짜낼 필요도 없었다. 괴성을 지른 게 민망할 정도였다.

"……!"

"……!"

나도, 화조신옹도 놀라움에 눈을 부릅떴다.

화조신옹의 손은 점점 밀려나 그의 얼굴 앞까지 갔다. 순간, 나는 늘어난 간격만큼의 공간을 이용해 팔꿈치로 화조신옹의 턱주가리를 사정없이 까버렸다.

뻑!

찰진 소리와 함께 화조신옹이 고개가 팩 돌아갔다. 고도의 집중력과 함께 다시 시간이 느려졌다. 한데 어찌 된 영문인지 예전보다 조금 더 느리게 흘렀다. 예전엔 두 배 정도 느렸다면 지금은 세 배 정도 느렸다고나 할까.

나는 찰나의 기회를 놓치지 않았다. 화조신옹이 당황한 틈을 타 다시 한번 필사적으로 손을 뻗어 두 눈을 찔렀다.

퍼퍽!

"헙!"

성공했다. 불의의 일격을 당한 화조신옹은 발작적으로 나를 던져 버리고 물러났다. 이어 양손으로 제 눈을 감싸며 괴로워했다.

"조공(爪功)이란 이렇게 쓰는 것이오!"

"죽여 버리겠다!"

화가 머리끝까지 치솟은 화조신옹이 소리만 듣고도 나를 덮쳐왔다. 나는 본능적으로 뒷걸음질을 치다 돌멩이에 걸려 털썩 넘어졌다.

콰콱!

날 대신해 조공을 맞은 동굴 석벽이 종잇장처럼 찢겨 나갔다.

'백골추명조!'

오늘의 화조신옹을 있게 해준, 철판을 찢고 바위를 쪼개 버린다는 바로 그 무공이다.

화조신옹이 이번엔 내가 넘어져 있는 아래로 손가락을 휘둘러 왔다. 나는 벌레처럼 데구르르 굴러서 피했다.

미친, 이게 피해지다니.

콰콱!

돌바닥이 무슨 밭고랑처럼 뜯겨 나갔다.

"쥐새끼 같은 놈!"

분기탱천한 화조신옹은 주변을 닥치는 대로 휘저었다. 눈이 보이지 않으니 내가 멀리 도망치기 전에 잡아 찢으려는 것이다.

뒷걸음을 치던 내 발에 강시가 걸렸다. 망자의 존엄이고 뭐고 나는 시체를 번쩍 들어 화조신옹에게 던졌다. 강시가 가볍다고 해도 시체인데 무슨 허수아비처럼 느껴졌다.

순간, 바람 소리를 들은 화조신옹이 달려들며 양손을 질풍처럼 휘둘렀다.

처처처척!

눈 깜짝할 사이에 몇 번이나 휘둘렀는지 강시는 바닥에 떨어지는 순간 이미 걸레가 되어버렸다. 그 틈을 타 나는 대여섯 걸음을 후다닥 물러나며 외쳤다.

"잠깐만!"

"누구 마음대로!"

"어차피 숨소리 때문에 어디 있는지 다 알잖소!"

"……!"

나는 거친 숨을 몰아쉬며 천천히 내 양손을 내려다보았다. 조금 전 화조신옹의 손목을 잡아 밀어낼 때도 그렇고, 강시를 집어 던질 때도 그렇고, 무언가 몸에 큰 변화가 있었다. 마치 내가 엄청난 장사라도 된 것 같았다.

혹시나 싶어 바닥에 있는 돌멩이 두 개를 주워 손바닥 안에 넣고 힘을 주어 보았다. '퍼석' 하는 소리와 함께 단단한 돌멩이가 호두처럼 부서졌다. 나는 충격으로 말을 잊지 못했다.

화조신옹이 나지막하게 말했다.

"천지령의 힘이다."

"내가 백년공력을 가졌다고요?"

"정확히 말하면 천지령의 천년진기를 흡수한 상태지. 공력으로 바꾸려면 내공심법을 통해 꾸준히 운기행공을 해야 한다. 하면 네놈이 무슨 무공을 익히든 20년 안에 천하십대고수의 말석 정도는 차지할 수 있을 것이다."

"전 무공이라곤 일초반식도 모릅니다."

"그래서 20년이라는 거다. 네놈이 일류 정도만 되었어도 10년이 채 걸리지 않았을 것이다."

20년 후면 마흔두 살쯤이다. 불과 마흔두 살에 천하십대고수의 말석을 차지할 수 있을 거라니, 이게 무슨 엄청난 소리란 말인가.

"만약 공력으로 바꾸지 못하면 어떻게 됩니까?"

"네놈의 배 속에 길들지 않은 야생 황소 백 마리가 뛰어다니는 것과 같다. 다스려서 필요한 때에 끌어낼 수 없는 힘은 온전히 너의 힘이 아니니라."

"어쨌든 제가 엄청난 힘을 가졌다는 말 아닙니까? 황소 백 마리에 버금가는 힘을, 이 배 속에요."

"기운이 세다고 황소가 호랑이를 이긴다더냐. 지금 당장도 너는 천지령의 천년진기를 취했지만, 노련한 일류고수를 상대하기도 벅찰 것이니라."

"제가 상승의 내공심법을 익히고, 무림일절로 불리는 권장지공을 죽으라고 수련하면 그럼 혹시 10년 안에라도 천하십대고수의 반열에 오를 수 있는 겁니까?"

"미안하지만 그런 고민은 더 할 필요가 없느니라. 너는 오늘 이 동굴 안에서 살아나가지 못할 테니까 말이다."

그러면서 화조신옹이 한걸음 성큼 다가왔다. 나는 두 걸음을 물러나면서 말했다.

"그런데 말입니다."

"……?"

"어쩐지 노선배께서도 이제 호랑이는 아닌 것 같습니다만, 성질 더러운 살쾡이 정도라면 모를까."

"……!"

나는 두 다리를 어깨너비로 벌린 다음 비스듬히 서서 무릎을 살짝 굽혔다. 이어 주먹을 손가락 끝에서부터 천천히 말아쥐고는 말했다.

"들어오십시오."

"이노옴!"

화조신옹이 일갈을 내지르며 덮쳐왔다. 용의 발톱 같은 그의 손가락에서 뭐라 말할 수 없이 무시무시한 기세가 느껴졌다.

고도의 집중력과 함께 이능력이 발동됐다.

화조신옹의 손은 여전히 빠르고 강맹했다. 하지만 이제는 속수무책으로 당할 만큼 빠르게 느껴지진 않았다. 어찌 된 영문인지 모르겠지만, 천지령의 천년진기는 내게 가공할 힘뿐만이 아니라 부적의 공능 또한 향상시켜 준 것 같았다. 안타까운 건 내 손발이 아직 그걸 따라가지 못하고 있다는 것일 뿐.

'이가 없으면 잇몸으로!'

나는 이능력으로 인해 느려진 시간을 최대한 활용하기 위해 겨드랑이가 찢어질 정도로 빠르게 주먹을 내질렀다.

뻐억!

화조신옹의 용발톱과 내 정권이 정면으로 격돌했다. 그리고 내 주먹은 용발톱을 그대로 밀어붙이며 화조신옹의 어깨까지 후려쳤다.

뻐억!

내게는 두 번으로 나눠 들렸지만, 화조신옹에겐 그저 '뻐벅!' 하고 들
렸을 것이다.

화조신옹의 왼쪽 어깨가 크게 젖혀지며 상체가 흔들렸다. 초식이고
뭐고 없이 그냥 힘으로 때려 박아 버린 것이다.

나는 용발톱에 주먹 끝 살점이 찢겨 나갔지만, 대신 화조신옹은 내
주먹에 왼쪽 어깨뼈가 박살 나버렸다.

화조신옹이 정신을 차릴 사이도 없이 나는 다른 쪽 손목을 덥석 잡
았다. 동시에 겨드랑이 아래를 빙글 파고들며 팔 전체를 한 바퀴 크게
꺾었다.

우두둑!

순식간에 화조신옹의 뒤로 가게 된 나는 등을 폴짝 올라타며 사지
로 몸을 휘감았다. 두 다리로는 신법을 펼치지 못하도록 허벅지를 감
고, 양팔로는 손을 쓰지 못하도록 어깨를 감았다. 그냥 감기만 한 것
이 아니라 힘껏 조였다. 그야말로 바람처럼 이어진 연결 동작.

"끄헉!"

손과 발을 묶이고서는 천하의 그 어떤 인간도 용을 쓸 수가 없다.

순간적으로 중심을 잃은 화조신옹이 털썩 쓰러졌다. 그의 등 뒤에
물귀신처럼 붙은 나도 함께 쓰러졌다.

뭐라 형용할 수 없는 힘이 전신에서 느껴진다. 생각 같아선 이대로 화
조신옹의 몸뚱어리를, 전신의 뼈를 으스러뜨릴 수도 있을 것 같았다.

화조신옹은 가슴 전체가 압박을 당하면서 흡사 목을 졸린 것처럼
꺽꺽거렸다. 그 와중에도 삐져나온 손을 어떻게든 뒤로 뻗어 내 뱃가
죽을 찢으려 했다. 나는 더 강한 조임으로 응수했다.

"가만있어!"

"끄흡!"

화조신옹의 몸이 점점 작아지고 쪼그라드는 게 느껴진다. 죽음의 위기를 느낀 화조신옹은 사력을 다해 버둥거렸다. 하지만 움직임은 점점 둔해졌다.

그러다 어느 순간 느껴지는 분절음.

뚝. 뚜두둑!

화조신옹의 허벅지 뼈에 이어 갈비뼈가 차례로 부러지는 소리였다. 이대로 더 힘을 주면 부러진 갈비뼈들이 그의 심장을 찔러 죽일 거라 확신했다. 나는 화조신옹의 귓가에 대고 속삭였다.

"기분이 어떻습니까?"

"살…… 려…… 줘…….″

"살고 싶으세요?"

"살…… 려…… 줘……. 제…… 발…….″

"노선배에게 죽은 사람들도 꼭 그런 심정이었을 겁니다. 나머지 벌은 지옥에 가서 받으시기 바랍니다. 그럼, 후배는 이만 여기서 인사드리겠습니다."

뚝, 뚜두두둑!

남은 갈비뼈들이 시원하게 부서지는 소리가 들렸다. 숨까지 완전하게 막힌 화조신옹은 마지막으로 맹렬하게 버둥거리다 이내 잠잠해졌다.

잠시 후, 나도 감았던 손과 발을 풀었다. 그러고는 곧장 토악질을 했다.

"우웩!"

먹은 게 없으니 쓴 물만 잔뜩 넘어온다. 한바탕 게워낸 후에야 대
(大)자로 누워 숨을 헐떡거렸다. 죽어가던 화조신옹의 마지막 버둥거
림과 떨림이 내 몸과 근육에 그대로 남아서 떨어지질 않는 것 같다.
아마 이 느낌은 오랫동안 잊히질 않을 것이다.

나는 전생에서도 두 번의 살인 경험이 있다. 쟁자수와 달리 표사는
싸움을 업으로 삼는 사람이다. 이런 일도 이제 익숙해져야 한다.

숨이 좀 가라앉자 조용히 일어나 모닥불가에 앉았다. 밖에서 찬바
람이 들어왔는지 몸이 오들오들 떨렸다. 남궁소소를 보니 앞섶이 풀어
져 있었다. 다가가 손으로 앞섶을 여미어 주려고 하는데 그녀가 눈을
번쩍 떴다.

"뭐 하시는 거예요!"

그러더니 벌떡 일어나 앉으며 제 가슴을 가렸다.

"아니, 나는 소저가 추워 보이길래!"

"추운데 웃통은 왜 벗고 있어요?"

그제야 나는 내 상체가 알몸이라는 걸 깨달았다. 가슴에 불이나 홀
라당 타버렸다는 걸 그녀가 알 리 없었다.

"타버렸소."

"불태웠다고요? 왜요?"

"어쩌다 보니 그렇게 됐소."

남궁소소는 활활 타오르는 모닥불과 이제는 동굴 속 어디에도 남아
있지 않은 마른 낙엽을 차례로 찾아보더니 말했다.

"혹시 제 언 몸을 녹이려고?"

"……?"

"미안해요. 전 그것도 모르고."

구태여 부인하진 말자. 여기서 부인하면 내 옷이 불탄 또 다른 이유를 설명해야 하는데, 납득시키지 못하면 오해 사기 딱 좋다.

"누구라도 그랬을 것이오."

"어제도 고마웠어요."

"어제?"

"화조신옹이 제게 천지령을 먹이려고 했을 때, 죽음을 무릅쓰고 그에게 덤벼들었잖아요. 그때 귀하가 나서주지 않았더라면 전 지금쯤 죽은 목숨일 거예요."

하지만 나도 천지령을 못 먹었겠지. 정말로 감사할 사람은 오히려 나다.

남궁소소는 저만치 떨어진 곳에서 목내이 같은 모습으로 죽어 있는 화조신옹을 보며 말했다.

"어떻게 된 거죠?"

"아침에 들어와 보니 저렇게 되어 있었소. 아마 밤새 고통에 시달리며 발작을 하다가 혼자 숨이 끊어진 것 같소."

화조신옹과 격투를 벌였다고 하면 내 손으로 죽였다는 말도 함께해야 한다. 사람 죽인 이야기는 하고 싶지 않았다. 내가 죽였다고 해도 믿지도 않을 것이고.

"다행이에요."

"이게 다 곤산곤독 덕분이오."

"대별채의 산적들이 보배군요."

"그러게 말이오."

"귀하는 괜찮나요?"

"보시다시피."

"천지령을 삼켰는데 어떻게 괜찮을 수가 있죠?"

"악으로 깡으로 소화시켰소."

"농담하지 말고요."

"소저의 말대로 손가락을 입에 넣어 토했소. 처음엔 손가락만 넣었다가, 나중엔 소금물을 잔뜩 먹고 다시 손가락을 쑤시고, 또 쑤시고."

"……!"

"어차피 죽을 거 손가락으로 마지막까지 입이나 실컷 쑤시다 죽자는 생각으로 열심히 쑤셨소."

"그랬더니요."

"한 백 번쯤 쑤셨더니 대장에 차 있던 똥물과 함께 올라옵디다. 개울물에 그대로 쏟아내고 쓰러졌는데 깨어나고 보니 아침이었소."

남궁소소는 더는 묻지 않고 손으로 조용히 입을 가렸다. 듣다 보니 저도 모르게 슬금슬금 올라오는 모양이었다.

됐다. 통했다. 하기사 천지령을 먹고도 멀쩡하게 살아 있다고 하면 그게 더 이상할 것이다. 내가 천지령의 천년진기를 취했다는 사실은 최대한 숨겨야 한다. 화조신옹의 말에 따르면 이걸 공력으로 변환하지 못하는 이상 내 피는 영약이고 나는 걸어 다니는 영물이다. 만약 이 사실이 강호에 알려졌다간 득보다 화가 훨씬 많을 것이다.

"그런데 웃통은 계속 벗고 있을 건가요?"

"옷이 없다니까."

"저거라도 좀 벗겨 입으세요."

남궁소소가 턱으로 죽은 화조신옹을 가리켰다.

어차피 옷이 있긴 있어야 했다. 나는 화조신옹에게 다가가 옷을 벗기기 시작했다. 장삼과 단삼을 차례로 벗겼을 때였다. 난데없이 번쩍번쩍하는 흉갑(胸甲)이 떡 하고 모습을 드러냈다.

"이건 또 뭐야!"

나만큼이나 남궁소소도 당황한 얼굴이었다.

자세히 살펴보니 흉갑은 물고기의 비늘처럼 얇게 두들긴 쇳조각 수천 개를 이어 붙여 만든 것이었다. 그 정교함은 이루 말할 수가 없고, 수천 개의 비늘이 만들어내는 백색의 광채 또한 어쩐지 예사롭지가 않았다. 분명 금속인데 설광(雪光)이 느껴진다고 해야 하나.

그러다 가슴 한가운데 있는 유난히 큰 비늘에서 음각으로 정교하게 새겨진 용 문양을 발견했다.

남궁소소가 목구멍을 쥐어짰다.

"설마……!"

"왜 그러시오?"

"운철검 어딨죠?"

"운철검이라니?"

"화조신옹에게 빼앗긴 그 단검 말이에요."

"그게 운철로 만든 거였소?"

"세상에, 그게 무엇인 줄도 모르고 여태 들고 다녔어요?"

이종산을 만난 첫날 얼렁뚱땅 챙긴 단검이 운철검이었다고? 말로만 들었지 운철을 실제로 본 적이 없으니 알아볼 리가 있나. 누가 말을 해 준 것도 아니고. 그나저나 정말 운철검이라면 엄청난 귀물이었다.

깜짝 놀란 나는 황급히 운철검을 찾아 주위를 두리번거렸다. 다행히 운철검은 화조신옹이 가부좌를 틀던 자리에 그대로 있었다.

"잠깐만 빌려주겠어요?"

남궁소소는 운철검을 건네받자마자 화조신옹의 배와 가슴을 휙휙 베고 그었다. 쇠를 두부처럼 자른다는 운철검이다. 한데도 흉갑은 생채기만 어지럽게 날 뿐 멀쩡했다.

"그래도 운철검이라고 생채기가 나긴 나는군요. 보통의 검이었다면 머리카락 같은 자국도 만들지 못했을 거예요."

"이게 뭔데 그러시오?"

"용린신갑(龍鱗神甲)."

"용린신갑?"

"과거 십만대산에 뿌리를 내렸던 옛 마교의 보물이에요. 100세를 맞은 교주의 생일을 축하하기 위해 마교의 장인들이 대설산에서 나는 설강금(雪鋼金)을 1년 동안 두들겨 만들었다고 들었어요."

말만 들어도 엄청난 물건이라는 게 느껴진다.

"화조신옹이 선하령에서 혼자 백 명도 넘는 무림인들을 상대하면서 잡히기는커녕, 오히려 절반을 죽였다는 게 내내 이해가 되지 않았어요. 그런 건 천하십대고수라도 쉽지 않은 일일 테니까요."

"……!"

"하지만 이제 알겠어요. 이걸 옷 속에 숨기고 있었으니 어떤 도검이 그를 벨 수 있었겠으며, 어떤 암기가 그를 쓰러뜨릴 수 있었겠어요."

"……!"

"축하드려요. 이제 용린신갑의 주인은 귀하예요."

"이걸 내가……?"

"독을 타서 화조신옹을 죽였잖아요. 전리품은 원래 전 주인을 죽인 사람이 갖는 것 아닌가요? 혹시 양보하시겠다면 평생의 은인으로……."

"보물이고 뭐고 간에 일단 추워서라도 입어야겠소."

나는 잽싸게 흉갑을 벗겨서 입었다. 비늘 형태로 만들어서 그런지 입는 순간 약간 늘어나는 듯했다가 이내 일부러 맞춘 것처럼 딱 맞았다.

"이것도 옷이라고 한결 낫네."

남궁소소 앞이라 애써 태연한 척했지만, 사실 나는 속으로 만세를 백 번쯤 부르고 싶은 심정이었다. 천지령의 천년진기를 취한 것도 모자라 이런 귀물까지 손에 넣다니. 이번 표행은 완전히 남는 장사 했다.

나는 일단 밖으로 나가 운철검으로 땅을 팠다. 그리고 화조신옹과 걸레쪼가리가 된 강시를 감쪽같이 묻었다. 다시 동굴로 돌아오니 남궁소소가 가부좌를 틀고 앉아 운기행공 중이었다. 옆에는 그녀가 토해낸 것으로 짐작되는 검은 피가 한 움큼이나 있었다.

'내상!'

마혈을 짚인 채 밤새 추위와 사투를 벌였던 것이 결정적 원인인 것 같았다.

실제로 그녀는 반쯤 황천강을 건너다가 나 때문에 돌아왔다. 그 후 유증이 이 정도였을 줄이야. 게다가 아직 마혈이 완전히 풀리지 않아 걷지도 못했다.

나는 조용히 밖으로 나가려 했다.

"어딜 가세요?"

"개구리라도 좀 잡아 오겠소."

"추워서 다 들어갔을걸요."

"토끼라도 쫓아다녀 보겠소."

시원하게 잡아 오겠다는 소리가 차마 안 나온다. 힘은 세도 무공을 모르니 토끼 한 마리도 마음대로 잡을 수가 없다. 차라리 느린 곰이라도 돌아다니면 등에 올라타 목을 졸라서 잡을 텐데.

"잠깐만 이리로 와서 앉아보세요."

말을 하는 게 꼭 잔소리하려는 마누라 같다. 곁으로 다가가 앉으니 남궁소소가 심각한 표정으로 말했다.

"오늘이 며칠인지 아세요?"

"글쎄올시다."

"닷새밖에 남지 않았어요."

"뭐가 말이오?"

"회시 말이에요."

"그 얘긴 왜 하는 거요?"

"서두르면 북경까지 충분히 갈 수 있어요."

"하지만 소저의 다리가……."

"전 이미 가짜 신분을 들켜 버려서 회시를 볼 수 없어요. 만약 그랬다간 국법을 조롱한 죄로 큰 처벌을 받을걸요."

"나 혼자 가란 말이오?"

"전 이 동굴에서 닷새 정도 더 쉬면서 운기행공을 해야 할 것 같아요. 마혈이 아직 풀리지 않은 것도 있지만, 내상이 생각보다 심각해서요. 모르시겠지만, 추위는 남궁세가의 내공진기와 상극이에요."

"정 그러면 내가 업고 인근에 있는 의원까지 데려다주겠소. 하다못해 마을까지만이라도."

"여긴 진령(秦嶺) 한복판이에요. 온통 첩첩산중으로 둘러싸여 있어서 가장 가까운 화전민도 사흘은 가야 만날걸요. 화조신옹이 마지막에 이르러 일부러 이런 장소를 택한 거예요."

"미안하오. 내가 일류고수였다면 이럴 때 대법으로 진기라도 나눠주었을 텐데, 아시다시피 일초반식도 모르는 무식쟁이라……."

남궁소소는 말갛게 웃으며 말했다.

"귀하는 제게 무적의 고수예요. 백 명이 넘는 무림고수들도 어쩌지 못한 화조신옹을 쓰러뜨리고 저를 구해주었잖아요."

"……!"

"제 걱정은 마시고 빨리 북경으로 가세요."

"그렇다고 해도 소저를 혼자 두고 갈 순 없소. 걷지도 못하는 상태에서 닷새 동안 혼자 무얼 먹고 지낸단 말이오. 혹시나 늑대 같은 맹수가 나타날지도 모르고."

"이틀이나 사흘 정도는 굶어도 상관없어요. 사흘 후에는 어느 정도 움직일 수 있을 테니 밖으로 나가 뭐라고 찾아보면 되고요. 그리고 늑대는……."

남궁소소가 갑자기 돌멩이 하나를 주워 저만치 굴러다니는 쇠솥을 향해 던졌다.

따앙!

돌멩이는 부서져 버리고 쇠솥은 깨질 듯이 울어댔다. 만약 저게 사람 머리였다면 그대로 즉사했을 것 같았다.

"이 정도면 늑대 몇 마리 정도는 감당할 수 있겠죠?"

말은 태연하게 했지만, 배가 바르르 떨리고 있었다. 성치 않은 몸으로 내공을 끌어 올리느라 무리한 탓이다.

"정룡 공자, 귀하는 확실히 소문으로 듣던 것과 많이 달라요. 그러나 사람들의 인식을 바꾸려면 아직도 멀었어요. 회시는 귀하에게 좋은 기회가 될 거예요. 표국 내에서 입지를 다지는 데도 그렇고요. 꼭 좋은 성적으로 급제하시길 바라요."

"천룡표국에서도 그렇고 남궁세가에서도 그렇고, 우리 때문에 모두가 걱정하고 기다릴 것이오."

"그건 제가 닷새 후 남궁세가로 돌아가는 즉시 천룡표국으로 사람을 보내 무사함을 알리겠어요. 그간의 사정도 적당히 숨길 건 숨겨서 설명해 드리고요."

"무얼 숨긴단 말이오?"

"천지령이 똥과 함께 냇물에 씻겨 내려갔다고 하면 사람들이 믿겠어요? 괜한 오해는 사지 않는 게 좋아요. 말이 나온 김에 서로 입도 맞추도록 하죠."

"……!"

"화조신옹은 천지령을 복용한 후 황하(黃河)를 넘어 북쪽으로 갔어요. 우리는 인질로 끌려가던 중 황하를 건너기 직전에 화조신옹이 잠든 틈을 타 도망쳤고요."

좋은 생각이다. 머리 좋은 여자랑 다니니 이게 편하다.

"잠깐만 기다리시오."

나는 그때부터 바빠졌다. 우선 밖으로 나가 마른 나뭇가지들을 잔뜩 구해와서 모닥불가에 쌓아두었다. 그런 다음엔 황소 대가리만 한

돌들을 주워다가 동굴 입구에 차곡차곡 쌓았다. 예전 같았으면 굴리지도 못했을 돌인데 지금은 멀리 던질 수도 있을 것 같았다.

남궁소소는 잠깐을 이용해 또 운기행공 중이었다.

동굴 입구를 거의 막은 다음에는 솥에 물을 가득 떠다 놓았다. 그리고 마지막으로 옷 속에 담아온 알밤을 와르르 쏟아놓았다.

"이걸 어디서 구했어요?"

"근처에 밤나무 숲이 있소."

"잘됐네요. 조금씩 나눠 먹으면 사흘은 충분히 버틸 것 같아요. 모닥불을 피우면 밤에 춥지도 않고요."

나는 진짜 마지막으로 운철검을 건네주었다.

"혹시 모르니 갖고 계시오."

"이걸 왜……?"

"오해하지 마시오. 어디까지나 빌려주는 거니까. 생각 같아선 그냥 주고 싶지만, 아버지께서 선물로 주신 거라 내 맘대로 할 수가 없소."

"마음에 없는 소린 거 표 나요."

"지금부터 하는 말은 진심이오."

"……?"

"내가 만약 회시에 급제한다면, 그리고 무림의 고수가 된다면 훗날 귀하가 세우는 유가문파의 속가장로가 되고 싶소. 물론 허락해 준다면."

"천룡표국은 어쩌고요?"

"그게 뭐 어쨌다는 거요?"

"귀하는 천룡표국의 사공자시잖아요. 어쩌면 훗날 꿈꾸시는 것처럼 명표로 이름을 날리다 부친의 뒤를 이어 국주가 될지도 모르고요."

"그런 일은 없겠지만, 만에 하나 내가 국주가 된다고 해도 유가문파의 속가장로가 되지 말라는 법은 없소. 참고로 내 아버지께서는 인근 선광사(善光寺)의 속가제자이시오. 물론 선광사가 소림사처럼 무림세력은 아니지만."

정말 못할 것도 없다. 천룡표국은 가업의 성격을 지닌 무림세가이고, 남궁소소가 세우겠다는 유가문파는 소림사나 무당파처럼 종교에 기반을 둔 문파일 테니까. 다만 그렇게 되면 천룡표국과 남궁소소가 세운 유가문파는 혈맹의 관계가 될 것이다.

그런데 그녀가 정말 유가문파를 세울 수 있을까? 내가 명표가 되고, 천하십대고수의 말석을 차지하고, 끝내는 새로운 표왕이 되어 천룡표국을 이끌어 나갈 수 있을까?

정말 꿈같은 이야기들이다.

"좋아요. 꼭 그렇게 해주세요."

"그럼 항주에서 봅시다."

"건투를 빌어요."

"소저도."

9장
집으로 돌아오다

이정룡이 실종된 지 20일 하고도 여러 날이 지났다. 그사이 이종산은 총표두 곽석산을 필두로 한 별동대 일백 명을 사건이 벌어진 귀곡성림으로 급파했다.

천룡표국에 재난급 사건이 벌어질 때마다 동원되는 별동대는 최소 10년 이상 경력의 표사들로만 구성되었다. 말이 좋아 백 명이지, 이미 의뢰를 받아 표행에 투입된 표사들을 제외하면, 사실상 표국의 운영을 해치지 않는 선에서 동원 가능한 표사들은 전부 동원한 것이었다.

한데도 아무런 소득이 없었다.

듣자 하니 남궁세가에서도 영애를 찾기 위해 세가의 전력을 총동원했다고 한다. 뿐만 아니라, 남궁세가에서는 사람을 통해 천룡표국에 분명한 경고의 목소리도 보내왔다.

"만약, 본가의 영애에게 불미스러운 일이 생길 경우, 이 책임을 엄중하게 물을 것입니다."

혈족의 실종에 대한 분노는 충분히 이해한다. 하지만 억울하다. 억지로 표행에 딸려 보낸 것도 아니고, 자기가 보내달라고 간청해서 간 것 아닌가. 그마저도 신분을 감추었고.

할 말은 많지만 일단 참는다. 아직 아이들의 생사조차 확인이 안 된 상황에서 섣부른 말들은 부정만 탈 뿐이다.

이종산은 이미 사건이 벌어지기 전에 남궁소소의 존재를 알고 있었다. 표행단이 출발한 지 이틀째 되는 날, 남장에 역용까지 하고 찾아온 풍진양의 정체에 대한 보고를 총표두로부터 받았던 것이다.

"놀라지 마십시오. 뇌검 남궁유룡 대협의 손녀라고 합니다. 진짜 이름은 남궁소소이고요."

"확실한가?"

"그렇습니다."

"다시 묻겠네. 확실한가?"

"저도 믿기지 않아서 거듭 확인했습니다."

"뇌검 선배께 영특한 손녀가 있다고 하더니 혹시⋯⋯."

"바로 그 아이입니다."

"음⋯⋯."

그 말을 들었을 때 이종산은 속으로 쾌재를 불렀다. 세상에, 남궁세가라니. 현 남궁세가의 가주이자 천하십검(天下十劍) 중 한 명인 뇌검 남궁유룡이 그렇게 물고 빨고 한다는 손녀라니. 그 손녀가 자신의 아들 정룡에게 호감을 느끼고 졸졸 따라다닌다니.

만약 이것이 혼사로까지 연결된다면 정룡은 그야말로 용의 여의주를 물고 봉황의 날개를 단 격이 된다.

또 한 가지, 천룡표국은 남궁세가와 사돈지간이 된다. 절강성의 패자와 남직예성의 패자가 혈연관계로 맺어지면 중원무림을 통틀어 가장 강력한 혈맹이 탄생하는 것이다.

그러나 기쁨은 오래가지 않았다.

"정룡이 실종되었습니다!"

"자세히!"

"표행 중 화조신옹이 나타났고, 정룡과 남궁소소가 표사와 쟁자수들을 살리기 위해 스스로 인질이 되어 끌려갔다고 합니다."

"남궁소소도 함께?"

"소제가 화조신옹의 목을 비틀어 오겠습니다."

"별동대를 데려가라!"

그러나 별동대를 이끌고 화조신옹을 추적 중인 곽석산은 전서구를 통해 절망적인 소식만 계속 보내왔다.

〈비가 두 차례나 내렸습니다.〉

〈종적이 모두 씻겨 버렸습니다.〉

〈귀곡성림을 벗어났습니다.〉

〈생사가 확인되질 않습니다.〉

〈아무래도 놓친 것 같습니다.〉

〈진령을 뒤지는 중입니다.〉

언제부턴가 강호엔 화조신옹이 이미 황하를 넘었으며, 천룡표국과
남궁세가의 두 후기지수를 죽여 없앴다는 소문이 돌기 시작했다. 반대
로 화조신옹이 황하를 넘은 건 사실이지만, 두 아이가 황하를 건너기
직전 탈출했다는 소문도 돌았다.

사실 소문이야 백 가지도 넘게 나돌았다. 목격자나 신빙성 있는 제
보를 주는 사람에게 후사한다는 소문을 듣고, 온갖 사람들이 찾아와
한입씩 보태고 갔기 때문이다.

이제 소문은 의미가 없었다.

냉정하게 생각하면 구출을 위한 황금시간은 이미 넘겼다. 이제 복수
를 준비할 때였다. 아직 살아 있다면 이것 자체로 구출 작전이 되고, 만
에 하나 죽었다면 처절한 복수의 시간이 될 것이다.

이종산은 대장궤를 비롯해 오당(五堂)의 당주들과 십육각(十六閣)의
각주들을 전부 불러 모았다.

"국경의 장수들에게 금전 일천 냥의 현상금을 내걸고 검문검색을 강
화해 달라는 전서를 보냈습니다. 화조신옹을 잡지는 못하겠지만, 국경
을 넘었다면 흔적은 찾을 수 있을 겁니다."

황룡당 당주 황자충이 말문을 열었다. 올해 쉰다섯 살인 그는 황실
금의위(錦衣衛)의 장수 출신이었다. 무언가 더 비밀스러운 과거가 있었

지만, 그건 오로지 국주인 이종산과 총표두 그리고 대장궤 손지백만 아는 내용이었다.

"섬서성과 산서성의 포의방(捕意幇) 지부에 금전 일천 냥의 현상금과 함께 모든 일에 우선하여 나서달라고 협조 요청을 했습니다. 역시 잡지는 못해도 흔적은 찾을 수 있을 것입니다."

적룡당 당주인 양진각이 말했다. 올해 쉰 살인 그는 중원을 통틀어 가장 많은 범죄자들을 잡아들인 기록을 가진 명포(名捕), 이른바 관부의 포두 출신이었다. 그는 곤술과 포박술만으로 절정고수의 반열에 오른 입지전적 인물이었다.

그가 말한 포의방은 포쾌들의 친목 조직으로, 현급 이상의 지방이라면 어디에나 지부가 있었다. 방도들은 죄다 포쾌 나부랭이에 불과하여 무공은 내세울 것이 없었다. 그러나 지방 사정에 정통하여 나름의 막강한 힘을 행사했다. 특히 사람을 찾을 때 진가를 발휘했다. 심지어 포의방이 나선다면 무덤에 들어간 사람조차도 사흘 안에 찾아낸다는 말까지 있었다.

"개방과 하오문을 비롯해 중원 전역의 일곱 개 살수문파에 용모파기를 보냈습니다. 화조신옹의 소재를 찾아주는 곳에 금전 일천 냥을 사례하겠다는 말도 보탰습니다."

청룡당 당주 유지평이 말했다. 올해 마흔일곱 살인 그는 백도무림 최대의 연맹세력인 무림맹(武林盟) 군사부(軍師部) 출신이었다. 용혈인 이갑룡과 을룡을 제외하면 오당의 당주들 중 가장 젊고 무공도 낮았다. 대신 무공보다 무서운 두뇌와 방대한 인맥을 자랑했다.

이로써 군부, 관부 그리고 무림이 전부 동원되어 화조신옹의 흔적을 찾는 셈이 되었다. 중원 전역에 천라지망이 펼쳐진 것이다.

한데도 이종산은 성에 차지 않았다.

"세 사람 모두 조건이 하나 빠졌군."

"……!"

"……!"

"……!"

"반드시 살아 있는 화조신옹이어야 하네."

그래야 잡아서 자신의 손으로 갈기갈기 찢어 죽일 것이 아닌가.

이종산은 이갑룡, 을룡, 병룡에게로 시선을 주었다. 셋째인 병룡은 동생의 실종 소식에 북경으로 가서 회시를 보는 것도 포기했다. 울고 싶은데 뺨 때려준다고, 어차피 안 될 일을 핑계 삼아 가지 않았음을 안다.

그러나 정룡은 다르다. 그 녀석은 항주부에서 치러진 향시에서 당당하게 장원을 했다.

'북경으로 가서 회시까지 치렀더라면……'

미련을 두어봤자 죽은 자식 불알 만지기다.

동생을 잃을지도 모르는 이 아이들의 심정은 과연 어떨까? 일단 얼굴은 모두가 침통하다. 거짓인지 참인지 알 수는 없으나 오늘만큼은 진심이라 믿고 싶다. 그렇지 않으면 그 아이가 너무 불쌍하지 않은가.

그때 표왕부의 호위장 가뢰압이 다급하게 들어왔다.

이을룡이 물었다.

"무슨 일입니까?"

"항주부 지부대인이 찾아왔습니다."

"지부대인이 왜요?"

"국주님을 직접 뵙고 말씀드리겠답니다."

"이런 물색 모르는 노인네 같으니라고. 귀가 있다면 지금 우리 집안이 어떤 상황인지 알 것을!"

신중한 이갑룡이 조용히 보탰다.

"호위장께서도 아시다시피 지금은 손님을 맞을 때가 아닙니다. 적당히 돌려보내시지요."

"지난번처럼 말 탄 관병들을 잔뜩 이끌고 막무가내로 쳐들어왔습니다. 한데 이번엔 기세가 아주 등등합니다. 당장 국주님을 뵈어야겠다며 생떼를 쓰고 있습니다."

"이 늙은이가 정말!"

"예를 갖추거라. 그는 항주를 다스리는 관리다."

이종산이 조용히 그러나 묵직하게 이을룡을 꾸짖었다. 그러고는 가뢰압에게 물었다.

"그래서 지금 어디에 있는가?"

"알아서 대마장으로 관병들을 이끌더니 그곳에서 진을 진 채 기다리고 있습니다. 아직 말에서 내리지도 않았고요."

대마장에 도착하니 표사와 쟁자수들 수백 명이 모여 우글대고 있었다. 그 한가운데 과연 왕인탁이 휘하의 관병 삼십여 명을 이끌고 기다리는 중이었다.

"그간 강녕하셨소이까. 국주."

"애석하게도 그러지 못합니다."

"오늘 본관이 국주의 골치를 아프게 하는 화근덩어리를 깨끗하게 없애 드리겠소이다. 하면 지난번에 미루어두었던 술 한 잔 낼 생각이 있으시오?"

"대인, 용무가 무엇입니까?"

"본관이 장담하건대, 국주께서 제아무리 본관을 탐탁지 않게 생각해도 오늘만큼은 본관을 향해 절을 하지 않을 수 없을 것이오. 껄껄껄."

왕인탁은 연신 웃음을 흘리더니 수하들을 향해 눈짓을 한 후 말에서 내렸다. 그러자 관병들이 우르르 따라서 내렸다. 그런 다음 재빨리 돗자리를 깔고 높다란 협탁을 가져다 놓았다. 마지막으로 황금빛이 도는 술 주전자와 잔이 협탁 위에 놓였다.

준비가 끝나자 왕인탁이 돗자리로 올라갔다.

"시작하라."

왕인탁이 말했다. 그러자 대기하고 있던 관병 하나가 붉은 비단이 깔린 소반 위에 황금색 두루마리를 받쳐 들고 조심스럽게 다가갔다.

왕인탁은 무슨 의식을 치르듯 두루마리를 두 손으로 집어 천천히 풀었다. 이어 위엄이 가득한 소리로 외쳤다.

"병신년 칠월 초파일 항주부 동산평에서 태어난 이정룡의 아비 이종산은 앞으로 나와 황제 폐하의 교지를 받들라!"

"······!"

"······!"

"······!"

이 무슨 날벼락 같은 소리인가. 황제 폐하의 교지라니.

지부대인의 일갈이 대마장에 모여 있는 사람들에겐 그야말로 천둥소리처럼 들렸다. 동시에 예전에도 본 적 있는 어떤 한 장면을 떠올렸다.

한데 오늘은 아들이 아니라 아버지의 이름을 부른다. 웅성거리는 소리가 끝도 없이 퍼져 나갔다. 상황을 납득하지 못한 이종산은 한동안 왕인탁의 입을 뚫어지게 보았다.

이종산의 강렬한 눈빛에 압도된 왕인탁은 한순간 흠칫했다.

대장궤 손지백이 이종산에게 다가가 말했다.

"황제 폐하의 교지입니다. 우선 예를."

이종산은 그제야 돗자리 위로 올라갔다. 그런 다음 두 손을 맞잡고 허리를 숙였다.

"황제 폐하의 교지를 받드옵니다."

그제야 왕인탁의 입가에 미소가 어렸다. 조금 전 그가 공언한 대로 과연 이종산이 그를 향해 절을 하고 있었다.

"병신년 칠월 초파일 항주부 동산평에서 태어난 이정룡은 당년 경사(수도인 북경을 지칭하는 말)에서 치러진 회시에서 장원급제를 하였다……."

왕인탁이 여기까지 말을 했을 때 대마장은 그야말로 태풍을 맞은 것 같았다. 표사와 쟁자수 수백 명이 동시에 한입씩 내뱉기 시작한 말들이 모이고 모여 우박 쏟아지는 소리를 만들어냈다.

도저히 왕인탁이 교지를 읽어 내려갈 수가 없었다. 관병들이 나서서 상황을 정리했다.

"모두 조용히 하시오!"

"모두 조용히 하시오!"

"모두 조용히 하시오!"

방향을 바꿔가며 몇 번을 외쳐야 비로소 사방이 잠잠해졌다.

"험험."

왕인탁이 목소리를 가다듬고 다시 교지를 읽어 내려갔다.

"이에 나라와 황실의 동량지재(棟梁之材)를 길러낸 이종산과 그의 가문에 금전 백 냥과 오만 평의 토지를 하사하노라!"

교지를 모두 읽은 왕인탁이 관병으로부터 황실에서 수결한 전표와 땅문서를 건네받았다. 그러곤 교지와 함께 이종산에게 전해주었다.

"축하드리오. 국주. 천룡표국에서 진사를 배출했소이다. 지난번에 내가 뭐라고 했소이까? 껄껄껄."

이종산은 교지를 읽어 내려간 왕인탁의 목소리가 흡사 벼락처럼 느껴졌다. 벼락은 그의 정수리를 뚫고 들어와 온몸에 전율을 만들어낸 후에도 아직 빠져나가지 않고 있었다. 화조신옹에게 끌려가 생사조차 확인되지 않는 놈이 무슨 수로 회시를 보고 장원급제를 했단 말인가.

왕인탁의 교지 대독이 모두 끝났지만, 오히려 대마장에 모여든 표사와 쟁자수들은 아까와 달리 조용했다. 도대체 무슨 상황인지 납득이 되질 않기 때문이다.

그때였다. 바깥으로부터 다급한 말발굽 소리가 들렸다.

잠시 후, 열린 대마장의 정문 사이로 말을 탄 인영 십여 기가 바람처럼 날아들었다. 놀란 표사들이 재빨리 장검을 뽑아 들고 달려가 기마인들의 앞을 막아섰다.

이갑룡이 크게 외쳤다.

"적이 아니오. 모두 길을 트시오!"

표사들이 비켜났지만, 인영들은 그대로 달려오지 않았다. 우두머리로 짐작되는 자가 다른 인영들을 향해 명령했다.

"너희는 여기서 기다려라!"

"존명!"

십여 명이 동시에 대답을 하는데 꼭 한 명인 것처럼 들렸다. 짧은 문례에서도 저들이 속한 곳의 기강이 얼마나 강한지 알 수 있을 것 같았다.

우두머리 인영은 그대로 말을 달려 이종산 등이 서 있는 수뇌부의 코앞까지 달려왔다. 그러곤 말에서 훌쩍 뛰어내리는데 그 신법이 표표하기가 이를 데 없었다. 장내에서 나지막한 감탄이 흘러나왔다. 그러나 사람들을 더욱 놀라게 한 것은 사내의 용모였다. 건장한 체구에 많아야 서른을 넘기지 않았을 것 같은 이 사내는 엄청난 미공자였다.

이갑룡이 사내의 앞으로 다가가며 물었다.

"여긴 어쩐 일인가?"

"국주님을 뵈러 왔네."

"무슨 일이라도 있는가?"

"직접 말씀드렸으면 하네."

"알았네. 잠깐 기다리게."

이갑룡은 다시 이종산을 돌아보며 젊은 사내를 소개했다.

"저의 친구인 남궁세옥입니다. 현 남궁세가의 가주이신 뇌검 남궁유룡 대협의 손자로, 두어 달 전부터 남궁세가에서 운영하는 항주의 다루로 와서 지내고 있습니다."

이갑룡은 '저의 친구'라는 말에 유난히 힘을 주었다. 모두가 지켜보는 앞에서 남궁세옥이 어디까지나 자신의 손님임을 분명하게 해두려는 것이다.

남궁세옥은 동년배의 다른 후기지수들과는 차원을 달리했다. 100년에 한 번 나올까 말까 한 검술의 천재라는 그는 불과 서른의 나이에 벌써 북무림을 떨어 울리는 신진고수 소리를 들었다.

뜻하지 않은 거물의 등장에, 거기다 하필이면 남궁세가 사람의 등장에, 또 거기다 하필이면 실종된 남궁소소의 오라비의 등장에 표사와 쟁자수들 사이에서는 다시 태풍이 몰아쳤다.

소개가 끝나자마자 남궁세옥이 이종산을 향해 공손하게 포권지례를 올렸다.

"항주에 온 지 두 달이 지난 후에야 비로소 국주님을 찾아뵙습니다. 무림 후학의 무례를 크게 꾸짖어주십시오."

"지금은 우리가 한가하게 인사를 나누고 있을 상황이 아닌 듯하네. 우선은 급하게 나를 찾아온 용건부터 말해주게."

"결론부터 말씀드리자면 정룡 공자는 무사합니다. 천방지축 망나니 같은 저의 누이 역시 안전하게 본가로 돌아왔고요."

"그게 무슨 말인가?"

"화조신옹은 황하를 건너 북방으로 도망쳤다고 합니다. 저의 누이와 정룡 공자는 화조신옹이 잠든 틈을 타 몰래 탈출에 성공했고요."

"……!"

"이후 정룡 공자는 촉박한 날짜에 맞춰 회시를 보기 위해 북경으로 달려갔고, 저의 누이는 내상을 치료하느라 동굴 속에서 닷새 동안 운기행공을 한 후에야 비로소 돌아오는 여정을 시작했다고 합니다."

"……!"

"누이가 이르길, 표행에 동참한 것은 어디까지나 자신의 의지였으며 천룡표국은 아무런 책임이 없다고 했습니다. 또한 함께 인질이 되어 끌려가던 중에는 시종일관 정룡 공자가 목숨을 걸고 지켜주었다고까지 했습니다."

"……!"

"이에 할아버지께서 제게 전서를 보내시어 서둘러 국주님을 찾아뵙고 소식을 전하라셨습니다. 그리고 가까운 시일 내에 국주님과 정룡 공자를 본가로 초대하고 싶다고도 말씀하셨습니다."

"……!"

"할아버지와 누이를 대신해 천룡표국에 감사드립니다."

남궁세옥이 여느 때보다 공손하고 절도 있는 동작으로 포권지례를 올려왔다.

"정녕 이 모든 게 사실인가?"

"정룡 공자의 안부에 관한 물음이시라면 이미 지부대인께서 대답을 하신 것 같군요."

말끝에 남궁세옥이 왕인탁과 관병들, 협탁, 술 주전자를 차례로 바라보았다. 그러다 마지막에 이르러 이종산의 손에 들린 교지에서 멈추었다.

"천룡표국에 큰 경사가 생겼군요. 축하드립니다."

남궁세옥이 또다시 포권지례를 올렸다. 아무도 의식하지 못했지만, 남궁세옥은 벌써 세 번째 예를 갖추고 있었다.

그때였다.

"국주님!"

또 한 명의 사람이 대마장을 가로질러 헐레벌떡 달려왔다. 중원 전역에 있는 천룡표국 분타와의 연락을 책임진 전서각(傳書閣) 각주 계종명이었다.

"자넨 또 무슨 일인가?"

"공자님께서 무사하시답니다."

"……?"

"남궁세가의 영애께서 세가로 돌아오셨답니다. 그녀의 말이 정룡 공자께서도 무사하시다고 했답니다. 뒤늦게 남궁세가의 총관으로부터 전후 사정을 전해 들은 총표두께서 별동대를 이끌고 귀환 중이시라고 전서를 보내오셨습니다."

"알았네."

"예?"

"가서 일보게."

계종명은 눈알을 데굴데굴 굴리며 주변을 둘러보았다. 실종된 이정룡과 남궁세가의 영애가 살아 있다는데도 아무도 놀라거나 기뻐하는 기색이 없었다. 하지만 그건 그의 착각이었다. 다들 앞서 이미 놀란 상태로 표정이 굳어버려 아직 풀어지지 않은 것이었다.

지부대인 왕인탁이 히죽히죽 웃으며 말했다.

"제가 제일 빨랐군요. 국주."

전서구를 이용한 천룡표국의 연결망, 남궁세가의 연결망, 관의 파발이 경쟁하였는데 어처구니없게도 관의 파발이 제일 빨랐다. 촌각의 승부를 결정한 것은 지부대인의 탐욕이었을 것이다. 가장 먼저 큰돈이 된다는 걸 본능적으로 아는 것이다.

모든 것이 명명백백해졌다. 화조신옹은 황하를 넘어 북방으로 도주했고, 남궁세가의 영애는 무사히 세가로 돌아갔다. 이정룡은 북경에 가서 회시를 치르고 당당히 장원급제를 한 후 지금 집으로 돌아오는 중이고.

"축하드립니다. 국주님."

"축하드립니다. 국주님."

"축하드립니다. 국주님."

"축하드립니다. 국주님."

대장궤 손지백을 필두로 황룡당, 적룡당, 청룡당 당주들이 차례로 인사를 해왔다. 십육각의 각주들은 당주들의 인사가 모두 끝나길 기다렸다가 일제히 한목소리로 인사했다.

"축하드립니다. 국주님."

왕인탁의 말이 맞았다. 화근덩어리가 빠져나가면서 머릿속이 환하게 맑아졌다.

이종산은 가슴이 터져 버릴 것만 같았다. 체면을 잃지 않으려고 어금니를 꽉 깨물어 보지만, 입꼬리가 저절로 올라가는 것만큼은 어쩔 수가 없었다.

"그나저나 이 어처구니없는 인사는 대체 어디에서 무얼 하고 있는지 모르겠군. 답답하구나. 답답해."

손지백이 입맛을 다시며 투덜거렸다. 감히 사공자를 두고 '어처구니없는 인사'라고 할 수 있는 것은 그가 오랜 세월 이종산과 생사고락을 함께해 온 의형이기 때문이다. 나이를 따져 손지백이 맏형이었고, 이종산이 둘째였으며, 총표두 곽석산이 막내인 셋째였다.

그때였다.

"사공자님께서 돌아오셨다!"

누군가의 외침에 대마장에 모인 사람들 전부가 단 한 명도 빠짐없이 정문 쪽을 향해 돌아보았다. 과연 얼굴은 깨끗했지만, 옷은 상거지 꼴을 한 이정룡이 제 몸집보다 조금 큰 조랑말을 탄 채 또각또각 들어오고 있었다.

그는 수백 명의 사람들이 대마장에 집결해 있는 것을 보고 말을 우뚝 멈췄다. 그리고 모두가 자신을 바라보고 있다는 사실을 깨닫고 그 자리에서 얼어붙어 버렸다.

그 순간, 사람들이 천지가 떠나갈 듯 함성을 내질렀다.

"와아아!"

"역시 집이 최고야."

나는 욕조에서 묵은 때를 밀며 여독을 풀었다.

역설적이게도 회시에서 장원급제를 하는 건 향시에서 장원급제를 하는 것보다 훨씬 쉬웠다. 향시에서는 비록 시제를 미리 알고 있었다고 하더라도 나만의 답문으로 승부를 보았다. 하지만 회시에서는 전생에서 장원급제하는 자의 답문을 가로챘다.

똑같은 답문이 두 개가 나오겠지만 상관없었다. 내가 최소한 한 시진 이상 빨리 냈을 테니까. 나중에 답문을 낸 진짜 장원급제자는 부정행위를 한 것으로 간주되어 실격 처리될 것이다.

양심에 찔리지 않느냐고? 천만의 말씀. 그대로 두었다면 놈은 10년 후 항주부의 지부대인으로 발령이 나서 수탈과 악행을 일삼았을 것이다. 몇 가지를 꼽으라면 부유한 상인과 지주들을 온갖 죄명으로 잡아들인 후 거액 받고 풀어주기, 수로 곳곳에 검문소를 백여 개나 증설한 후 통행세를 뜯어내기 등이 있겠다.

그중에서도 가장 악랄한 짓은 수하들의 젊고 아름다운 부인을 탐한 것이었다. 그는 공무를 핑계로 젊은 관리들을 먼 곳에 출장 보낸 후, 혼자 남은 부인들을 위로한답시고 불러다 욕을 보이는 일이 허다했다. 하지만 이번 생에서는 그런 일이 없을 것이다. 그를 대신해 올 지부대인이 얼마나 청렴하고 사명감 있을지는 모르겠지만 말이다.

"따뜻한 물 좀 더 부을까요?"

장삼이 대나무 장대 양쪽에 물통을 걸어 낑낑대며 들고 와서는 말했다. 김이 모락모락 나는 것이 금방 가마솥에서 퍼온 모양이다.

저 녀석이 종놈답지 않게 말투는 좀 싹퉁머리 없어도 나를 걱정하고 챙기는 건 형님들보다 백배 낫다.

"좋지."

촤아악! 촤아악!

"엇, 뜨거라!"

"휴우, 더 필요한 거 없으십니까?"

"됐다. 너도 좀 쉬어라."

"공자님 안 계실 때 푹 쉬었습니다. 북경에 가셨으면 북경 분타에 들러 전서구라도 좀 날려주시지. 소인이 얼마나 걱정했는 줄 아십니까?"

장삼이 들고 온 물통을 뒤집어놓더니 거기에 척 앉고는 육포를 꺼내 질겅질겅 씹었다. 본격적으로 얘기를 듣고 싶은 모양이다. 뜨거운 물은 그 값이고.

"닷새를 꼬박 밤잠을 설쳐가며 달려가 회시를 봤다. 회시가 끝나자마자 제일 가까운 여각에 들어가 쓰러져 잤고. 깨어나 보니 이틀이 지났더만."

"그럼 그때라도 가서 전해주시죠."

"북경 가봤어?"

"아뇨."

"안 가봤으면 말을 하지 마. 북경이 얼마나 넓은 줄 알아? 내가 묵은 여각에서 천룡표국 분타까지 한나절을 꼬박 걸어야 해. 체력도 바닥난 상태에서 그 짓을 어떻게 해."

"하면 어떻게 그리 빨리 오셨습니까?"

"뭐가?"

"항주에서 북경까지 가면 족히 20일은 걸리는 길을 거의 닷새 만에 돌아오셔서 드리는 말씀입니다."

"그거야 표마차를 끌고 느릿느릿 걸어갈 때 얘기고, 해 뜰 때부터 해 질 때까지 삼십 리마다 한 번씩 쌩쌩한 말로 갈아타고 달리면 닷새도 안 걸려. 덕분에 말타기 연습은 사타구니가 헐 정도로 아주 실컷 했다. 한번 볼래?"

"괜찮습니다."

"이제 어디 가서도 말은 좀 탄다고 말할 수 있게 됐어. 막상 해보니 별거 아니더라고."

"말은 다 어디서 나셨어요?"

"여기 있잖아."

나는 그때까지 등을 박박 미는 데 사용하고 있던 동패를 내밀었다. 손 바닥만 한 동패엔 연호(年號)와 함께 달리는 말 한 마리가 양각으로 정

교하게 새겨져 있었다. 그 바람에 오돌토돌한 것이 오래 묵은 때를 미
는 데 그만이었다.

"이게 뭡니까?"

"마패(馬牌)라는 물건이야."

"어디서 나셨는데요?"

"장원급제를 했더니 주더라고. 원래는 두루마리로 만드는데, 이건
뭐랄까 좀 특별한 거야."

"그럼 혹시 이걸 가지고?"

"맞아. 경항대운하를 따라 내려오면서 역참이 나타날 때마다 들러
보여줬어. 그랬더니 알아서 말을 척척 내주더라고. 마패가 그렇게 요긴
한 물건인 줄 처음 알았다."

"아직 정식으로 관원이 된 것도 아닌데, 벌써 마패까지 내주었다고요?"

"그게 좀 복잡해."

나는 북경에서 있었던 일을 떠올렸다.

으리으리한 장원에는 백발의 노인이 기다리고 있었다. 척 보는 순간
엄청난 신분의 관원임을 직감했다.

"인사 올리거라. 이부시랑(吏部侍郎) 금불위 어른이시다."

이부는 관리의 임용과 인사를 담당하는 최고기관이고, 이부시랑은
그곳의 수장인 이부상서(吏部尙書)를 보좌하는 벼슬이다. 정3품으로 품
계도 높지만, 그 직책의 특성상 나는 새도 떨어뜨릴 권력을 가진 사람

이다.

이런 사람이 갑자기 왜 나를 부른 걸까?

"유생 이정룡 인사 올립니다."

"네가 이종산의 아들이더냐?"

순간 머리끝이 쭈뼛 섰다.

항주의 지부대인조차도 천룡표국의 국주 앞에서는 눈치를 본다. 그런 이종산을 이름 석 자로 부를 수 있는 사람이 지금 내 눈앞에 있다.

"놀라지 말거라. 오랫동안 보지 못했으나 난 네 아비와 제법 막역한 사이니라. 네가 지금 이 자리에서 나와 독대를 할 수 있는 것도 그 때문이고."

천룡표국의 이씨 가문이 선조 때부터 황궁과 관부에 인맥을 만들어 두고 대물림해 오고 있다는 말은 들었다. 소문의 실체를 직접 확인하자 나도 모르게 전율이 일었다.

"호부 밑에 견자 없다더니, 안 본 사이에 이종산이 아들을 이렇게 든든한 소룡으로 길러냈을 줄은 몰랐는걸."

"과찬이십니다."

"아들을 이용해 황실과 관부의 권세까지 손에 넣으려 할 줄은 더욱 몰랐고 말이야."

말 속에 가시가 있다. 그냥 가시가 아니다. 목숨을 앗아갈 수도 있는 아주 위험한 가시다. 본능적으로 느껴진다.

"단도직입적으로 말하겠다. 너는 당분간 벼슬길에 오르지 못할 것이다."

"……!"

"과거 급제는 너희의 노력으로 하는 것이나, 벼슬은 너희의 노력으로 하는 것이 아니다. 우리가 필요에 따라 나누는 것이지."

"……!"

"지난 10년 동안 부유한 강남삼성 출신의 유생들이 회시의 상위권을 싹쓸이해 왔다. 그 일로 타성 출신 관료와 유생들의 불만이 극에 달했다."

"……!"

"해서 당분간 강남삼성 출신의 유생들은 아무리 우수한 성적으로 급제를 해도 큰 벼슬을 주지 않기로 합의를 보았다. 장원급제를 한 너는 특별히 상징성이 크다."

나는 이 노인이 말하는 '우리'와 '합의를 보았다' 속에 숨겨진 엄청난 의미들을 어렴풋하게나마 짐작할 수 있었다.

간단히 말하자면, 이 노인은 강남삼성 출신의 관리들이 모인 거대 당파에 속해 있다. 그리고 잔뜩 불만을 토로한 다른 당파와 물밑 조율을 한 끝에 영광은 가지되 실리는 챙기지 않는 것으로 합의를 보았다.

황제가 할 수 있는 일이 세 가지면, 그 아래서 권력을 잡은 자들이 할 수 있는 일은 일곱 가지라고 하더니 이 정도일 줄이야.

나는 어차피 벼슬길에 관심이 없었다. 사실 섣부른 욕심으로 장원급제까지 해버리는 바람에 어떻게 일상으로 돌아가나 크게 고민하던 중이었다. 한데, 이렇게 알아서 쫓아 보내준다고 하니 오히려 고마워 절이라도 하고 싶은 심정이었다.

'기왕 물러날 거면 뭐라도 조금 챙겨볼까?'

아니다, 아서자. 사적인 영달을 위해 나라의 제도를 이만큼 이용했으면 됐다. 무리해서 챙겨봐야 어차피 나라 곳간에서 나올 것들, 더 이상 욕심을 낸다면 나 역시 부패한 관리와 다를 게 없다.

무엇보다 특히, 이 노인 너무 무섭다.

"알겠습니다."

"……!"

내가 너무나 명쾌하게 수긍해 버리자 노인은 살짝 당황한 모양이었다. 나를 이곳까지 끌고 온 젊은 관리도 어리둥절한 표정이었다.

"내 말을 전부 알아들었더냐?"

"항주의 천룡표국이란 곳에도 사람이 있음을 증명한 것으로 되었습니다. 소생은 고향으로 내려가 조용히 가업을 이으며 때를 기다리겠습니다."

"나는 지금 너에게 그동안 유생으로서 한 모든 고생이 전부 헛수고였다는 말을 하고 있는 것이다. 한데도 아무렇지 않단 말이더냐?"

"일은 사람이 도모하나 성사 여부는 하늘에 달려 있다는 말도 있지 않습니까? 안 되는 일을 억지로 되게 하면 반드시 탈이 날 것입니다. 소생도, 소생의 아비도 그것은 원치 않습니다."

괜히 고집을 부려 당신과 당신이 속한 당파를 곤란케 하지 않겠다. 그랬다간 화를 살 수 있다는 것 또한 안다. 하니 안심하시라……. 뭐 이런 뜻이다.

노회한 관리답게 그는 바로 내 말을 알아들었다.

"허허. 이 친구 보게."

"다만 한 가지 청이 있습니다."

"말해보라."

"소생의 집안은 대대로 무림세가였던지라 문과에 급제한 관원들에 대한 동경이 있습니다. 하여 항주에 계신 소생의 아비는 자식을 북경으로 보내놓고 말석이라도 좋으니 급제만 하여 돌아오기를 학수고대하고 계시지요."

일단, 아버지가 나로 하여금 과거시험을 보게 한 것은 순전히 자랑용이다. 결코 당신이 우려하는 것처럼 다른 목적이 있지 않다…… 는 말을 에둘러 표현했다.

그리고 덧붙였다.

"소생의 아비는 특히 많은 사람들이 지켜보는 앞에서 지부대인이 직접 황제 폐하의 교지를 대독해 주는 걸 좋아하십니다."

"그래서?"

"가장 빠른 파발로 항주부에 소생의 장원급제 소식을 알려주시면 안 되겠습니까? 하면 나머지는 그곳의 지부대인께서 알아서 하실 것입니다."

"그리하면 내게는 무엇이 좋으냐?"

이 뻔뻔한 노인네를 좀 보소. 멀쩡하게 장원급제한 사람을 빈손으로 내려보내려 하면서 이 정도 청에도 조건을 단다고?

"소생이 장원급제를 하고도 벼슬길에 오르지 못했다는 걸 아시면 아비의 낙담이 이만저만 아닐 것입니다. 하지만 어르신께서 어려운 가운데도 이리 체면을 세워주신 걸 아시면 분명 감읍하실 것입니다."

막역한 사이가 그냥 만들어졌을 리 없다. 천룡표국에선 필시 이 노인네와 그의 가문에 막대한 뇌물을 바쳤을 것이다. 나는 지금 계속해서 막역한 사이로 남으려면 당신도 최소한의 밥값은 해야 한다는 나름 경고의 말을 하고 있었다.

"음하하하!"

시종일관 협박조의 무서운 얼굴을 하고 있던 노인이 갑자기 앙천광소를 터뜨렸다. 젊은 관리는 기가 막히다는 표정이었다.

한참을 웃던 노인이 웃음을 뚝 그치며 말했다.

"정말 아깝구나. 거두었으면 천군만마가 부럽지 않을 재목으로 길러 낼 수도 있었을 것을, 내 손으로 낙향시키고 배가 아파서 어찌 잠들꼬."

노인은 그러더니 갑자기 상체를 내 쪽으로 쓱 숙였다. 칠순을 넘겼을 나이인데도 불구하고 나를 노려보는 눈동자에 정광이 가득하다.

"정녕 후회하지 않겠느냐?"

"소생은……."

"잠깐. 내 말을 먼저 듣거라. 생각이 바뀌었다. 만약 네가 고집을 피운다면 못 이기는 척하고 일을 한번 꾸며볼 수도 있느니라."

"……!"

"일은 사람이 도모하나 성사 여부는 하늘에 달려 있다고 했느냐? 내가 바로 그 하늘의 구름을 움직이는 사람이다."

등에서 식은땀이 나고 똥구멍이 간질간질하다. 세상에 상대하기 까다로운 것이 나나니벌과 노회한 관리라고 하더니. 실제로 겪어보니 딱 그렇다.

이 노인이 지닌 힘의 크기는 과연 어느 정도일까? 나로서는 측량조차 할 수 없다. 그러나 속으면 안 된다. 여기서 나까지 손바닥을 뒤집으면 지금까지 한 말들이 전부 위선이 되어버린다.

"저희처럼 표국업에 종사하는 사람들에겐 오래된 격언이 하나 있습니다. '십 리를 갈 때는 비바람에 대비하고, 백 리를 갈 때는 춥고 더운 날씨에 대비하고, 천 리를 갈 때는 생사에 대비하라'는 말이지요."

"……?"

"외람되오나 오늘 소생이 어르신을 뵙고 비록 짧은 시간이었지만 크게 눈을 떴습니다. 벼슬길은 본시 천 리 길이온데, 소생이 어리석어 고작 백 리 길만 각오하고 왔습니다. 하여 더 늦기 전에 아비의 그늘로 돌아갈 수 있게 허락해 주십시오."

"이것 보라지. 이러니 내가 놓아주고 싶은 마음이 생기나. 향시와 회시에서 연달아 장원을 했다기에 예사롭지 않은 줄은 알았지만, 이 정도로 비범할 줄이야……."

예? 뭐라고요? 아, 이 노인이 진짜 왜 이러실까.

노인은 앉은 자세까지 바꿔가며 한참이나 입맛을 다셨다. 그러다 마침내 결심한 듯 착 가라앉은 음성으로 말했다.

"어찌 아무렇지도 않겠느냐. 너무 실망하지 말거라. 달은 차고 기울기를 반복하는 법. 내 오늘 너의 모습을 반드시 기억해 두었다가 언젠가 때가 무르익으면 부를 것이니라."

부르지 마십시오. 안 불러도 됩니다. 저는 표국으로 돌아가 원래 목표대로 표사 일에 전념할 것입니다. 제발요.

"그때까지는 한직에 만족해라."

"한직…… 이라고요?"

"회시에 장원급제까지 한 유생을 백의서생으로 만들 수야 있겠느냐. 무과에 급제한 것은 아니지만, 너의 집안이 본래 대단한 무림세가이니 금의위에 한 자리를 만들 수 있을 것이다."

"그, 금의위라고요?"

"너에게 금의위(錦衣衛) 암행위사라는 직책과 함께 금전 백 냥 그리고 땅 오만 평을 하사할 것이다. 암행이라는 이름에서도 알 수 있다시피 너의 신분은 철저히 숨겨야 하느니라. 너의 아비에게도 말이다."

나는 하마터면 앉은 자리에서 펄쩍 뛰어오를 뻔했다. 할 수만 있다면, 그리고 해도 된다면 저 노인의 입도 걷어차 버리고 싶었다.

"소생이 어떻게 금의위 위사 같은 중책을 맡아 수행할 수 있겠습니까? 제발 거두어주십시오."

"누가 널더러 자리를 맡으랬지. 일을 하랬더냐?"

"예?"

"자리만 맡아두거라. 자리만. 하면 언젠가 그 자리가 너를 육부의 요직으로 이끌어줄 동아줄이 될 것이다. 그때까지는 아무 일도 하지 말고 너를 숨기거라. 그래서 최대한 눈에 띄지도 않고 사철 바깥으로 나돌아도 이상하지 않은 암행위사 자리를 주는 것이다."

"정말 아무 일도 안 해도 됩니까?"

"일을 하려면 할 수는 있고?"

듣고 보니 그렇다. 금의위도, 위사도 말로만 들었지, 그들이 무슨 일들을 어떻게 하는지 내가 알 턱이 없다.

"저 그런데, 암행위사가 무엇입니까?"

"서류로만 존재하는 직책이다. 암행은 말장난에 지나지 않아. 하여 나와 몇 사람 외에는 아무도 너의 존재를 모를 것이니라."

"구태여 그런 직책을 내리시는 이유는 무엇입니까? 그냥 초야에 묻혀 있어도 되는 것을요."

"그래야 나중에 누가 너를 발견하더라도 데려다 쓰지 못할 것이 아니더냐. 너는 반드시 내가 쓸 것이니라. 명심하거라. 만약 나를 배신한다면 너와 너의 집안에 큰 화가 닥칠 것이니라."

마지막으로 나를 노려보는데 흡사 눈에서 불이라도 쏟아져 나와 내 눈을 지져대는 것 같았다. 권력의 세계는 광활하고, 온갖 상상도 못 할 일들이 현실로 일어나고 있었다. 전에는 알지 못했던 새로운 세상이었다. 다시 생각해 봐도 내가 몸담을 곳이 아니다.

그러나 여기서 더 빼면 목숨이 위험해진다. 일단 주는 거니까 먹고 나중에 핑계를 만들어보자. 하다못해 죽을병에 걸렸다고 할 수도 있는 거고. 아니면 저 노인이 먼저 죽을 수도 있는 거고.

사람들, 특히 남자들이 크게 착각하는 한 가지가 있다. 자신의 나이는 생각지 않고, 손에 쥔 권력이 언제까지나 영원할 거라고 믿는 것이다…….

"그러니까 공자님 말씀은, 늙은 관리들이 도통 죽지를 않아서 벼슬자리가 오랫동안 적체되었고, 그 바람에 벼슬길에 오르는 건 당분간 물 건너갔다는 것이지요?"

"그렇지."

"그래서 급제자와 그 가문들을 달래기 위해 이렇게 마패와 상금과 땅을 하사해 주는 것이고요. 관리가 된 기분이라도 느껴보라고요."

"그렇다니까."

"사람 팔자 정말 알 수가 없습니다. 아침에는 쟁자수들에게 무시당하고, 오후에는 국수 사 먹을 돈이 없어서 쩔쩔매던 때가 엊그제 같은

데 말입니다."

"이제 시작에 불과해."

"말씀만 들어도 가슴이 벌렁거립니다. 벌써부터 저를 대하는 쟁자수들의 태도도 달라졌습니다. 어제는 글쎄 제게 돈을 빼앗던 쟁자수 놈이 지나가다 인사를 하더라니까요."

"그나저나 아버지께서 한 번쯤 슬슬 부르실 때가 됐는데."

"갑자기 국주님은 왜요?"

"부르시면 가서 전표랑 땅을 되찾아 와야지."

"그건 지부대인께서 나라의 동량지재를 길러낸 것을 치하하여 국주님과 가문에게 내린다고 말씀하신 것 같은데요."

"그러니까 말이야. 분명 나한테 주신다고 했는데, 왜 갑자기 중간에 몇 글자가 바뀌어 버렸는지 모르겠단 말이지."

그때였다. 인기척과 함께 표왕부 소속의 어린 시녀가 조심스럽게 들어왔다. 그리고 욕조 속에 들어 있는 나를 보고는 깜짝 놀라 고개를 돌렸다.

"무슨 일이더냐?"

"국주님께서 모시고 오라셨습니다."

나와 장삼은 서로를 바라보며 고개를 끄덕였다.

표왕부를 찾았을 때는 이종산과 곽석산에 이어 대장궤 손지백까지 모여 한가롭게 차를 마시는 중이었다.

손지백은 국주가 술을 잘 주지 않는다는 이유로 업무차 외에는 표왕부 출입을 거의 안 한다고 들었다. 오늘은 무슨 바람이 불었는지 모르겠다.

"충분히 쉬었느냐?"

"예, 편히 쉬었습니다."

"저간의 사정은 모두 들었다."

"심려를 끼쳐 죄송합니다."

"표행 중 있었던 일들에 관해서 할 말이 많다만, 표사와 쟁자수들의 간곡한 청도 있고 하여 그냥 묻어두겠다."

"감사합니다."

"남궁소소에게서는 연락이 없느냐?"

예? 갑자기요?

순간, 나는 곽석산과 손지백의 눈동자가 초롱초롱 빛나는 걸 놓치지 않았다.

"아직 없었습니다."

"언제 온다는 말도 없었고?"

"올 때가 되면 오겠지요."

"당분간 항주에 오지 않을 수도 있지 않으냐? 동굴에서 홀로 남아 내상을 치료했다고 들었다. 안부도 물을 겸, 네가 먼저 전서구를 보내 보는 것도 나쁘지 않을 것 같다만."

그러면서 이종산이 수염을 살살 쓸었다. 손지백은 옆에서 침을 꼴딱 삼켰다. 손지백만큼은 아니었지만, 곽석산도 표정이 살짝 경직되었다.

이 노인네들이 갑자기 왜 남궁소소의 행보에 관심을 보이고 그러실까?

"안 오진 않을 겁니다."

"어째서?"

"제가 단검을 빌려줬거든요."

"단검이라면?"

"지난번 아버지께서 제게 하사하신 그 단검 말입니다. 황금으로 된 손잡이에 부엉이 눈깔만 한 야광주가 박힌."

"운철검을 빌려주었다고?"

"그렇습니다."

"잘했다!"

갑자기 소리를 지르며 끼어든 사람은 손지백이었다. 그는 뒤늦게 실태를 깨닫고는 '험험!' 헛기침을 했다.

다시 이종산이 말했다.

"실은 네가 돌아온 그 날, 남궁소소의 오라비인 남궁세옥이 전한 말이 있다. 남궁세가의 가주께서 우리를 가까운 시일에 세가로 초대하시겠다더구나."

"혹시 그 소식을 기다리시는 겁니까?"

"너도 알다시피 현 남궁세가주이신 남궁유룡 대협은 내게도 한 배분 높은 무림의 선배님이시다. 무림첩을 보내오시면 아무리 바빠도 거절을 할 수가 없느니라."

그게 아닌 것 같은데. 눈이 빠지게 기다리고 있는 것 같은데. 열 일을 제치고 달려갈 눈치인데.

그제야 나는 곽석산과 손지백이 이렇게 긴장한 이유를, 손지백이 갑자기 표왕부에 출몰한 이유를 알아차렸다. 이들은 남궁소소가 할아버지인 뇌검의 무림첩을 가지고 올 거라고 생각하는 것이다. 우리가 남궁세가를 예로써 대하는 것처럼, 남궁세가 역시 천룡표국의 수장을 초대하면서 전서구 하나 달랑 날릴 수는 없을 테니까.

한데 이종산의 말은 아직 끝나지 않았다.

"하여 우리도 미리 준비를 해두어야 할 것 같구나. 그래야 하루도 쉬지 않고 돌아가야 하는 표국의 일정에 차질을 주지 않을 테니까 말이야."

"준비라시면?"

"우선 정성 어린 예물부터 준비해야겠지. 대협의 검소한 성품을 생각하면 지나치게 비싼 것은 오히려 실례가 될 것이다."

"예물이라고요?"

"우리 중 누가 몇 명이나 갈지도 정해야 하느니라. 이건 한 가문의 수장이 다른 가문의 수장에게 하는 초대이니만큼 방문객의 숫자와 면면에도 격식을 갖추어야 한다."

나는 점점 어리둥절해졌다. 전생에 천하게 살아서 그런지 모르겠지만, 이렇게까지 과도할 필요가 있을까?

어쨌거나 내게는 하늘 같았던 세 사람이 잔뜩 긴장하는 걸 보면 천하십검, 뇌검, 남궁세가주…… 이런 단어들이 주는 힘과 위압감을 어렴풋이나마 짐작할 수 있을 것 같았다.

하지만 난 남궁세가로 가고 싶은 생각이 눈곱만큼도 없었다. 빨리 표행을 하나라도 더 따라가기 위해 제대로 된 무공이나 좀 배우고 익혔으면 좋으련만. 특히 내공심법 위주로.

"해서 우리끼리 생각을 좀 해봤는데 말이다. 일단 여기 계신 곽 숙부와 손 백부 중 한 분만 함께 가셔야 할 것 같구나. 너도 당분간 먼 곳으로 출타할 생각은 말아라. 특히 표행은."

"국주, 이게 어째서 고민거리가 되는 것입니까? 당연히 천룡표국 내에서도 가장 연장자인 데다 정룡의 백부이기도 한 제가 함께 가는 것이 그림도 좋고, 남궁유룡 대협께서도 예우를 받는다고 생각지 않겠습니까?"

손지백은 이해가 되지 않는다는 투로 말했다.

"그림으로 보자면 총표두인 제가 국주님을 보좌하고 가는 것이 더 낫지요. 그리고 저는 이미 남궁세가의 총관과도 친분이 있습니다. 남궁세옥도 그날 떠나기 전 제게 총표두님의 명성은 익히 들었습니다. 여력이 되신다면 꼭 함께 오십시오…… 라고 분명히 얘기했고요."

곽석산도 지지 않았다. 비겁하게 인맥을 걸고 들어가자 상황이 매우 불리하다고 판단한 손지백은 이종산을 붙잡고 감정에 호소했다.

"국주, 평생 천룡표국을 위해 일해왔는데, 언제 죽을지 모르는 이 늙은이의 부탁 하나 못 들어주시는 겁니까?"

"저도 30년 넘게 천룡표국에서 일했습니다. 그리고 저는 죽기 전에 뇌검을 꼭 한번 뵙는 게 소원이었습니다."

"총표두는 도객이 아니오. 뇌검은 검사이시고."

"대장궤보다는 도객이 검사에 훨씬 가깝지 않겠습니까? 분명 대화도 잘 통할 것이고요."

"석산이 너 정말 이렇게 나올래?"

"이번엔 형님께서 양보하시죠."

"너는 젊으니 기회가 많잖아."

"언제 또 초대를 할 줄 알고요."

"정룡이 남궁소소랑 혼인할 때 보면 되지."

"뇌검께서 남궁소소를 정룡에게 주겠습니까?"

"손녀의 목숨을 두 번이나 구해줬는데 줘야지. 그럼. 이렇게 초대를 하는 것도 다 무슨 꿍꿍이가 있으신 게야."

"그럼 그때 형님께서 가셔서 실컷 보십시오. 저는 이번 초대에 가서 뇌검을 뵙겠습니다."

"이익……!"

손지백이 무언가 욕을 하려다가 나와 눈이 마주치고는 꿀꺽 삼켰다. 곽석산도 어린 조카 앞에서 티격태격한 것이 민망했던지 얼른 신색을 고쳤다.

나는 어처구니가 없어서 한참이나 멍하니 두 사람을 바라보았다.

혼인이라니. 내가? 남궁소소와? 앞서 나가도 한참을 앞서 나간 말이다.

여기서 극구 부인을 해봐야 노인네들이 생각을 고쳐먹을 리도 없다. 오히려 말려 들어가기만 하고 나를 설득하려 할 것이다.

대신 똥이나 한 덩어리 던져줘야겠다.

"제 생각에 그건……."

"……?"

"……?"

"무림첩이 오고 난 뒤에 생각해도 늦지 않을 것 같습니다. 뇌검께서 어떤 식의 초대를 할지 모르니까요. 가령 후기지수들의 지속적인 왕래와 교분을 원한다고 하시면 세 분 형님들이 함께 가셔야 할 수도 있는 거고요."

충분히 그럴 수 있다. 이갑룡은 이미 남궁세옥과도 친분이 꽤 있다고 들었고.

곽석산과 손지백의 얼굴이 노래졌다. 내가 간단하게 두 사람의 논쟁을 정리해 버리자 이종산의 입가가 미세하게 씰룩거리는 게 보였다.

이종산이 화제를 돌렸다.

"본래 회시 급제자들은 몇 달 후 황궁으로 입궁해 황제 폐하께서 지켜보는 가운데 전시(殿試)를 치른다고 하던데."

"황제 폐하의 병환이 깊으시어 이번 회차에는 전시가 없을 것이라고 들었습니다. 하여 회시에서 이미 등수를 가린 것이고요."

"그렇군."

표정을 보니 안타까운 기색이 역력하다. 회시에서 장원급제까지 했으면 됐지, 뭘 전시까지 바라고 그러실까.

"애썼다."

"감사합니다."

평소 이종산의 성격으로 미루어 이 정도면 특급 칭찬이다.

그때 옆에서 가만히 지켜보고 있던 손지백이 말했다.

"국주, 속하가 한 말씀 끼어들어도 되겠습니까?"

"말씀하시지요."

"자고로 한 문파의 기강은 분명한 상벌에서 오는 것이라고 했습니다. 천룡표국에서 지원한 거인표사가 진사(進士)가 되어 돌아왔는데, 설마 애썼다는 한마디로 때울 생각은 아니시겠지요? 껄껄껄."

"표국에서 거인표사를 지원하는 건 회시에 급제하여 현령이 되면 덕을 좀 볼까 해서입니다. 한데 벼슬길에는 도통 관심이 없다고 하니, 이래도 상을 주어야 하는지 모르겠습니다."

"하면 표사와 쟁자수들의 목숨을 구한 상은 어떻습니까? 기지와 용기로 많은 이들의 목숨을 살렸지 않습니까?"

"그렇다면 표행에 실패한 벌도 함께 주어야 상벌이 분명해지겠지요. 마차 다섯 대 분량의 양곡을 사교도들에게 털리는 바람에 두 배로 물어주었습니다."

곽석산이 조용히 한입 보탰다.

"대장궤의 말씀에 일리가 있는 듯합니다. 비록 양곡을 잃고 배상은 했지만, 망자들을 되찾아 무사히 호송하는 바람에 표국의 신뢰도는 오히려 향상되었습니다."

"그거야 자네가 별동대를 이끌고 사교도들을 찾아가 으름장을 놓았기 때문이지. 그나마도 한 구는 끝까지 찾아내지 못했고. 그러니 상을 주려면 오히려 자네에게 주어야겠지."

나를 도와주려다 외려 공을 가로챈 모양새가 된 곽석산이 살짝 당황해했다.

보다 못한 손지백이 말했다.

"국주의 말씀이야 늘 옳습지요."

그러면서 조용히 혀를 차고는 돌아앉아 버렸다. 이종산은 그제야 못이기는 척 내게 물었다.

"원하는 것이 있느냐?"

"지부대인께서 다녀가셨다고 들었습니다."

이종산이 봉투 두 개를 탁자 위에 올려 척 놓았다. 하나는 금전 백냥짜리 전표이고, 나머지 하나는 오만 평의 땅문서일 것이다.

"이걸 내놓으란 소리더냐?"

"그런 뜻으로 드린 말씀이 아닙니다. 전 다만, 저 때문에 방을 붙인다는 핑계로 돈이라도 뜯기지 않으셨나 걱정이 되어서요."

손지백이 듣고 있다가 또 불쑥 참견했다.

"네 녀석도 참 순진하구나. 네 아버지께서 어디 누구한테 돈이나 뜯기고 다닐 분이시더냐. 만약 지부대인에게 돈을 주었다면, 그 몇 배로 뽑아 먹으셨을 테니 아무 걱정 말거라. 껄껄껄."

"그렇다면 다행이군요."

"가져가거라. 황제 폐하께서 비록 나와 내 가문에 하사하셨으나, 내가 한 일이 없으므로 이건 전부 네 것이다."

"감사합니다."

"한 번을 사양하지 않는구나."

"주는 건 사양하지 말자는 주의라서요."

"그리고……."

이종산이 탁자 위에 큼지막한 열쇠를 하나 올려놓았다. 열쇠에는 천룡표국을 상징하는 황룡 한 마리와 함께 십칠(十七)이라는 숫자가 음각으로 정교하게 새겨져 있었다.

"이게 무엇입니까?"

"너에게 가장 필요한 것이 무엇일까 생각해 보았다. 이미 돈도 땅도 충분히 있으니 나는 작은 각(閣)을 하나 만들어주겠다."

"하면 십칠이라는 숫자가……."

"너는 이제부터 천룡표국 제 십칠각의 각주다. 하지만 자만하지 말거라. 직위는 각주이나 직책은 여전히 표사이다. 너도 알다시피 천룡표국의 각주들은 전부 표두다. 내가 각주의 직위를 줄 수는 있으나, 표두로서의 자격과 신망은 네 스스로 동료들에게서 얻어야 한다."

"……!"

"각을 채울 표사와 쟁자수들도, 일거리도, 모두 네 스스로 찾고 만들고 따내야 한다. 미리 말해두건대, 만약 너에게 조금이라도 각주로서의 자질이 보이지 않는다면 나는 언제든 열쇠를 다시 회수할 것이니라."

손지백과 곽석산이 옆에서 빙그레 웃었다. 이미 처음부터 다 알고 있었던 것이다. 그러면서 상을 주니 벌을 주니 실랑이를 한 것은 내게 가르침을 주기 위해서다. 이번 표행의 무엇이 잘됐고 잘못됐는지를 내가 다시 한번 따져, 단순한 표사가 아니라 표국을 경영하는 사람의 입장에서 보는 눈을 기르기를 바라면서.

더 무서운 건 고작 내게 가르침을 주려고 미리 입을 맞추진 않았을 거란 점이다.

결국, 즉흥적으로 이심전심 주고받았단 얘기다. 수십 년 넘게 생사고락을 함께하며 오늘의 천룡표국을 지켜낸 세 노인의 힘이 느껴졌다.

나는 등이 축축해지는 것 같았다. 그러면서 탁자 위에 놓인 황동열쇠를 바라보았다. 조롱박 호리병이 표두의 권위를 상징한다면, 황동열쇠는 천룡표국 십육각 각주들의 권위를 상징한다. 아마 천룡표국 내어딘가에 새로 꾸민 전각이 하나 있고, 거기 대문은 십칠(十七)이라고 새겨진 자물통으로 굳게 잠겨 있을 것이다.

온몸에서 전율이 일어나는 것 같았다. 쟁자수에 불과했던 내가 표사를 넘어 어느새 각주의 자리에까지 오르다니.

그러나 좋다고 넙죽 받아서는 안 된다. 세상에 공짜 만찬이란 없는 법, 기왕에 먹으려면 생선의 배 속에 든 낚싯바늘을 제거하고 먹어야 한다.

나는 열쇠를 다시 밀어놓으며 말했다.

"말씀은 감사합니다만, 사양하겠습니다."

이종산, 손지백, 곽석산의 눈이 휘둥그레졌다.

"주는 건 사양하지 않는 주의라더니?"

이종산이 물었다.

"제가 이 열쇠를 받는다면 앞으로 십칠각에서 일어나는 모든 걸 전부 보고드려야 하고, 때에 따라서는 지시도 받아야 할 것입니다. 그건 온전히 저의 각이 아닙니다."

"내가 왜 그럴 것이라 생각하느냐?"

"형들이 모두 그러고 있으니까요."

이갑룡은 강룡당을, 이을룡은 복룡당을, 그리고 이병룡은 칠각을 각각 이종산으로부터 사실상 하사받았다. 그 결과 그들은 당과 각을 이용하여 표국 내에서 각자의 입지를 다지는 데 성공했고, 또 다져가고 있다. 아마 세 사람은 강룡당, 복룡당, 칠각이 온전히 자신들의 것이라 생각할 것이다.

하지만 천만의 말씀. 회계를 일일이 보고하고 표사들에 대한 인사권을 표왕부로부터 재가받는 한 그것들은 절대로 세 사람의 것이 될 수 없다.

옆에서 지켜보던 손지백과 곽석산의 눈에 힘이 들어가는 게 보인다. 내 대답이 완전히 뜻밖이었던 것이다.

손지백이 옆에서 나지막이 읊조렸다.

"장원급제를 확실히 노름으로 딴 게 아니었군."

이종산이 다시 내게 물었다.

"네 눈에는 형들이 불쌍해 보였느냐?"

"부럽진 않았습니다."

세 사람은 또다시 한동안 말이 없었다.

천룡표국의 사정을 조금이라도 아는 무림인들, 특히 젊은 후기지수들이라면 힘 있는 외가에 잘나가기까지 하는 이갑룡, 을룡, 병룡을 부러워했다. 반면 허구한 날 기루에 노름방이나 들락거리는 나는 호구 반 푼이라 손가락질하며 멸시했다. 한데 내가 그런 형들이 전혀 부럽지 않았다고 하니 놀랄밖에.

"상금으로 받은 금전의 용처 역시 내게 가르쳐 줄 생각이 없겠구나."

"외람되지만 그렇습니다."

"금전 백 냥이 얼마나 큰돈인지는 아느냐?"

"항주 시내에서 가장 잘나가는 기루를 통째로 살 수 있는 돈입니다."

"설마 기루를 살 생각이더냐?"

"물론 아닙니다."

"용처가 있기는 있나 보군."

"그렇습니다."

세 사람의 눈동자가 깊어졌다. 특히 이종산의 눈빛과 얼굴에선 뭐라 형용할 수 없이 복잡한 감정이 느껴졌다. 놀람, 당혹, 배신감, 기특함, 신기함 이런 것들이 하나로 모이면 저런 눈빛과 표정이 될까?

한참 만에 이종산이 말했다.

"돈은 곧 주인의 행적을 말해주는 법이다. 무슨 일을 꾸미는지, 어디를 바라보고 있는지, 앞으로 무슨 일을 벌이려는지. 돈이 흐르고 모이는 곳을 보면 다 알 수 있지."

"……."

"네가 그 돈을 어디에 쓸지 참견하지 않겠다. 그러나 나는 곽 숙부를 시켜 그 돈이 어디로 흘러 들어가서 무슨 일을 하는지 찾아내고 지켜볼 것이다. 이것은 아비로서의 관심이다."

"……."

"하니 네가 만약 무언가 숨겨야 할 것이 있다면 철저하게 숨기거라. 금전 백 냥의 흐름조차 숨기지 못한다면 너는 언제까지고 각주에 머무를 수밖에 없을 것이다."

내게 큰돈이 생겼다는 걸 알았으니 이갑룡, 을룡, 병룡도 똑같이 뒤를 캐고 추적하려 들 것이다. 이종산은 지금 내게 자신을 감추는 연습을 해야 한다는 가르침을 주고 있었다.

"나랑 내기를 해보겠느냐?"

"……?"

"반년 후, 내가 금전 백 냥의 행방을 찾아내지 못하면, 그땐 십칠각에 대한 그 어떤 간섭도 영구적으로 하지 않을 것이다. 너 또한 아무리 큰일이라도 내게 보고할 필요가 없느니라."

"……."

"그러나 만약 내가 금전의 행방을 모두 찾아낸다면, 너는 앞으로 형들처럼 십칠각에서 일어나는 모든 일을 내게 보고하고 회계장부까지 감사를 받아야 하느니라."

한마디로 이종산은 십칠각을 걸고, 나는 금전 백 냥을 걸고 내기를 해보자는 것이다. 이종산이 이기면 새로 만든 십칠각과 금전 백 냥은 사실상 자기가 가지는 것이고, 내가 이기면 반대로 형들과 달리 철저하게 나만의 숨겨진 힘을 기를 수 있는 초석을 마련하게 된다. 나로서는 거절할 이유가 없다.

"좋습니다."

"그리고 한 가지 더."

"……?"

"내일부터 곽 숙부께 다시 무공을 배우거라."

그러면서 이종산은 다시 황동열쇠를 내게 내밀었다. 나는 그제야 열쇠를 집어 들었다.

10장
무공을 배우다

　서호의 북쪽에 위치한 천목산(天目山)은 예로부터 강수량이 많고 볕이 좋아 울창한 수림으로 유명했다. 그러나 서쪽 산면으로 조금만 돌아가면 나무가 좀처럼 자라지 못하는 삭막한 골짜기가 나온다.

　"황실에서 하사했다는 땅이 저겁니까?"

　"산기슭에서 호숫가까지 전부."

　"저건 버려진 땅이 아닙니까?"

　본래 나라에서 낙향하는 관리들에게 땅을 하사하는 건 무엇이든 심고 기르면서 먹고 살 방편으로 삼으라는 뜻이다. 한데 누가 보아도 응달진 비탈에다 온통 잡초만 가득하니 장삼이 앓는 소리를 할밖에.

　하지만 나는 오히려 그 반대였다. 될 놈은 숲에 들어가 똥을 누다가도 산삼을 발견한다더니 지금 내가 딱 그 짝이었다.

　나는 전립성을 돌아보며 물었다.

"어떻습니까?"

"제가 땅을 어찌 알겠습니까?"

"장궤들은 뭐든 다 감정을 하실 수 있는 거 아닙니까?"

"그거야 표물에 국한된 것이지요. 땅을 어찌 표마차에 실을 수 있겠습니까?"

"그래도 저희 같은 무지렁이보다는 나으실 게 아닙니까? 여기까지 걸음한 게 아까우시면 지혜를 좀 나눠주십시오."

"아는 만큼만 설명을 드리자면……."

나와 장삼은 귀를 쫑긋 세웠다. 애써 겸손한 척하지만 무엇이든 감정하길 좋아하는 전립성은 풍수지리에도 상당한 조예가 있었다.

"비탈이 지면 비가 와도 땅에 물이 머무를 틈이 없습니다. 논작물은 어림도 없고 밭작물로 심어야 하는데, 이번엔 응달이 문제입니다. 볕 드는 시간이 하루 두 시진에 불과할 겁니다."

"그렇군요."

"거기에 좌우의 산릉선을 타고 들어오는 강한 바람까지 죄다 이곳으로 모여들어 무얼 제대로 길러 먹기는 틀린 곳입니다."

"그 정도입니까?"

"콩 심은 데 콩 나고 팥 심은 데 팥 나야 하는데, 이 땅은 콩 심어도 풀 나고 팥 심어도 풀 나는 곳입니다."

"풀은 그래도 잘 자라나 보네요."

"앞서 말씀드린 바람 때문이지요. 온갖 풀씨들이 바람을 따라 날아들 겁니다. 그리고 잡초는 원래 응달에서 더 잘 자라는 법입니다."

"그럼 좀 팔아치워 주십시오."

"예?"

"쓸모없는 땅이라고 하니 팔아서 돈이나 챙겨야겠습니다."

"이런 쓸모없는 땅을 누가 사겠습니까?"

"목장을 하려는 사람들은 관심을 보이지 않을까요? 호수가 붙어 있으니 물을 먹이기도 쉬울 것 같고 말입니다. 사철 강한 바람이 불면 모기도 없을 테니 말들이 뛰어놀기는 또 얼마나 좋습니까."

전생에서 이 땅은 10년쯤 후 눈 밝은 누군가의 차지가 되어 명마들을 길러내는 목장으로 탈바꿈했다. 이런 땅이 내 수중에 떨어진 건 정말 행운이었다.

그런 사정을 모르는 전립성은 눈이 동그래져서 물었다.

"풍수지리를 아십니까?"

"제가 그런 걸 어떻게 알겠습니까?"

"하면 어찌……?"

"일전에 배를 타고 서호를 유람할 적에 이 땅을 보고 어떤 노인이 하는 소리를 들었습니다. '거, 목장이나 했으면 좋겠다! 10년만 젊었더라면' 이러더라고요. 이유를 물었더니 방금 제가 한 얘기들을 해주었습니다."

"그 노인의 말이 맞습니다. 이 땅은 무얼 심고 기르기에는 적합하지 않으나 무얼 풀어놓고 기르기에는 딱 맞습니다."

"하면 마땅한 사람을 한번 알아봐 주시겠습니까?"

"물론이지요. 그리하겠습니다."

"표국 일로 바쁘실 텐데 죄송합니다."

"무슨 말씀을요. 이런 일이라면 얼마든지 도와드리겠습니다."

"그런데 아무나는 안 됩니다. 말에 통달한 사람이면서 목장을 운영해 본 경험도 풍부해야 합니다. 무엇보다 장궤께서 보시기에 입이 천근처럼 무겁고 믿을 만한 사람이라야 합니다."

"무슨 말씀이신지……?"

"제가 다시 그에게 이 목장을 살 거거든요."

전립성은 내 말의 진의를 파악하기 위해 한참이나 생각에 잠겼다. 이윽고 조심스럽게 입을 열었다.

"대리인을 앞세워 목장을 운영하시겠다는 말씀이시군요. 그것도 아무도 모르게 아주 은밀히 말이지요."

"역시 눈치가 빠르시군요."

"갑자기 왜 목장을?"

지금으로부터 여섯 달 후면 북방에서 대규모 전란이 일어나 중원 전역의 말이란 말은 죄다 빨아들인다. 말은 전투에도 쓰이지만, 군량미 운송이나 부상자 호송 등에도 두루 쓰이기 때문이다.

금방 진정이 될 것 같던 전란은 북방삼성 전역으로 확산된다. 그때가 되면 말값이 무려 세 배까지 폭등한다. 새끼를 밴 암말은 다섯 배까지도 오른다. 전쟁터도 전쟁터지만 표국과 상단들 역시 말의 품귀현상으로 골머리를 앓으면서 보이는 족족 일단 사들인다.

"장사를 좀 해보려고요."

"일전에 천룡각에서는 분명 명표가 되고 싶다고 하지 않으셨던가요?"

"앞에 '돈 많은'이 빠졌습니다."

그러면서 나는 봉투를 내밀었다.

"금전 백 냥짜리 전표입니다. 이 돈으로 어린 암망아지들만 집중적으로 사들이십시오. 혹시 일하는 데 필요한 돈이 있으시면 제게 일일이 보고할 것 없이 알아서 빼내 쓰시고요."

"이 일은 해드릴 수 없습니다."

"좀 전엔 해주신다면서요."

"일의 성격이 달라졌습니다."

"불법도 아니고, 위험한 일도 아닙니다. 단지 세상 사람들이 모르는 저만의 금고를 만들고 싶을 뿐. 그러려면 전 장궤님의 도움이 꼭 필요합니다."

내가 대략의 밑그림을 얘기했지만, 고작 이 정도로 이종산의 눈을 피한다는 건 택도 없는 일임을 안다.

그러나 전립성은 다르다. 그는 과거 이종산이 형제들과 천룡표국을 놓고 전쟁을 벌일 때 비밀자금 일부를 관리해 준 장궤였다. 그러니까 나는 지금 적국의 왕이 한때 가장 신임했던 장수를 매수해서 그 왕을 상대하려는 것이다.

"왜 하필 저입니까?"

"죽은 제 어머니와 동향이시지요?"

"그걸 어떻게……?"

"어려서부터 저를 눈여겨보셨다는 거 잘 압니다. 더러는 장궤들 사이에서 저를 두둔해 주시다 욕도 먹고요. 이게 다 젊은 나이에 요절한 제 어머니를 안타까워하셔서 그런 것 아닙니까?"

"……!"

전생에서 나는 전립성을 아버지처럼 따랐고, 표국 일을 배웠으며, 직위의 차이를 떠나 함께 술도 자주 마셨다. 그래서 누구보다 그를 잘 안다.

전립성은 한참을 생각하더니 장삼을 힐끗 돌아보았다. 저 녀석을 믿어도 될지 내게 묻는 것이다.

"장삼은 제가 서호에 빠졌을 때 목숨을 구해주었습니다. 솔직히 말씀드리면, 전 장궤님보다 더 믿고 의지하는 친구입니다."

장삼이 육포를 질겅질겅 씹으며 땅을 살피다 말고 갑자기 울컥했다. 눈동자에서는 금방이라도 눈물이 쏟아질 거 같았다.

전립성은 알았다는 듯 한차례 고개를 끄덕이고는 말했다.

"땅을 팔면 거액의 돈이 들어와야 합니다. 거기에 원래 있던 금전 백 냥까지 포함한 돈의 새로운 흐름을 만들어야겠군요. 사람들의 눈을 완벽히 속이려면 말입니다."

"감사합니다."

"내공심법 같은 소리하고 앉았네. 이 녀석아, 걷지도 못하는 녀석에게 뛰는 법부터 가르치라는 말이냐?"

"그게 그 정도로 어처구니없는 부탁인가요?"

"가르쳐 주면 담을 그릇은 있고?"

"그릇요?"

"말로만 가르쳐서는 알아듣지 못할 모양이구나. 장원 식당 뒤켠의 우물가로 가면 버려진 항아리들이 있을 것이다. 그중에서 제일 큰 놈으로 가져와 보아라."

총표두 곽석산은 나를 골탕 먹이려고 작정을 한 모양이다. 천룡표국
이라는 이름의 근원이 된 천무진경(天武眞經)을 가르쳐 달랬더니 대뜸
호통부터 친다. 그러고는 난데없이 커다란 항아리를 가져오란다.

하지만 기꺼운 마음으로 달려갔다. 총표두는 천룡표국 안에서 나를
진심으로 걱정해 주는 몇 안 되는 사람이었다. 또한 그는 항주에서 다
섯 손가락 안에 꼽히는 고수이며 도법의 달인이었다. 인격의 스승으로
서도 무공 사부로서도 내게는 분에 넘치는 사람이다.

내 몸집의 다섯 배나 되는 항아리는 무게가 문제가 아니라 어디 마
땅히 잡고 들 데가 없었다. 해서 옆으로 삐딱하게 누인 채로 데굴데굴
굴려서 갖고 왔다.

"여기 있습니다. 숙부님."

"이제 여기다 물을 길어 가득 채우거라."

"예?"

아니, 물을 채울 거 같으면 항아리를 들고 오랄 게 아니라, 자기가 나
와 함께 우물가로 갈 것이지.

아니다. 이런 불손한 생각을 하면 안 된다. 이게 다 나를 위해서 그
러시는 것이다.

나는 다시 우물가로 가서 작은 항아리를 찾아 죽으라 물을 길어다
날랐다. 한 서른 번쯤 길러다 날랐을까? 항아리는 고작 절반밖에 차오
르지 못했다. 한데…….

퍼억!

멀쩡하던 항아리가 갑자기 박살이 나버렸다. 그리고 여태 힘들게 길
어다 채운 물이 콸콸 쏟아져 나왔다.

"아니, 이게 갑자기 왜 이러지? 항아리에 금이 갔었나?"

"항아리는 멀쩡했다."

"한데 왜 깨진 거죠?"

"이 항아리는 두께가 얇고 그나마도 균일하지 못해 폐기 처분된 것이다. 해서 물을 절반도 채우지 못했는데도 불구하고 그 힘을 감당하지 못해 깨진 것이지."

"……!"

"천하의 어떤 보잘것없는 내공심법도 그것을 감당할 튼튼한 오장육부와 체력이 없다면 이 항아리 속의 물과 같다. 하물며 천무진경은 오늘의 천룡표국을 있게 한 씨앗이고 뿌리다. 구대문파의 내공심법들과 비교해도 결코 뒤지지 않는다. 강철같은 육체와 체력이 아니고서는 감당할 수 없다."

"소질의 생각이 짧았습니다."

"네 마음은 다 알고 있다. 늦은 나이에 다시 시작하는 만큼 하루라도 빨리 내공심법부터 익히고 싶겠지. 하지만 기본을 무시하고서는 절대로 고수가 될 수 없다."

"명심하겠습니다."

"그렇다고 네 말이 아주 틀린 것도 아니다."

"예?"

"내공심법을 익힌다고 하루아침에 10년 20년의 공력이 쌓이는 것도 아닌데, 일단 구결부터 외우고 익혀두는 것도 나쁘지는 않겠지."

이 양반이 지금 뭐 하자는 거지?

"단, 조건이 있다."

"말씀하십시오."

"지금 내 뒤에 무엇이 보이느냐?"

지금 나와 곽석산이 있는 곳은 천룡표국의 후원과 맞닿은 애장산(崖長山) 절벽이었다.

"절벽이 보입니다."

"높이가 얼마나 될 것 같으냐?"

"삼십 장 정도 될 것 같습니다."

"올라라."

"예?"

"하루도 쉬지 않고 이 절벽을 올라라. 사지의 근력은 물론이고, 유연성과 균형감각을 기르는 데 절벽을 오르는 것만큼 좋은 것이 없다. 특히 손가락과 팔뚝을 괴물로 만들어주지. 검술을 익히려 한다면 필수다."

"하루에 몇 번이나 올라야 합니까?"

"무어? 푸하하하!"

"왜 웃으십니까?"

"이 녀석아, 절벽을 오르는 게 어디 감나무 오르는 것처럼 쉬운 줄 알았더냐? 단언컨대 한 달 동안은 십(十) 장도 오르지 못할 것이다."

"그 정도로 힘듭니까?"

"내 말은 하루도 거르지 말고 단 일(一) 장이라도 조금씩 높이를 올려가란 소리다. 그래서 중간에 쉬지 않고 끝까지 한 번 만에 오르면 그때 천무진경을 가르쳐 주겠다."

"잡거나 디딜 곳이 많지 않아서 웬만큼 손발을 놀리는 재간이 있지 않고서는 확실히 어려울 것 같긴 합니다."

"손발이 아니라 몸 전체를 써서 무게 중심을 자유자재로 옮기고 회수할 수 있어야 한다. 그러려면 무엇보다 힘 조절이 관건이다. 힘이 가는 곳에 곧 무게가 실리는 법이니까."

"문제는 힘 조절이군요. 아쉽습니다."

"힘 조절만 가능하면 올라갈 근력은 있고?"

"안 될까요?"

"말로만 가르쳐서는 알아듣지 못할 모양이구나. 연무동으로 가면 쇠뭉치가 달린 육십 장 길이의 밧줄이 있느니라. 가져오너라."

나는 그 밧줄이 어떻게 생겼는지 안다. 말이 좋아 밧줄이지 똬리 튼 뱀처럼 간추려 놓으면 작은 수레에 한가득이다. 그걸 여기까지 갖고 오라고? 이런 미친.

"숙부님, 소질이 실언을 했습니다."

"남자는 자신이 내뱉은 말에 책임을 질 줄 알아야 한다. 가져오너라."

이렇게 해서 나는 또 혀가 빠지게 장원으로 달려가서는 밧줄 더미를 짊어지고 왔다. 그리고 땀을 닦을 겨를도 없이 놀라운 광경을 목격했다.

곽석산이 밧줄을 대여섯 장 정도로 풀어 쥐더니 돌리기 시작했다.

붕붕붕!

점점 강맹하게 공기를 찢으며 돌던 밧줄은 어느 순간 살아 있는 거대 뱀처럼 절벽 꼭대기를 향해 쭉 날아갔다. 그리고 절벽 바깥으로 뻗어 있는 큰 소나무를 홀쩍 타고 넘어 다시 아래로 떨어졌다.

곽석산은 땅에 있는 밧줄이 빨려 올라갈 수 있도록 계속해서 밧줄을 잡아 위로 던졌다.

잠시 후, 절벽 꼭대기 소나무에 걸쳐진 밧줄 두 가닥이 곽석산의 손에 쥐어졌다. 가공할 힘과 엄청난 정확성과 밧줄을 통제하는 동작이 모두 조화를 이룬 완벽한 솜씨. 말이 쉽지, 이건 그냥 신기였다.

나는 입이 쩍 벌어져서 한동안 다물지 못했다. 그 사이 곽석산은 내 허리에 밧줄의 한쪽 끝을 묶고는 말했다.

"올라라. 만약 중간에 네가 손이 미끄러지거나 발을 헛디디면 내가 밧줄을 당겨 떨어지지 않게 해주겠다. 그러니 너는 오늘 무슨 일이 있어도 이 절벽을 끝까지 올라야 한다."

"만약 못 오르면요?"

"연무장 오십 바퀴를 돌고 나서 잠든다."

"만약 오르면요?"

"그런 일은 없을 테니 걱정 말아라."

"그래도 만약에 오르면요?"

"지금 당장 천무진경의 구결부터 가르쳐 주마."

"그건 당연한 것 아닙니까? 절벽을 오르는 이유가 공력을 담을 그릇을 만들기 위함인데요."

"하면?"

"제가 밤에 천무진경의 구결을 외우는 동안 숙부님께서는 연무장 오십 바퀴를 도십시오."

"무어? 푸하하. 알았다. 알았어."

"카악, 퉤!"

나는 왼손에 침을 뱉고는 오른손과 함께 쓱쓱 비볐다. 그러면서 웅장하게 솟아 있는 애장산 절벽을 올려다보았다.

"절벽 맛 좀 볼까?"

화조신옹은 내게 말했었다. 내 안에 황소 백 마리가 뛰어다니지만, 다스려 필요한 때에 쓸 수 없으니 온전히 나의 힘이 될 수 없다고.

그의 말이 맞았다. 내 안에는 힘이 넘쳐났다. 다만 끌어 올리고 회수하는 것이 마음대로 안 돼서 문제일 뿐. 그런데 만약 힘 조절을 전혀 신경 쓸 필요가 없다면?

나는 무려 서른일곱 번을 미끄러지거나 헛디뎌 떨어질 뻔했다. 그러나 불과 한 식경도 되지 않아서 삼십 장 높이의 애장산 절벽을 도마뱀처럼 재빠르게 기어 올라갔다. 그리고 떨어지듯 주르륵 내려왔다.

"헉헉, 다녀왔습니다."

곽석산은 밧줄 한 가닥을 잡은 채 넋 나간 표정으로 서 있었다. 그러다 무슨 생각에선지 갑자기 다가와 내 발목을 툭 걸어찼다.

무얼 어떻게 했는지 모른다. 나는 한순간 공중에 붕 떠올랐다가 대(大)자로 뻗은 채 진창에 철퍼덕하고 떨어졌다.

"꾑!"

등줄기가 자르르 울리는 사이 곽석산이 한 손은 내 가슴을 눌러 움직이지 못하게 하고, 다른 손은 손목을 잡아 위로 쭉 당겼다. 그러더니 갑자기 정체를 알 수 없는 한 덩어리 뜨거운 기운이 손목을 타고 몸속으로 들어와 달리기 시작했다.

"수, 숙부님."

"가만있거라!"

정체를 알 수 없는 기운은 마치 무언가를 찾는 듯 내 몸 구석구석을 누볐다. 그러다 하단전에 이르러 한참을 머물다가 조용히 손목을 통해 도로 빠져나갔다.

"분명 좁쌀만 한 공력도 없거늘……."

"……?"

"아무래도 네가 미쳤든지 내가 미쳤든지 둘 중 하나는 미친 것 같다. 이 얘길 대체 누가 믿어줄지."

"저, 숙부님."

"왜 그러느냐?"

"절벽은 매일 계속해서 오르겠습니다. 힘이 남아도는 것이 곧 강철 같은 오장육부와 체력을 의미하는 것은 아니니까요."

"그건 그렇지."

"하지만 내기는 제가 이긴 것 같습니다."

"……!"

천무진경의 칠십이(七十二) 구결을 완벽하게 외우고 운기행공법까지 익히는 데는 열흘 정도 걸렸다. 이제부터는 오롯이 혼자만의 외로운 싸움을 해야 한다. 아침저녁으로 운기행공을 통해 공력을 하단전에 쌓아야 하는 것이다.

동굴 속에서 화조신옹은 천년진기를 백년공력으로 바꾸어 천하십대 고수의 말석을 차지하기까지 20년은 걸릴 거라고 했다. 무(無)에서 시작했다면 100년이 걸렸을 일을, 20년 만에 끝내 버리니 실로 어마어마한 속도다.

물론 20년을 꽉 채우지 않고서도, 어느 순간이 되면 이미 충분한 고수로 살 수 있을 것이다.

"눈 좋은 고수가 다섯이면 발 좋은 고수는 셋이고 칼 좋은 고수는 둘밖에 되지 않는다. 서둘러 칼부터 잡을 생각 말고 부지런히 공력을 쌓아 눈을 밝히거라."

천무진경을 배우던 중 곽석산이 해준 말이었다.

눈이 가장 중요하고, 신법과 보법이 그다음이며, 칼은 제일 나중이라는 뜻이다. 눈은 공력과 직결되어 있다. 공력 높은 사람이 더 빠르게 보고, 더 멀리 보며, 더 밝게 본다.

한데 사실 나는 이미 절정고수의 눈을 가지고 있었다. 물론 백 장 밖에서 나는 새의 암수를 구별하거나, 캄캄한 동굴 안에서도 대낮처럼 돌아다니지는 못한다. 대신 시간을 느리게 만드는 이능력을 통해 상대의 그 어떤 동작도 놓치지 않고 볼 수 있었다.

여기서 한발 더 나아가 상대를 압도하려면 손발을 지금보다 더 빠르고 오묘하게 만들어줄 무공을 익혀야 했다.

천룡표국에도 가문비전의 무공은 얼마든지 있었다. 무림일절인 검법을 비롯해 권법, 장법, 각법, 지법, 암기술 등등. 하나같이 어디에 내놓아도 부족하지 않은 무공들이었다.

그러나 천룡표국의 무공들은 오랜 시간을 두고 기초부터 차근차근 익혀야 비로소 대성할 수 있는 정통의 무공들이었다. 나는 그런 우아하고 고차원적인 무공보다는 내일 당장 써먹을 수 있는 실전 무공이 필요했다. 그리고 기왕이면 병장기공보다 사람을 최대한 덜 상하게 하는 권장지공을 먼저 배우고 싶었다.

그리고 딱 맞는 무공을 가르쳐 줄 은둔고수를 한 명 알고 있었다.

때때때땡그랑!

깨진 솥단지에 동전 열 냥이 떨어졌다. 월성교 다리 밑에서 늘어지게 자고 있던 늙은 거지가 움찔 놀라며 눈을 떴다. 일어나서 걸을 수나 있을까 싶을 만큼 깡마르고 초췌한 노인이었다.

"뉘시오?"

"접니다."

"접니다가 누구요?"

"저 모르시겠습니까? 최근 월성교를 지나갈 때마다 한 번도 빼놓지 않고 적선을 했었는데. 한 달쯤 전에는 표행을 떠나기 직전 액땜한다면서 은전 한 냥도 솥단지에 넣고 갔고요."

"……?"

"이러면 약발이 떨어지는데. 단골손님도 기억 못 하고. 그냥 다른 걸인으로 확 바꿔 버릴까?"

"아아!"

"이제 아시겠어요?"

"한데 여긴 어쩐 일이시오?"

"다리 위로 갔더니 안 보이셔서요."

"날씨가 추워서 하루 쉬었소."

"부지런히 모아서 겨울날 준비하셔야죠. 더 추워지면 사람들도 밖으로 잘 안 나올 텐데 어쩌시려고요?"

"거지가 동냥을 하고 싶으면 하고, 안 하고 싶으면 안 하는 거지. 하루도 쉬지 않고 일을 하려면 왜 거지를 하겠소?"

"그것도 그러네요."

"한데 무슨 일로 오셨소?"

"저녁은 하셨습니까?"

"저녁이라고요?"

"무얼 좋아하실지 몰라 백선반점에서 오향장육이랑 검남춘을 한 병 사 왔습니다."

"지금 나와 여기서 저녁을 먹겠다는 말이오?"

"그렇습니다."

"왜?"

"먹는 거 앞에 놓고 걸인이 무슨 계산을 하십니까? 일단은 먹고 보는 거지. 보아하니 아침부터 쫄쫄 굶으신 모양이고만. 싫으면 다른 걸인으로 알아보고요."

"젊은 공자님 말씀이 옳소."

노인은 벌떡 일어나서 젓가락을 잡았다. 그러고는 눈 깜짝할 사이에 제일 큰 고기 한 점을 집어 입에 넣으려는 찰나.

"권법 좀 가르쳐 주십시오."

"……!"

"은혜는 잊지 않겠습니다."

"무슨 말을 하는 건지……?"

"북해투왕(北海鬪王) 혁방세. 맨손 격투에 관한 한 북방삼성에서 적수를 찾아볼 수 없는 무적의 고수. 어느 날 곤륜파의 제자를 죽임, 이후 곤륜파의 고수들에게 쫓겨 천하를 유랑하다 항주까지…… 헛!"

무언가 번쩍하더니 가슴에 묵직한 충격이 전해졌다. 이능력을 발동하고 자시고 할 것도 없었다. 흡사 번개가 관통하고 지나간 것 같은 고통에 나는 정신이 아득해졌다.

뭐가 어떻게 된 건지 모르겠다. 노인은 손은 여전히 젓가락을 들었고, 다른 손은 사타구니 사이에서 나오지 않았다.

하면 무엇이 내 가슴을 때린 걸까? 그리고 맞았으면 충격으로 나가떨어져야 하는데, 왜 잠깐 흔들리기만 할 뿐, 사지가 마비되면서 짜르르한 고통이 번지는 걸까?

"네놈은 누구냐?"

노인이 착 가라앉은 목소리로 물었다. 심장이 철렁 내려앉고 금방이라도 오줌을 지릴 것처럼 무서운 목소리였다.

"이, 이정룡입니다. 천룡표국의 표사이고요."

"표왕에게 이정룡이라는 아들이 있다던데. 허구한 날 기루와 도박판을 전전하며 돈을 빼앗긴다는 호구. 설마 네가 그놈은 아니겠지?"

"지금은 회시 장원급제자로 더 유명할 겁니다."

"그건 처음 듣는 얘긴걸."

"더 노력하겠습니다."

"네놈이 정말 표왕의 아들이라고?"

"그것보다 대체 지금 저한테 어떻게 하신 겁니까? 온몸의 뼈마디가 벌어지고 오장육부가 가닥가닥 끊어지는 것 같습니다."

잠깐 사이에 고통은 더 다양해지고 강해졌다. 마음 같아선 드러누워 발버둥이라도 치고 싶은데, 몸이 무슨 통나무처럼 앉은 채로 뻣뻣하게 굳어버려 그조차도 할 수 없었다.

"내 정체는 어떻게 알았느냐?"

지금으로부터 5년 후 당신은 항주 유흥가를 주름잡는 흑도방파 한 곳을 홀로 쳐들어가 쑥대밭으로 만들어 버립니다. 몇 년 동안 매일 한 냥씩 적선하고 지나가던 기녀를 죽였다는 이유로요. 워낙 큰 사건이어서 항주가 발칵 뒤집혔고, 그제서야 당신의 정체가 무림인들 사이에서 크게 회자됩니다. 천하십대 권사(拳士) 중 한 명인 북해투왕이 항주에 은둔해 있었다고요.

"제 품속을 뒤져보십시오."

품속으로 쑥 들어왔다가 나간 노인의 손에는 돌돌 말린 종이가 들려 있었다. 그것을 펼쳐본 노인의 동공이 크게 흔들렸다.

"얼마 전에 북경을 다녀왔습니다. 그곳에서 낯선 복장의 도사들이 바로 그 용모파기를 들고 다니면서 사람을 찾더군요. 딱 봐도 선배님을 빼다 박았지 않습니까? 아래에 적혀 있는 특징도 영락없고요."

"그래서?"

"아무래도 예사롭지 않아서 개방도들을 수소문해 물었더니, 은전을 무려 한 냥이나 받고 방금 제가 말씀드린 이야기를 해주었습니다."

"그래서 이 용모파기를 보고 내 정체를 알아차렸다고?"

"외람되지만, 만에 하나라도 하며 한번 찔러본 것입니다. 저도 지금 놀

라서 정신이 하나도 없습니다. 정말 북해투왕 선배님이셨다니……. 뵙게
되어 영광입니다.”

　노인은 도저히 믿을 수 없다는 눈빛으로 다시 한번 용모파기를 살폈
다. 아무리 살펴봐야 기절초풍할 정도로 자기를 닮았을 수밖에 없다. 화
공을 불러다 이 노인을 보여주고 그리게 한 것이니까. 아래에 적혀 있
는 특징들은 내가 직접 적어 넣은 것이고.

　“진짜 죽일 생각이 아니시라면 저 좀 어떻게 해주십시오. 배 속에서
칼이 돌아다니는 것 같습니다. 흑흑.”

　나는 더는 참지 못하고 울음을 터뜨렸다. 정말 미치도록 고통스러
웠다.

　“내가중수법(內家重手法)이란 것이다.”

　“그게 뭡니까?”

　“간단히 말해 외부를 쳐서 내부를 진탕시키는 수법이지. 겉으로는 멀
쩡해 보여도 심장이 터지거나 오장육부가 찢어져 죽게 만들 수도 있다.”

　“꿀꺽!”

　“잠깐 스치기만 했을 뿐인데, 집으로 돌아간 후 밤에 자다가 급사하
게 만들 수도 있고. 이런 건 내가중수법 중에서도 최고 수준의 공부로
달리 암경(暗勁)이라고도 하지.”

　“그럼 저 죽는 겁니까?”

　“엄살 부리지 마라. 하루 이틀 고생하다가 괜찮아질 것이다. 물론 지
금 내가 너를 죽이지 않는다면 말이다.”

　“권법 좀 가르쳐 주십시오.”

　“내 말을 못 들었느냐? 나는 널 죽일 수도 있다. 아니, 네놈이 내 정

체를 알아차린 이상 죽여 입을 봉해야 한다. 한데 무슨 권법 타령이란 말이냐."

"그렇게 함부로 사람을 죽이는 분이 아니라는 것 잘 압니다. 곤륜파의 제자를 죽이기 전에는 협객으로 명성이 높았고. 곤륜파의 고수들을 피해 천하를 유랑하시는 것도 그들을 또다시 죽이기 싫어서가 아니었습니까?"

"……!"

"부탁입니다. 권법 좀 가르쳐 주십시오."

"네 아버지인 표왕은 나 못지않은 고수다. 그의 검법은 무림 일절인데다 유려하기까지 하지. 집안에 기름기 좔좔 흐르는 쌀밥을 놔두고 왜 내게 와서 거친 보리밥을 내놓으라는 것이냐?"

"그런 우아하기만 한 무공보다 내일 당장 써먹을 수 있는 실전 무공이 필요하기 때문입니다. 선배님의 무공이 그런 조건에 딱 들어맞는다고 생각했습니다."

"어째서?"

"듣기로 선배님께서는 평생 수천 번을 싸웠지만 십 초식 안에 모두 끝장냈다고 하더군요. 그래서 강호인들이 붙여준 권법의 이름도 십초박(十招搏)이고요. 십 초식 정도면 최소한 다른 권법보다 빨리 배울 수 있을 거라고 생각했습니다."

"이런 무식한 놈을 봤나. 그리 쉽게 배울 수 있는 십 초식이라면 어찌하여 평생을 걸려 익혔겠으며, 난다 긴다 하는 절정고수들이 어떻게 내 손 아래에서 쓰러져 갔겠느냐? 일천 초보다 변화가 더 무궁무진한 십 초식이니라."

"무궁무진한 변화는 차차 깨달아가기로 하고, 지금 당장은 뼈대가 되는 십 초식만이라도 좀 가르쳐 주십시오."

"백번 양보해서 네놈 말이 맞다고 치자. 대체 내가 왜 평생 걸려서 익힌 독문무공을 너에게 가르쳐 줘야 한단 말이더냐?"

"선배님께서도 무공의 맥을 끊어지게 할 수는 없는 노릇 아닙니까? 언젠가 후학을 두어 무맥을 이어가실 생각이라면 저는 어떻습니까?"

"어처구니없는 놈이로고."

"한번 시험이라도 해보십……. 헛!"

말이 끝나기도 전에 노인의 주먹이 날아왔다. 이번엔 초긴장 상태로 있었기 때문에 이능력이 발동되었고, 동시에 주먹을 볼 수 있었다.

보고도 믿을 수가 없었다. 화조신옹을 상대할 때와는 차원이 다르다. 이건 궤적이고 뭐고 없었다. 그냥 번쩍하더니 가슴에서 '퍽!' 하는 소리와 함께 무직한 충격이 전해져 왔다. 이번에도 흡사 번개가 몸을 관통한 것 같았다. 그리고 여진처럼 이어지는 짜르르한 고통.

"진짜 너무하시네……."

그 말을 끝으로 나는 까무러쳐 버렸다.

"무슨 이런 괴물 같은 놈이!"

혁방세는 속으로 깜짝 놀랐다. 기름진 근골이나 어설픈 동작으로 미루어 보면 분명 무공을 전혀 익히지 않은 똥몸이다. 한데 내가중수법의 일격을 맞고도 제 할 말을 따박따박 다 한다. 난다 긴다 하는 절정고수들조차 눈물 콧물을 쏟아내며 살려달라고 애원했었는데 말이다.

더욱 놀라운 건 두 번째 일격을 가할 때는 놈이 심지어 눈을 감기까지 했다는 것이다. 눈을 감았다는 건 곧 자신의 주먹이 날아오는 걸 보았다는 말이 된다.

그는 평생 수많은 무림인들과 싸우고 쓰러뜨렸다. 한데 그들 중 자신의 주먹을 똑바로 본 고수는 손가락에 꼽을 정도였다. 당연한 일이다. 자신의 주먹이 그들의 눈보다 더 빨랐으니까.

한데 무공이라곤 일초반식도 모르고, 좁쌀만 한 공력도 없는 놈이 자신의 주먹을 보고 눈을 감았다. 후일 이놈이 단전에 공력을 쌓고 무공까지 익히면 얼마나 대성할지 상상조차 할 수 없었다.

'항주에 이런 무재가 있었다고?'

혁방세는 떨리는 가슴을 진정시키기 위해 놈이 가져온 검남춘을 집어다 쭈욱 들이켰다. 그리고 입을 벌린 채 나동그라져 있는 놈을 내려다보며 중얼거렸다.

'그렇게 찾아 헤매던 제자를 여기서 줍는군.'

정신을 차렸을 때는 해가 뉘엿뉘엿 지고 있었다. 옆으로 돌아보니 내가 사 온 오향장육과 검남춘이 깨끗하게 비워진 후였다.

혁방세는 삐딱하게 누워 땅바닥에서 주운 나무꼬챙이로 이를 쑤시고 있었다.

"일어났느냐?"

"그렇게 갑자기 때리시면 어떡합니까!"

"세상에 어떤 적이 '자, 때립니다. 하나 둘 셋' 하고 때린다더냐. 싸움의 첫 번째는 상대의 어깨선을 보는 것이다. 공격의 기미가 있다면 가장 먼저 어깨 근육부터 움직인다. 그걸 볼 눈이 있을지는 모르겠다만."

"혹시, 무공을 가르쳐 주시는 겁니까?"

"술값으로 몇 수 적선하는 것이다."

"감사합니다!"

나는 얼른 자리에서 일어나 제자가 스승을 모시는 의식인 구배지례부터 하려고 했다. 그러자 혁방세가 정색을 하고 말했다.

"집어치워라. 나는 제자를 거둘 생각이 없다. 네놈이 누구에게 맞고 오거나 죽으면 내가 힘들게 찾아가서 복수를 해줘야 할 게 아니냐. 귀찮게 그런 짓을 왜 해."

"예에?"

십초박 같은 엄청난 무공을 전수해 주면서 사승 관계를 맺지 않겠다고? 이건 상식적으로 말이 안 되는 소리다. 세상에 그런 법은 없다. 사승의 관계란 내가 원한다고 되는 것도 아니고, 거절한다고 해서 안 되는 것도 아니다.

나는 혁방세에게 무슨 사연이 있음을 직감했다. 때가 되면 모든 것이 순리대로 흘러갈 터, 굳이 지금 당장 관계를 확정 지으려 할 필요는 없다.

"십초박은 강호인들이 붙여준 것이고, 내가 익힌 권법의 본래 이름은 뇌격진천연환백팔타(雷擊震天連環百八打)라고 한다."

"이름 한번 길군요."

"다소 과장된 것 같으나 권법을 알고서 한 글자 한 글자 곱씹어보면 절묘하기 짝이 없는 이름이다. 그러나 나는 십초박이라는 이름이 더 마음에 든다. 이 무공의 본질적인 특성을 가장 간단하게 말해주니까."

"저도 깔끔한 것이 마음에 듭니다."

"270년 전 십초박을 창안한 조사께서는 앞을 보지 못하는 맹인이셨다. 이후 구(九) 대를 거쳐 나에게 이르기까지 두 명의 맹인 전승자들이 더 있었다. 눈이 보이지 않는 관계로 긴 공방을 주고받을 수 없었던 초대 조사께서는 위험을 무릅쓰고서라도 단번에 상대를 쓰러뜨릴 수 있는 단 몇 개의 절초가 필요했다. 해서 한계로 잡은 게 최대 십 초식이었다. 그 십 초식은 천하의 수많은 무공들을 연구한 끝에 죽기 직전에서야 겨우 만들어졌다."

혁방세의 설명이 이어졌다.

"십초박은 선팔초(先八招)와 후이초(後二招)로 나뉜다. 하지만 무슨 일이 있어도 '선팔초' 안에 승부를 봐야 한다. 나머지 '후이초'는 만약에 대비해 너의 몸을 빼기 위한 동작들이다. 그래서 모두 십 초식이다. 만약 그때까지도 승부가 나지 않았다면 상대가 너를 희롱하고 있는 것이니 이미 죽은 목숨이다."

"전체 십 초식으로 이루어졌다면서 어찌하여 본래의 이름엔 백팔타라는 말이 붙은 것입니까?"

"격투란 언제나 일대일로만 이루어질 수는 없는 법, 극성으로 익히면 최소한 백팔 번의 타격을 가할 때까지는 벼락과 천둥의 위력을 잃지 않는다는 뜻이다."

"멋집니다!"

"그럼 이제부터 너에게 십초박을 수련하기 전에 필수로 익혀야 하는 삼백쉰다섯 식의 진퇴로(進退路)에 대해 가르쳐 주겠다. 이른바 귀영무

(鬼影舞)라는 보법이다."

"예에?"

"왜 그렇게 놀라느냐?"

"아, 아무것도 아닙니다."

나는 하마터면 까무러칠 뻔했다. 십초박이라도 배우면 다행이라고 생각했는데 보법도 가르쳐 주겠다고? 삼백쉰다섯 식의 진퇴로라는 말에 머릿속이 뻐근해지는 것 같지만, 지금 그런 걸 따질 때가 아니었다.

"십초박이 단 십 초식으로 이루어지고도 무림일절이 될 수 있었던 것은 귀영무라는 신비롭고 오묘한 보법이 있었기 때문이다. 귀영무가 없으면 십초박도 없다. 굳이 귀영무를 언급하지 않더라도 보법은 모든 무공의 시작이자 끝이다. 가장 처음 배우는 것이지만 가장 나중까지 배워야 하는 것 또한 보법이다. 장담컨대 네가 이 보법을 육성까지만 익히면, 손발이 제아무리 개싸움을 하고 있더라도 일류고수 소리를 들을 것이다."

마음을 굳게 먹자. 혁방세는 북방삼성에서 맨손 격투로는 적수가 없었다는 극강의 고수다. 이런 무시무시한 거물에게 무림절학을 배우면서 수월할 생각을 했다면 그거야말로 천하의 도둑놈 심보다.

그래도 한번 물어볼 수는 있지 않을까?

"꼭 보법부터 익혀야 합니까?"

"꼭 너 같은 놈들이 있지. 눈으로 보기 전에는 믿지 않고, 바늘구멍보다 작은 제 식견으로 보는 세상이 전부인 줄 아는 어리석은 녀석들 말이다."

아니, 그렇게 심각하게 받아들이실 것까지는 아니고요.

혁방세는 자리에서 일어나더니 허리를 묶은 새끼줄을 풀어 자신이 한쪽 끝을 잡고 다른 한쪽 끝을 내게 주며 말했다.

"지금부터 이 새끼줄의 끝을 잡은 상태에서 네 마음대로 뛰어다녀도 좋다. 다만 나는 너를 그림자처럼 따라붙으며 사지를 주물러 줄 것이다."

"사지를 주물러 주신다는 말씀은?"

"설마 안마를 해주겠다는 뜻이겠느냐?"

순간, 나는 아까 당한 내가중수법의 한 수가 생각나 머리끝이 쭈뼛섰다. 아직도 배 속이 얼얼하고 팔다리가 저릿저릿하다.

"시작한다!"

뻑!

말이 끝나기 무섭게 왼쪽 어깨에 묵직한 충격이 전해져 왔다. 나는 비명을 속으로 삼키며 냅다 오른쪽으로 뛰었다. 혁방세는 마치 커다란 거울 속의 나처럼 똑같이 뛰며 한 손을 부지런히 뻗어왔다.

뻐버벅!

"한꺼번에 여러 대 때리기 있습니까?"

"적과 싸울 때도 그렇게 말할 것이냐?"

뻐버버벅!

나는 왼쪽으로 꺾어 달리고, 오른쪽으로 꺾어 달리고, 뒤로 눕고, 앞으로 엎드리고, 심지어 냅다 뒤돌아 달리기까지 했다. 그러나 혁방세의 주먹질은 단 한 호흡도 쉬지 않고 이어졌다.

뻐버버벅! 뻑!뻑! 뻐버버벅!

머리부터 시작해 어깨, 가슴, 겨드랑이, 배, 옆구리, 허벅지, 마지막엔 사타구니 안쪽에서까지 쉬지 않고 소리가 들렸다. 그때마다 찌릿찌

릿한 충격과 고통이 온몸으로 전해졌다. 만약 수련이 아니었다면 나는 지금쯤 온몸의 뼈가 가루로 변했을 것이다.

"이건 좀 아닌 것 같습니다!"

더는 참지 못하고 새끼줄을 땅바닥에 휙 집어 던졌다. 동시에 뒤통수에서는 마지막 불이 번쩍했다.

뿌억!

나는 쓰러질 것처럼 잠시 비틀거리다가 가까스로 중심을 잡았다. 약이 올라 미쳐 버릴 것 같았다.

"새끼줄이 없어도 감당 못 할 지경인데, 이렇게 짧은 새끼줄을 잡고 있으면 천하의 누가 선배님의 공격을 피할 수 있겠습니까? 이건 애초부터 말이 안 되는 겁니다."

"이번엔 네가 공격해 보거라."

"그거야말로 기만이지요. 아무리 새끼줄을 서로 잡고 놓지 않는다고는 하나, 무공이라고는 일초반식도 모르는 제가 언감생심 선배님을 때릴 수나 있겠습니까?"

"때리지 않아도 좋다. 그냥 닿기만 해라."

"그냥 닿기만 하라고요?"

그러면서 혁방세는 움막으로 들어갔다 나오더니 시퍼렇게 날 선 식칼 한 자루를 손에 들고 나왔다. 깜짝 놀란 나는 세 걸음이나 뒤로 물러났다.

"이걸로 날 찌르든, 베든, 썰든 네 마음대로 하거라. 나는 일체의 반격을 하지 않겠다. 시간도 얼마든지 주마. 네가 만약 내 옷자락이나 머리카락 한 올이라도 자른다면……."

"장법(掌法)도 가르쳐 주십시오!"

"뭐?"

"주먹과 손바닥이 둘이 아니듯, 권법과 장법 또한 둘이 아니라고 들었습니다. 제가 만약 선배님의 옷자락이든 머리카락이든 조금이라도 자른다면 장법도 가르쳐 주십시오."

"이거 인생을 아주 날로 먹을 놈일세."

"부탁드리겠습니다."

그러면서 나는 정중하게 포권지례를 올렸다.

"만약 못 하면?"

"매일 검남춘 한 병씩 갖다 바치겠습니다."

"좋다."

됐다. 잘만 하면 권법과 보법에 이어 장법도 익힐 수 있게 됐다. 꿩 먹고 알 먹고, 마당 쓸고 돈 줍고, 세상에 이런 횡재가.

혁방세가 제아무리 극강의 고수라고 해도, 고작 석 자도 안 되는 새끼줄을 서로 붙잡은 상태에서 온종일 피해 다닐 수는 없는 노릇이다. 게다가 나는 맨손도 아니고 시퍼런 식칼을 들고 있다. 이리저리 피하다가 우연히 스치기만 해도 옷자락 정도는 충분히 잘려 나갈 것이다. 나는 오히려 칼로 그를 상하게 하지나 않을까 염려되었다.

'내게 이능력이 있음을 모르시니.'

한 번만, 딱 한 번만 건드리면 된다.

"준비되셨습니까?"

"말이 많구나."

"그럼 시작합니다!"

휙!

나는 일단 목부터 찔러갔다. 초장부터 과감한 위협으로 상대를 위축시키기 위해서였다. 다음엔 목을 옆으로 쓱 베고, 가슴을 사선으로 사정없이 그었으며, 배를 찌르고, 옆구리를 베고, 허벅지를 쭉쭉 그어 올렸다.

휙! 휙휙! 휙휙휙!

나는 칼질을 뚝 그쳤다.

생각대로 됐으면 혁방세는 지금쯤 온몸이 난자당한 채 피를 철철…… 흘리는 것까지는 아니더라도 최소한 당황한 모습을 보여야 한다. 한데 그는 내게서 딱 세 걸음 떨어진 곳에 서서 새끼줄 끝을 잡은 채 나를 멀뚱멀뚱 바라보고 있었다.

"왜?"

"아, 아닙니다."

뭔가 쎄하다. 나는 생각을 고쳐먹었다. 이거 만만하게 생각했다가 손에 다 들어온 장법을 놓칠 수도 있겠다.

"기합 좀 넣어도 됩니까?"

"좋을 대로."

"오해하시면 안 됩니다."

"마음대로 하라니까."

"죽엇!"

나는 다시 질풍처럼 식칼을 휘둘렀다. 왼쪽 손에 쥔 새끼줄을 힘껏 잡아당기는 한편 눈알을 쑤시고, 얼굴을 베고, 입을 찔렀다.

휙! 휙휙휙!

얼굴을 한차례 조진 다음에는 가슴과 배를 집중적으로 난도질했다.

휙휙! 휙휙휙!

다음에는 양손, 새끼줄을 쥔 손과 다른 손을 번갈아 가며 썰고, 쑤시고, 그어댔다.

휙휙! 휙휙휙!

혁방세는 허리를 굽히지도 않고, 뛰거나 엎드리지도 않았다. 오직 나아가고, 물러나고, 좌우로 꺾어 도는 보법만으로 내가 휘두른 식칼을 전부 피했다. 출렁거리며 그의 몸을 따라다니는 옷자락도, 머리카락도 나를 희롱하며 식칼을 피하고, 타고, 넘나들었다.

처음 주먹에 얻어맞을 때와 달리 혁방세의 움직임이 훤히 보였다. 한데 어찌 된 영문인지 칼을 찌르면 그 자리에 없었다. 찌르는 것과 달리 베고 긋는 것은 살상의 반경이 훨씬 넓은데도 불구하고 마찬가지였다. 어디를 어떻게 찌르고, 베고, 그어도 혁방세는 딱 칼끝의 한 치 밖에 항상 서 있었다.

'이건 그냥 귀신이다!'

나는 그제야 귀영무가 얼마나 절묘한 이름인지를 깨달았다. 귀신만으로도 쫓기 어려운데 귀신의 그림자가 추는 춤이니 얼마나 허깨비 같겠나.

나는 보법의 위대함을 뼈저리게 실감했다, 그리고 이 신비로운 무공을 익히고 싶다는 욕망이 물처럼 끓어 올랐다.

그렇다고 약이 안 오르는 건 아니다.

"에잇!"

쨍그랑!

식칼을 맞은 쇠솥이 죽겠다고 울어댔다. 나는 숨을 헐떡거리며 멍하니 혁방세를 바라보았다.

환생을 한 이후 처음으로 내기에서 졌다. 킥킥거리며 사타구니를 긁고 있는 혁방세가 무슨 괴물처럼 보였다.

"제가 졌습니다. 헉헉."

"이제 보법의 무서움을 알겠느냐?"

"후배의 생각이 짧았습니다. 죽으라고 익히겠습니다. 존경합니다. 선배님. 헉헉."

이 말만큼은 한 점의 거짓도 없이 진심이었다. 약이 올라 얼굴이 시뻘게지기는 했지만, 지금 혁방세의 신묘막측한 모습은 훗날 나의 모습이다.

"온몸의 근육이 뭉쳐 있는 것으로 미루어 따로 기본공을 수련하는 것 같던데."

수련을 핑계 삼아 실컷 두들겨 팬 줄 알았더니 그새 몸 상태도 살핀 모양이다. 십중팔구 곽석산이 그랬던 것처럼 기운을 쏘아 보내 단전도 탈탈 털어보았을 것이다.

나는 살짝 감동했다.

"숙부님께서 매일 쉬지 않고 애장산 절벽을 오르라고 시키셨습니다. 해서 부지런히 오르내리는 중입니다."

"숙부라면?"

"총표두를 맡고 계신 곽석산이라고 합니다."

"형산도객(衡山刀客)을 말하는 모양이군."

"저희 숙부님을 아십니까?"

"항주에 그의 이름이 진동하는데 어찌 듣지 않을 수 있겠느냐? 귀머거리라면 또 몰라도."

곽석산의 별호를 다른 사람, 그것도 최고 수준의 무인인 혁방세에게 들으니 느낌이 새로웠다.

"나이가 적지 않은데, 왜 이제 와서 무공을 배우려는 것이냐?"

"목표가 생겼기 때문입니다."

"목표?"

"예전에는 신기루처럼 허상에 불과했는데, 어느 날 자고 일어났더니 꿈으로만 꾸다 가기에는 너무 억울하다는 생각이 들었습니다. 성공할지는 모르지만요."

"실패하더라도 의미가 없는 건 아니다. 무언가 간절하게 바라는 것이 있다면 그것만으로도 이미 멋진 삶이 아니더냐."

"······?"

말을 하는 혁방세의 옆모습이 어쩐지 쓸쓸해 보였다. 때마침 지기 시작한 노을이 그의 얼굴을 붉게 물들였다.

"네 숙부의 가르침이 참으로 훌륭하다. 뜻을 거르지 말고 부지런히 기본공을 수련하거라. 그리고 나에 대해서는 일절 발설하지 말아라. 만약 이를 지키지 않으면 나를 다시 보지 못할 것이니라."

"명심하겠습니다."

"오늘은 이만하자꾸나. 매일 검남춘 한 병씩 갖다 바치는 것을 잊지 않도록. 만약 사정이 있어 오지 못할 때는 내가 사 먹을 테니 미리 돈으로 주고."

"혹시 모르니 지금 미리······."

말을 하면서 품속을 뒤지는데 전낭이 감쪽같이 사라지고 없었다. 한 순간 머릿속이 노래졌다.

"그럴 줄 알고 내가 한 달 치 미리 가져갔다."

"......!"

11장
호원표사

"오늘부터는 사공자님께서도 장로회의에 참석하신다는 게 사실입니까?"

"표왕부의 무사가 와서 전하더라고. 아버지께서 그리 하라셨다고."

"축하드립니다. 드디어 사공자님께서도 천룡표국을 떠받칠 기둥감으로 인정받게 되셨군요."

"언젠가 나도 참석할 수 있을 거라는 생각은 했지만, 이렇게 빨리 부르실 줄은 몰랐는걸."

"빠르다뇨. 다른 공자님들은 아홉 살 때부터 장로회의에 참석하셨습니다. 그런데 사공자님은 무려 스물두……. 지금도 많이 늦으셨습니다."

"그건 그렇지만."

"이제부터 시작입니다. 가시면 꼭 기회를 만들어 장로님들에게 강한 인상을 남기십시오. 훗날 공자님의 행보에 어떤 도움을 줄지 모르는 분들입니다."

"아버지가 아니라 왜 장로님들이지?"

"국주님은 어떤 식으로든 자주 뵙게 될 수밖에 없지만, 장로님들은 그렇지 않잖습니까? 기회가 있을 때 점수를 따야죠. 무엇보다, 장로회의는 다른 공자님들과 비교당하기 딱 좋은 곳입니다."

"장로회의에 가봤어? 어떻게 그리 잘 알아?"

"천룡표국에서 일어나는 일 중에 제가 모르는 게 있는 줄 아십니까? 공자님께선 저 없으면 어떡하실 뻔했습니까?"

"그래서 말인데 십칠각에 있는 방이랑 회랑은 다 청소했어?"

"그건 아직……."

"탁자랑 의자랑 필요한 집기들은 다 들어갔고?"

"그것도 아직……."

"아침부터 표왕부의 어린 시비들이랑 노닥거리느라고 많이 바쁘셨나 봐요. 장삼 책사님?"

"죄송합니다."

"잘하자."

"예."

"그리고 조심하자."

"예?"

"네가 날 위해 애써주는 건 고마워. 하지만 이럴 때일수록 조심해야 해. 내가 너의 뒷배가 되는 것처럼, 사람들은 너의 일상적이지 않은 행동 하나하나가 다 나의 의지에서 나온 거라고 생각할 거야. 그리고 천룡표국에는 이제 너와 나를 지켜보는 눈이 아주 많아졌다는 걸 잊으면 안 돼."

"죄, 죄송합니다. 소인의 생각이 짧았습니다."

"죄송한 줄 알면 가서 곽 숙부님 오시는지 망이나 좀 봐. 난 어제 배운 보법이나 좀 더 연습해야겠다. 뭔 놈의 진퇴로가 삼백쉰다섯 식이나 되냐. 미치겠네."

"그런데 그 보법은 대체 누구에게 배우신 겁니까?"

"있어. 귀신같은 인간이."

장로회의는 천룡표국의 모든 중요한 일들이 결정되는 곳이었다. 참가 자격은 국주를 중심으로 오당의 당주와 총표두 그리고 대장궤에게만 주어졌다.

다만 국주의 아들들은 예외였다. 어려서부터 장로회의를 지켜보며 경영자로서의 안목과 식견을 쌓으라는 취지였다. 일종의 후계자 수업인 셈이다. 하지만 제아무리 국주의 아들들이라고 해도 당주의 자리에 오르지 못했다면, 누가 물어보기 전까지는 절대 먼저 말을 해선 안 된다. 참관은 하되 발언권이 없는 것이다.

지금은 칠각주인 이병룡과 십칠각주인 내가 그랬다. 우리는 탁자의 맨 끄트머리에서 꾸어다 놓은 보릿자루처럼 서로를 마주 보며 앉아 있었다.

이병룡은 나를 보자마자 콧구멍을 벌렁거리며 노골적인 적개심을 드러냈다. 저만치 앞쪽에 앉은 이갑룡과 이을룡의 눈빛도 결코 호의적이지 않았다. 눈길조차 주지 않았던 녀석이 갑자기 활약하고 주목을 받기 시작하니 신경이 쓰이는 것이다. 급기야 오늘은 장로회의에까지 참석했으니.

이종산이 손지백에게 말했다.

"시작하시죠."

"좋은 소식과 나쁜 소식이 있습니다."

"나쁜 소식부터 듣겠습니다."

"첫 번째 안건입니다. 녹원루에서 우리와의 계약이 끝나는 대로 금룡표국(金龍鏢局)과 새로운 계약을 체결하겠다고 통보해 왔습니다."

"갑자기 다른 곳과 계약을 하겠다는 이유가 무엇이랍니까? 그것도 하필 금룡표국으로."

황룡당 당주 황자충이 말했다.

"금룡표국에서 기루의 보호비를 천룡표국의 절반까지 제시했다고 하네. 심지어 표사들의 등급과 숫자도 똑같은 조건으로 맞추고."

"절반이면 표사들의 몸값만 챙기고 전혀 남기지를 않겠다는 것인데, 도대체 이렇게까지 무리를 하는 이유를 모르겠군요."

"수향루와 경항루에 이어 녹원루까지. 이러다가 월성교(月星橋) 주변의 주루와 기루들을 전부 금룡표국에 빼앗기는 건 아닌지 모르겠습니다."

적룡당 당주 양진각이 우려를 표했다. 표국은 표물 운송뿐만 아니라 장원 보호, 의뢰인 호위, 피랍자 구출, 실종자 추적, 귀족의 외출 동행 등등. 칼이 필요한 일이라면 폭력과 살인 청부 빼고는 무엇이든 다 했다. 그중에서도 표물 운송 못지않은 큰 수입처가 바로 장원 보호와 부유한 의뢰인들의 호위였다.

한 발 더 들어가서 장원 보호 중에서도 가장 큰 비중을 차지하는 것은 아무래도 시비도 많고 무림인들의 출입도 잦은 기루, 다루, 주루 같은 곳이었다. 유흥과 소비의 도시답게 항주에는 특히 지주나 상단이 부럽지 않은 대형 기루와 주루들이 수두룩했다. 그만큼 보호권을 따내기 위한 표국들의 경쟁도 치열했다.

풍부한 물자에다 사통팔달의 교통 요지답게 항주에는 수많은 표국들도 함께 성업 중이었다. 금룡표국은 그중 한 곳으로, 파격적인 비용에 일을 해주면서 크게 세를 늘려가고 있었다. 특히 천룡표국과 달리 중원 전역에 분타가 없는 금룡표국은 장원 보호에 집중했는데 그게 주효했다. 비용도 저렴한 데다 실력 출중한 표사들도 우글댄다는 소문이 돌면서 장원 보호 분야에서는 다른 표국들을 압도했다. 급기야 초대형 표국인 천룡표국까지 위협하고 있었다.

물론 어디까지나 장원 보호 분야에 국한된 이야기지만 말이다.

"금룡표국이 시장 질서를 크게 어지럽히는군요. 하지만 현재로썬 마땅히 제재를 가할 방법도 없다는 것이 문제입니다. 우리 역시 보호비를 내린다면 또 모르겠습니다만."

청룡당 당주 유지평이 말했다. 무림맹 군사부 출신이어서 그런지 대책을 세우기에 앞서 상황 정리부터 먼저 한다.

"아시겠지만, 보호비를 내린다는 건 말처럼 쉬운 일이 아니오. 다른 곳에서도 똑같은 요구들이 빗발칠 것이오."

적룡당주 양진각이 말했다.

"녹원루의 보호를 누가 맡고 있지?"

이종산이 물었다.

"저희 복룡당입니다."

이을룡이 다소 위축된 목소리로 말했다. 진작부터 설치고도 남았을 그가 여태 한마디도 하지 않았던 데는 다 이유가 있었다.

"수향루와 경향루도 복룡당에서 관리했지?"

"그렇습니다."

"대책이 있느냐?"

"지나치게 싼 것은 무엇이든 금방 문제를 일으키게 마련입니다. 저러다 사고라도 나면 금룡표국에 대한 루주들의 신뢰가 하루아침에 무너질 것입니다."

"그게 대책이더냐?"

"조금만 시간을 주십시오. 이럴 때일수록 일희일비하지 말고 천룡표국의 명성을 지켜 나가야 한다고 생각합니다."

"그런 말은 복룡당 소속 표사 누구를 데려와서 물어도 들을 수 있을 것이다. 당주라면 마땅히 달라야 하지 않겠느냐?"

"죄송합니다."

"사과는 필요 없다. 장로회의는 상벌을 논하는 자리가 아니다. 대책을 세우고 보완하는 자리다. 대책을 내놓아라."

"최대한 빨리 만들겠습니다."

"그 자리가 힘에 부치느냐?"

"아, 아닙니다. 더 열심히 하겠습니다."

"노력하는 모습은 어렸을 때 무공 수련을 하던 것으로 충분하다. 지금은 놀아도 좋다. 대신 그 자리가 네 것이라는 것을 모두가 인정할 만한 성과를 보여라."

"명심하겠습니다."

잠깐 사이 이을룡의 이마에 땀이 송골송골 맺혔다. 나는 보고만 있는데도 심장이 쫄깃쫄깃해지는 것 같았다. 전생에서 쟁자수로 살던 시절에는, 어떻게 하면 보급품으로 나오는 신발을 한 짝이라도 더 타낼까, 어떻게 하면 장거리 표행에 한 번이라도 더 따라갈까, 하는 궁리만 했다. 확실히 장로회의는 급이 다른 것 같았다.

한참을 몰아붙이던 이종산이 묵직하게 경고했다.

"보호비는 그대로 동결한다. 대신 무슨 수를 써서라도 닷새 안에 녹원루주의 마음을 돌려놓아라."

"닷새는 너무 짧습니다."

"금룡표국의 홍원당주는 녹원루주를 단 사흘 만에 설득시켰다고 들었다. 너는 지금 스스로 금룡표국의 홍원당주보다 못하다고 고백하는 것이더냐?"

"알겠습니다."

끙! 소리를 삼키며 눈을 감는 이을룡의 정수리에서 김이 모락모락 나는 것 같았다.

불똥은 맞은 편에 앉은 이갑룡에게도 튀었다.

"너도 마찬가지다. 월성교 북쪽 구역의 주루와 기루 네 곳을 강룡당에서 관리하는 것 알고 있다. 녹원루가 무너지면 다음엔 네 차례다."

"그렇지 않아도 부지런히 루주들을 만나며 신뢰를 다지고 있습니다. 불편한 것들도 그때그때 해결해 주고요."

"금룡표국은 신뢰를 주지 않는다더냐? 상대는 항주 유흥가에서 잔뼈가 굵어 온 백전노장들이다. 천룡표국이라는 이름이면 네 땅을 충분히 지킬 수 있을 거라는 안일한 생각은 버려야 한다."

"명심하겠습니다."

평소에도 다정다감한 편은 아니었지만, 일에 관해서 만큼은 더욱 냉정하고 철두철미해지는 이종산이었다.

손지백이 눈치껏 끼어들었다.

"두 번째 안건입니다. 해마다 겨울이 되면 금룡표국과 거액의 장원 보호 계약을 맺어왔던 남경상단(南京商團)에서 이번엔 우리 천룡표국과 계약을 맺고 싶다는 의사를 전해왔습니다."

남경상단은 무역을 통해 큰돈을 벌어들인 거대 상인 가문으로, 항주에서 가장 아름다운 원림 중 하나로 꼽히는 이화원(梨花園)을 소유하고 있었다. 그리고 해마다 겨울이 되면 황제의 친척인 진왕(賑王)과 그 일족에게 별장으로 내주었다.

진왕은 추위를 몹시 싫어했는데, 그 때문에 겨울만 되면 일가족을 이끌고 따뜻한 항주로 내려와 이화원에서 느긋하게 지내다 봄이 되면 돌아가곤 했다. 해서 남경상단은 진왕이 머무는 동안 거액을 주고 금룡표국에 이화원의 보호를 맡겼다.

첫 번째 안건과 완전히 반대의 상황이었다. 첫 번째는 오랜 거래처를 금룡표국으로 빼앗기기 직전이고, 두 번째는 금룡표국의 오랜 거래처를 오히려 우리가 빼앗아 올 판이다.

사람들은 모두가 놀라워했다. 남경상단의 제안이 너무나 갑작스럽기 때문이다. 상황도 매우 공교롭고.

"함정입니다."

단호하게 서두를 뗀 사람은 이을룡이였다.

"금룡표국이 헐값에 주루를 보호해 주면서도 이곳 이화원의 보호비만큼은 절대로 깎아주지 않았습니다. 오히려 상식 이상으로 비싸게 받았습니다. 석 달간 무려 금전 삼백 냥이었습니다."

삼백 냥이라는 액수에 잠시 공기가 출렁였다. 듣고 있던 나도 깜짝 놀랐다. 아무리 진왕과 그의 일족이 와서 석 달을 머문다고 해도 그렇지, 금전 삼백 냥이라니.

"그래서?"

"남경상단이 황실 종친들과의 인맥을 유지하기 위해 돈을 물 쓰듯이 쓰긴 하나 석 달에 금전 삼백 냥은 결코 적은 돈이 아닙니다."

"그건 이미 알고 있다."

"상계의 늙은 구렁이가 천룡표국을 끌어들여 금룡표국에게 지급하는 보호비를 낮추려는 속셈입니다. 함부로 들어갔다는 계약도 놓치고 천룡표국만 우스운 꼴을 당하게 될 것입니다."

"추측만으로 대책을 세울 수는 없다."

"금룡표국의 국주가 진왕비의 친척이라고 합니다. 보호비를 한번 깎아볼 수는 있겠지만, 계약 자체를 무산시키기에는 부담스러운 관계이지요."

좌중에 침묵이 흘렀다. 어떻게 알았는지 모르지만, 이게 사실이라면 이을룡의 말처럼 함정일 확률이 매우 높다.

장내의 공기가 자신에게 호의적으로 바뀌는 듯하자 이을룡이 얼른 덧붙였다.

"직접 값을 깎기가 난처하니 우리를 이용하려는 것입니다. 해서 우리에게 먼저 찾아와 계약에 적극성을 보여달라고 요구했을 겁니다. 오랜 거래처를 바꾸려면 자신들도 명분이 있어야 한다면서요."

이종산이 손지백을 바라보며 확인을 요청했다.

"사실입니다."

이을룡이 또 덧붙였다.

"제가 남경상단의 단주라면 천룡표국이 계약에 뛰어들 거라는 소문부터 낼 것입니다. 소문이 나기 전에 서둘러 거절 의사를 밝혀야 합니다."

이번엔 곽석산이 확인해 주었다.

"이미 소문이 나기 시작했습니다. 만약 소문을 가라앉힐 생각이라면 더 늦기 전에 입장을 정해야 할 것입니다."

이을룡의 얼굴에 비로소 안도감이 비쳤다. 이만하면 앞서의 실수를 충분히 만회했다고 생각한 모양이다.

이토록 철저하게 준비를 한 걸 보면, 이을룡은 두 번째 안건에 관한 내용을 누군가로부터 먼저 들은 것 같았다. 만약 세 당주들 중 한 명이라면 그는 이미 이을룡의 사람일 것이다. 그리고 이을룡이 인정을 받을 수 있도록 자신은 일부러 아무런 말을 하지 않는 것이고.

"칠각주는 어떻게 생각하느냐?"

이종산의 목소리가 흡사 천둥처럼 들렸다. 나를 향해 콧구멍을 벌렁거리고 있던 이병룡이 한순간 움찔 놀랐다.

하지만 그것도 잠깐이었다.

"저도 둘째 형님과 같은 생각입니다. 남경상단이 이런 수법으로 거래처들의 단가를 후려치는 건 어제오늘의 일이 아닙니다. 우리까지 당하면 무림과 상계 모두에서 두고두고 웃음거리가 될 것입니다."

이병룡은 간만에 찾아온 기회에 제 몫을 다했다는 듯 어깨에 힘이 들어갔다. 나를 바라보는 표정에도 자부심이 가득하다.

상계의 일이라면 아무래도 이병룡은 귀가 밝을 수밖에 없다. 그의 외가가 바로 상계의 소식에 정통한 만금전장이기 때문이다. 어쩌면 이을룡에게 언질 준 것이 이병룡일 수도 있겠다는 생각이 들었다.

"나쁜 소식이었던 첫 번째 안건에는 뚜렷한 대비책이 없고, 좋은 소식인 줄 알았던 두 번째 안건 역시 헛바람에 지나지 않았군. 한데 말이야, 우리가 고작 이런 얘기나 하자고 모인 건가?"

이종산의 뼈 있는 일침에 모두 합죽이가 되어버렸다. 한 명 한 명을 눈에 담던 이종산이 내게서 멈추었다.

"십칠각주의 생각은 어떠냐?"

모두의 시선이 이종산을 따라 내게로 향했다. 두 번의 장원급제에 이어 표행에서의 활약까지. 나를 보는 사람들의 시선에 기대와 호기심이 가득하다. 어쩌면 이것이 장삼이 말한 그 기회일지도 모르겠다. 하지만 기다렸다는 듯이 떠벌이는 것도 보기 좋은 그림은 아니다. 이상하기도 하고.

"저는 잘 모르겠습니다."

이종산의 얼굴에 실망의 빛이 어렸다. 곽석산과 손지백도 그리고 당주들도 다들 아쉬운 표정들이었다. 반면, 이갑룡과 을룡은 그러면 그렇지라는 얼굴이었다. 이병룡은 입꼬리까지 살짝 올라갔다.

"그렇지만 기회를 주신다면, 짧은 식견일망정 한 말씀 올리고 싶습니다."

사람들의 꺼져 버렸던 눈동자에 다시 빛이 들어왔다. 기대감, 호기심, 불신, 질투……. 새삼 느끼는 거지만 표정과 어우러진 사람의 눈동자는 정말 많은 말을 한다.

"말해보아라."

"만약 제게 결정권이 있다면, 지금 당장 남경상단을 찾아가 금룡표국이 받는 액수의 절반 가격에 이화원을 보호해 주겠다는 제안을 하겠습니다."

"어째서?"

"기존의 액수가 금전 삼백 냥으로 워낙 크니, 절반으로 깎는다고 해도 천룡표국으로선 손해날 게 전혀 없을 것 같습니다. 게다가 이건 금룡표국이 우리 거래처들을 빼앗아 가면서 썼던 방식이기도 하고요. 이에는 이 눈에는 눈이죠."

그러면서 나는 어금니를 한번 빠드득 갈았다.

듣고 있던 이을룡이 불쑥 내 말을 받고 들어왔다.

"지금까지 내가 한 말을 무엇으로 들은 것이냐? 그렇다고 남경상단에서 우리와 계약할 리는 없다. 다만 금룡표국을 상대로 보호비를 깎을 명분만 챙기려는 것일 뿐."

"하면 얼마나 깎을 수 있을까요?"

"무어?"

"우리가 절반을 치고 들어갔으니 차액이 금전 백오십 냥이고, 여기서 단순계산으로 금룡표국과 남경상단이 실랑이를 하다가 절반씩만 양보하면 칠십오 냥이군요. 그럼 허수아비 노릇 한번 해주는 대가로 최소한 금룡표국으로 들어갈 금전 칠십오 냥은 막는 셈 아닌가요?"

사람들의 표정이 딱딱하게 굳기 시작했다.

이을룡이 헛웃음을 터뜨리며 말했다.

"고작 생각한 것이 금룡표국에 타격을 입히자고 허수아비 노릇을 하자는 것이냐? 천룡표국은 그렇게 가벼이 쓸 수 있는 이름이 아니다."

"허수아비 노릇도 필요하다면 해야죠. 돈 드는 일도 아니고, 못 할 건 또 무엇입니까?"

"뭐?"

"금룡표국이 월성교 주변의 주루들을 상대로 보호비를 절반만 받을 수 있었던 것은 이화원처럼 믿는 구석이 있어서입니다. 만약 우리가 남경상단을 이용해 허를 찌른다면 녹원루는 물론이거니와 당분간 월성교 주변엔 얼씬도 못 할 겁니다."

사람들의 얼굴이 딱딱하게 굳은 데다 눈동자까지 커졌다. 이을룡도 그제야 사태의 심각성을 깨닫고 표정이 굳었다.

"그리고 남경상단에도 해달라는 대로 다 해주면 안 되죠. 가는 게 있으면 오는 것도 있어야죠. 그들이 이득을 보는 액수인 칠십오 냥에서 다시 절반인 서른다섯 냥 정도는 무슨 일이 있어도 우리가 땡겨와야 합니다. 혹시 나중에 딴소리할지 모르니 처음부터 못을 박아두어야 하고요."

쥐 죽은 듯한 침묵이 흘렀다. 잘만 하면 첫 번째 안건과 두 번째 안건을 한꺼번에 해결할 수 있게 되었으니 놀랄 수밖에. 거기다 두둑하게 돈도 챙기고.

이을룡은 뭐라고 반박도 못 하고 아랫입술만 파르르 떨어댔다. 내가 자신의 실수를 대신 해결한 것도 모자라 작은 활약까지 아무 짝에 쓸모없는 것으로 만들어 버렸으니 지금쯤 약이 바짝 오를 것이다. 이병룡도 덩달아 콧구멍을 벌렁거렸다.

이종산이 청룡당주 유지평을 돌아보며 말했다.

"자네 생각은 어떤가?"

"절묘한 수라고 생각됩니다."

"그 정도인가?"

"실은 속하도 십칠각주와 똑같은 생각을 했습니다. 다만 한 가지, 이 일로 남경상단에게서 절반을 받아 챙길 생각까지는 미처 못 했습니다. 실로 부끄럽습니다."

"그거야 공명정대한 자네 성품 탓이겠지."

여보세요. 아버지. 그렇게 말씀하시면 소자는 뭐가 됩니까?

총표두 곽석산과 대장궤 손지백이 실무적인 면에서의 참모라면, 유지평은 사실상 천룡표국의 책사 역할을 해왔었다. 유지평이 묘수라고 하면 더 볼 것이 없다.

이종산이 내게 말했다.

"수고했다."

나는 살짝 뼈 있는 말로 응수했다.

"저잣거리에서 물건값이나 깎으며 하던 짓을 말씀드렸을 뿐인데, 괜히 국주님과 장로님들의 귀만 어지럽힌 건 아닌지 모르겠습니다."

"노름방에서 갈고닦은 솜씨가 아니고? 푸하하."

손지백이 밑도 끝도 없는 농담을 하고는 저 혼자 꺽꺽대며 웃었다. 그러다 아무도 따라 웃지 않는 걸 깨닫고는 조용히 말했다.

"죄송합니다."

이종산이 다시 말했다.

"저잣거리나 무림이나 상계나 인간 군상이 부딪히고 얽히는 방식은 크게 다를 바가 없다. 오늘 너의 의견은 제법 쓸모가 있었다."

"그럼 한 가지 더 여쭈어도 되겠습니까?"

"아직 할 말이 남았느냐?"

"겨울 동안 이화원 보호하는 거 말입니다. 그거 이참에 진짜로 우리가 확 가져와 버리면 안 됩니까?"

사람들의 눈동자에 또다시 횃불이 들어왔다. 모두가 깜짝 놀란 표정으로 나를 바라보았다.

"혹시 무슨 문제라도 있나요?"

이종산이 선뜻 대답을 않기에 내가 다시 물었다. 그러자 손지백이 참지 못하고 불쑥 끼어들었다.

"문제가 있을 턱이 있느냐? 그렇게 할 수가 없어서 못 하고 있는 것이지. 지금까지 우리가 회의를 한 것도 모두 그 때문이고."

"그렇다면 방법을 찾아내야죠. 이건 두 번 다시 오질 않을 기회입니다. 아무리 생각해도 이렇게 흐지부지 넘어갈 일이 아닌 것 같습니다."

이건 살짝 선을 넘은 발언이다. 고작 스물두 살짜리인 내가 수십 년 경력의 장로들을 무시한 것으로 비칠 수도 있다.

나는 얼른 자리에서 일어나 포권지례를 올렸다.

"장로님들께 사죄의 말씀을 드립니다. 반드시 계약을 따내야 한다는 욕심에 소질이 너무 흥분하여 그만⋯⋯."

일부러 소질이라는 표현을 썼다. 소질, 즉 어린 조카가 실수를 한 것이니 너그럽게 용서해 달라는 뜻이다.

유지평이 살짝 미소 띤 얼굴로 말했다.

"무엇이 십칠각주를 그렇게 조바심 나게 했을꼬?"

"그것이……."

"내가 비록 천룡표국에서 가장 작은 당의 당주이지만, 참관 각주에게 발언할 기회 정도는 줄 수 있다네. 편하게 말해보시게."

딱 내가 원하는 그림이 만들어졌다. 형들과 달리 자신들을 깍듯이 대하는 내 태도에 강한 인상을 받은 장로들, 그걸 의미심장하게 바라보는 이종산, 곽석산, 손지백, 그리고 마지막에 호의가 느껴지는 세 장로 중 한 명의 질문까지.

이제 표사로서 내가 형들과 어떤 다른 능력을 지녔는지를 보여주어야 한다. 그래야 돈 되는 표행에 주도적으로 참여할 수 있고, 그래야 텅텅 빈 십칠각을 뛰어난 표사와 쟁자수들로 하루라도 빨리 채울 수가 있다.

"이화원을 호위하는 이유 때문입니다."

"진왕을 말하는 것이겠지?"

"그렇습니다. 금룡표국이 항주의 여러 주루들과 계약을 할 수 있었던 건 보호비를 절반으로 깎아준 덕이 컸습니다. 하지만 그 이전에 이화원과 진왕이 있었습니다."

"쉽게 얘기해 주게."

"생각해 보십시오. 만약 우리가 기루의 주인이라면 왕야와 그 일족을 보호했던 표국에게 한 번쯤 주루를 맡겨보고 싶지 않겠습니까? 마치 내가 왕야라도 된 것처럼 말입니다."

"우리도 진왕을 이용해 소문을 내자?"

"분명 엄청난 효과가 있을 것입니다."

"천룡표국은 이미 충분히 명성을 떨치고 있네만."

"전통적인 표행에 관해서라면 타의 추종을 불허하지요. 그러나 표국을 지금보다 더 키울 생각이라면 장원 보호 쪽으로도 최고가 되어야 합니다."

"현재로는 최고가 아니라는 말인가?"

"비룡표국(飛龍鏢局)이 있는 한 그렇습니다."

비룡표국이라는 말이 나오자 이종산을 필두로 사람들의 얼굴이 순식간에 얼음장처럼 식어버렸다. 나는 그 이유를 너무나 잘 알고 있었다.

비룡표국 역시 장원 보호를 전문으로 하는 표국이었다. 사실 그들이 보호하는 장원의 숫자는 금룡표국의 장원에 비해 절반도 되지 않았다. 하지만 매출은 오히려 금룡표국을 앞질렀다. 금룡표국이 상대적으로 작은 장원과 대형 주루를 공략했다면, 비룡표국은 고관대작이나 부유한 거상과 지주들의 거대 장원들을 사실상 싹쓸이하다시피 했다.

항주의 장원들을 일(一)에서부터 백(百)까지 크고 부유한 순서대로 등수를 매겼을 때, 이화원 하나를 빼고는 상위 네 개가 전부 비룡표국의 차지였다. 이건 절강성의 패자임을 자부하는 대천룡표국의 입장에서는 목에 걸린 가시처럼 불편한 일이었다.

"또 다른 이화원들까지 전부 공략하자?"

"그러려면 진왕이라는 간판이 꼭 필요합니다."

"허허. 이것 좀 보게. 난 여태 우리가 금룡표국과의 싸움을 얘기하는 줄 알았더니만, 이제 보니 금룡표국 따위는 안중에도 없었군그래."

"소질의 경험이 일천하다 보니 생각나는 대로 다 말이 되는 줄 알고 그만…… 어린 각주의 치기로 받아주십시오."

겸손한 내 말투와 달리 사람들은 처음엔 비룡표국이라는 말에 놀라고, 다음에는 내 배포와 통찰에 눈동자가 흔들리고 있었다.

"주장뿐인 말은 공허한 것이다."

지켜보기만 하던 이종산이 뼈 있는 말로 다시 포문을 열었다. 얼굴은 여전히 무표정했지만, 눈동자는 별처럼 반짝이고 있었다.

"싸워서 이기기는 쉬우나, 이겨서 지키기는 어렵다고 했습니다. 금룡표국이 오랜 시간 이화원을 독점해 왔지만, 반드시 비집고 들어갈 틈이 있을 겁니다."

"아직도 공허하다."

"외람된 말씀입니다만, 우리가 원하는 대답은 남경상단주가 가장 잘 알고 있지 않을까요?"

이종산은 한동안 말없이 나를 노려보았다. 그러다 조용히 입가에 미소가 번진다. 내 말의 진의를 꿰뚫고 충분히 공감한다는 뜻이다.

"어쩌면 이 문제를 해결할 열쇠는 결국 진왕이 쥐고 있을지도 모르겠습니다. 진왕이라면 저도 좀 안면이 있습니다만, 왕비를 지극히 아끼시어 마음을 바꾸도록 만들기가 쉽지 않을 겁니다."

황룡당주 황자충이 말했다. 금의위 장수 출신답게 황족과도 안면이 있었던 것이다.

그는 덧붙였다.

"하지만 십칠각주의 말대로 그를 10년 넘게 이화원에 모셔온 남경상단주라면 묘수가 있을지도 모르지요."

"저도 십칠각주와 생각이 같습니다. 이 정도면 무언가 흔들어볼 만하다는 생각이 들었으니 남경상단주도 우리에게 입찰을 제안해 왔겠지요."

적룡당주 양진각이 말했다.

"이제야 조금 장로회의답군."

이종산이 흡족한 듯 말했다. 늙은 장로들은 겸연쩍기는 하지만 모두 공감하는 눈빛이었다. 그러면서도 허구한 날 주루와 노름방만 드나들던 내가 표국의 사정을 어떻게 이리 잘 아는지 어리둥절한 얼굴들이었다.

이갑룡, 을룡, 병룡은 어느 순간부터 그냥 꾸어다 놓은 보릿자루가 되어버렸다. 좋아할 수도 없고, 그렇다고 국주와 장로들 앞에서 나를 면박 줄 수도 없고 속으로 난감할 것이다.

"누가 남경상단주를 만나보겠나?"

이종산이 말했다. 질문의 형식을 띠었지만 이건 사실 결정이었다. 내 말대로 남경상단을 만나 진짜 협상을 하겠다는 결정.

이제 공이 장로들에게로 넘어갔다. 나는 조용히 기다렸다가 결정적인 순간 한발을 걸치고 들어간 다음 마부석을 차지하고 앉으면 된다. 반드시 내가 마부석에 앉아야 가장 많은 전리품을 챙길 수 있다.

"십칠각주에게 한번 맡겨보시면 어떻겠습니까?"

유지평이 말했다.

"노지량은 귀계와 암투가 난무하는 상계에서 오늘의 남경상단을 일군 거상일세. 언감생심 십칠각주가 감당할 수 있는 인물이 아니네."

"이 모든 대화는 '제게 만약 결정권이 있다면'이라는 십칠각주의 한마디로 시작되었습니다. 실제 거래와 협상에서는 수많은 돌발 상황이 발생하는바, 우리 중 이 계획을 십칠각주만큼 깊이 이해하는 사람은 없을 듯싶습니다만."

간단히 말해 나를 마부석에 앉혀야 한다는 뜻이다.

유지평의 말에 좌중의 공기가 요동쳤다.

이화원의 보호를 놓고 벌이는 남경상단과의 거래 협상은 결코 작은 일이 아니다. 그걸 일개 각주인 내게 맡기자고 했으니 다들 놀랄 수밖에. 이갑룡, 을룡, 병룡은 그야말로 눈이 휘둥그레졌다.

나는 속으로 쾌재를 불렀다. 동시에 서늘함도 느껴졌다. 솔직히 내가 금룡표국을 제치고 남경상단과의 계약에 성공할 거라고 생각하는 사람이 유지평을 포함해 여기 한 명이라도 있겠나. 절대로 없다. 그런데도 기회를 준다? 이건 기회가 아니라 미끼다. 실패했을 경우 책임을 엄중하게 물어 기세를 억누르는 명분으로 삼을 미끼.

어쩌면 순전히 나의 착각일 수도 있다. 단언컨대 이종산은 내게 기회를 주고 싶어 한다. 유지평이 이종산의 그런 심중을 읽고 되든 안 되든 명분을 만들어준 것일 수도 있다.

'유지평, 당신은 지금 누굴 도우려는 것인가?'

이종산이 나를 보며 물었다.

"한번 해보겠느냐?"

복잡하게 생각하지 말자. 나를 제거하려는 분명한 의도가 보이지 않는 이상 묵묵히 내 일만 하자. 실패로 말미암아 져야 할 책임이 크다면 성공했을 경우 가져갈 이득 또한 큰 법이다.

"최선을 다하겠습니다."

"이렇게 겁이 없어서야 원."

이종산이 어처구니없다는 듯 말했다. 하지만 입가에 미세하게 어리는 것은 분명 기특한 자식을 바라보는 아비의 미소였다.

장원을 가로질러 흐르는 냇물, 오작교가 놓인 연못, 그림 같은 정자, 지붕 위로 금방이라도 달이 떠오를 것만 같은 저택들.

이화원은 하나의 거대한 예술품이었다.

진왕을 맞이하기 위한 대청소가 한창인 가운데, 나는 조용한 연못가의 정자에서 백발의 노지량을 만났다. 늙고 독 있는 뱀, 즉 노독사(老毒蛇)라는 별호를 가진 그는 쉰 살가량의 행수를 옆에 세워두고 화롯불을 뒤적이는 중이었다.

"표왕의 넷째 아들이라고?"

"인사드리겠습니다. 이정룡이라고 합니다. 함께 온 두 사람은……."

"총표두나 대장궤가 올 줄 알았더니만."

자리에 앉으라는 말도 없이 바로 면박부터 준다.

나는 선 채로 대화를 이어나갈 수밖에 없었다. 한 걸음 떨어진 곳에서는 전립성과 가불염이 마찬가지로 우두커니 서 있었다.

"전권을 가지고 왔으니 대화를 하실 때 불편하신 점은 없으실 겁니다."

"나는 지금 격(格)을 얘기하는 것이네."

"그래서 제가 왔습니다."

"무어?"

"천룡표국을 끌어들여 금룡표국에게 주는 보호비를 깎으려는 생각이신 것 잘 알고 있습니다. 허수아비 역할이라면 저로도 과분한 것 같습니다만."

"……?"

"그래도 성에 차지 않으신다면 모두 없던 일로 하고 돌아가겠습니다. 단, 이대로 돌아가면 다시는 이화원을 두고 천룡표국과 남경상단이 할 얘기는 없을 겁니다. 아까도 말씀드렸지만, 이 일에 관한 한 제가 전권을 가지고 있어서요."

"내가 천룡표국과는 계약할 생각이 없음을 알고도 찾아왔다는 말인가?"

"앞뒤를 따져보니 저희도 조금은 남는 게 있을 것 같더군요."

노지량은 말없이 한참이나 나를 노려보았다. 화조신옹, 곽석산, 북해투왕 같은 무인들이 격기(激氣)를 통해 내 몸속을 속속들이 더듬어 보았다면, 상계의 늙은 독사는 눈빛을 통해 내 속을 오랫동안 들여다보았다.

정신을 바짝 차려야 한다. 상대는 하루하루가 전쟁터라는 강남 상계에서 오늘의 남경상단을 일군 거물. 까딱하다가는 껍질째 홀딱 벗기고 잡아먹히는 수가 있다.

"음하하하!"

노지량이 갑자기 앙천광소를 터뜨렸다.

"역시, 천룡표국 정도라면 내 말을 알아듣는 사람이 한 명쯤은 있을 줄 알았지. 음하하하."

우리에게 문제를 내주고 이걸 맞추나 못 맞추나 혼자 가늠하고 있었다고? 이 늙은이 완전 변태다.

"이런, 손님을 여태 세워두었구먼. 앉으시게."

장년의 행수가 다가와 내 앞에 있는 의자를 쓱 빼준다. 전립성과 가불염은 계속 서 있고 나만 앉으라는 소리다.

"한잔하겠나?"

"술은 거래가 끝난 후 축배로 들겠습니다."

"아니지. 이건 거래가 아니라 기회일세. 내가 천룡표국으로 하여금 금룡표국을 견제하고 월성교 주변의 기루와 주루들을 지킬 기회를 일방적으로 주는 것이지."

현재 천룡표국이 처한 상황을 정확히 꿰뚫고 있다. 이쯤 되니 시험이 아니라 마치 함정을 파놓고 기다린 것 같은 느낌마저 든다.

"저희도 천룡표국이라는 이름을 빌려드립니다만."

"무릇 좋은 상인은 두 가지를 정확히 할 줄 알아야 한다네. 첫 번째가 계산이고 두 번째는 저울질이지. 한데 이건 사실 표국도 마찬가지가 아닌가?"

"……?"

"경쟁 관계에 있는 금룡표국에 적지 않은 타격을 주고, 나아가 언제 빼앗길지 모를 월성교 주변의 주루들을 지키게 되었네. 한데 이걸 단지 천룡표국의 이름을 빌리는 것과 같은 무게로 저울을 달면 곤란하지 않겠나?"

"원하는 게 있으십니까?"

"특별히 원하는 건 없네. 내가 돈이 부족한 사람도 아니고. 정히 고마우면 부친께 말씀드려 술이나 한 병 사 들고 찾아오시라고 하게."

필요하다면 표국의 국주가 상단의 단주를 찾아가 인사를 할 수도 있다. 하지만 그건 큰 건의 계약이 있을 때에나 해당하는 말이다. 더구나 상단의 단주가 표국의 국주를 오라 가라 하는 건 자신의 발아래 두고 길들이겠다는 수작이다. 지금은 공짜로 천룡표국의 이름을 빌려다 쓸 생각이면서 무슨 개소리를.

"그건 곤란할 것 같군요."

"이해하네. 아무리 표왕의 넷째 아들이라고는 하나 그런 것까지 이 자리에서 결정할 수는 없겠지. 한데 그렇다면 전권을 가져왔다는 말도 하지 말았어야지."

그러면서 노지량은 혼자 잔에 술을 따라 마셨다. 노회하기 짝이 없지만, 미안하게도 내 머리와 가슴은 스물두 살이 아니다.

"제 말씀을 이해 못 하신 것 같은데, 국주님을 대신해 분명한 거절의 의사를 밝힌 것입니다. 그리고……."

나는 전립성을 돌아보며 고개를 끄덕였다. 그러자 그가 노란 괴황지 봉투를 꺼내 장년의 행수에게 주었다.

장년의 행수가 다시 그걸 노지량에게 전달했다. 봉투를 뜯어 내용물을 읽어 내려가던 늙은 독사의 표정이 점점 굳어졌다. 당연할 수밖에. 그건 천룡표국이 남경상단에 제안하는 이화원 보호에 관한 정식 계약서였다. 액수는 석 달에 금전 이백 냥. 금룡표국보다 무려 백 냥이나 적으니 조건도 좋다.

전권을 가지고 왔다는 내 말을 입증하듯 천룡표국주의 직인까지 미리 찍혀 있었다. 여기에 노지량의 직인만 찍히면 완벽한 계약서가 되는 것이다.

"이게 무엇인가?"

"단주님께서 잡은 저울의 접시에 천룡표국이라는 이름과 함께 이걸 올려놓겠습니다. 이 정도면 무게가 맞을 것 같지 않습니까?"

"일을 복잡하게 만드는군."

"대신 화근을 뿌리째 뽑아드리겠습니다."

"내 화근이 무엇인 줄 알고?"

"금룡표국주와 진왕비의 관계를 알고 있습니다. 그 때문에 울며 겨자 먹기로 금전 삼백 냥이라는 거액에 금룡표국과 10년 넘게 계약을 해왔다는 것도요."

"그 정도는 아니까 이렇게 찾아왔겠지. 무슨 쓸데없는 소리를 중언부언하고 있는 것인가?"

"남경상단이 죽으나 사나 진왕비의 눈치를 볼 수밖에 없는 사정도요."

"무슨…… 말을 하는 건가?"

"복건성은 요즘 소금이 풍년이라더군요."

"……!"

한순간, 늙은 거상의 동공이 천적을 만난 고양이의 그것처럼 좁아졌다.

조금 떨어진 곳에 서 있던 전립성과 가불염의 얼굴에 어리둥절한 기색이 어렸다. 노련한 노지량은 그 모습을 놓치지 않았다. 이 정도면 내가 저들과 공유하는 정보가 아니라는 것쯤은 눈치챘을 것이다.

"고집이 쇠심줄 같을 것처럼 생긴 장년인은 전립성이라는 장궤이고, 융통성이라곤 눈곱만큼도 없을 것처럼 생긴 중년인은 가불염이라는 표사입니다. 둘 다 장원을 보호하고 살피는 일에는 전문가들이죠."

졸지에 쇠심줄 같은 고집에 융통성이라곤 눈곱만큼도 없는 사람이 되어버린 전립성과 가불염이 어리둥절한 표정을 지었다.

"저의 동행들이 장원을 돌아볼 수 있도록 안내를 부탁드려도 되겠습니까? 표사들을 어디에 어떻게 배치할지, 숫자는 또 몇 명으로 맞춰야 할지를 보아야 하니까요."

이번에는 내가 도발했다. 아직 계약하겠다는 의사도 밝히지 않았는데 견적부터 뽑겠다고 했으니 말이다. 하지만 노지량은 응할 수밖에 없을 것이다. 내 입에서 폭탄이 터져 나오기 전에 일단 주변 사람들을 물려야 할 테니까.

"모시고 가게."

"예, 단주님."

의자를 빼주었던 장년인이 가불염과 전립성을 데리고 나갔다. 이제 정자 안엔 나와 노지량만 남게 되었다.

"어떻게 알았나?"

지금으로부터 5년쯤 후, 남경상단은 복건성에서 위장 상단을 하나 차려놓고 국법으로 금지된 해상 밀무역을 오랫동안 해온 것이 적발되어 큰 곤욕을 치른다. 그리고 배후에 진왕비가 있어서 그동안 남편인 진왕조차 모르게 크고 작은 문제들을 해결해 주었다는 소문이 돈다. 나는 남경상단이 이화원을 보호하는 문제로 천룡표국에 계약 입찰을 제안해 왔을 때 바로 그 일을 떠올렸다.

"우연히 알게 되었습니다."

"또 누가 알지?"

"현재로선 저 혼자입니다."

"발설할 수도 있다는 뜻인가?"

"그런 일은 없을 것입니다."

"어떻게 믿지?"

"칼은 칼집에 들어 있을 때가 무섭고, 비밀은 나만 알고 있어야 비로소 힘을 발휘하지요."

"……!"

"아, 오해는 마십시오. 저는 지금 협박을 하러 온 것이 아니라 단주님을 도우러 온 것입니다."

"내 목줄을 쥐고 돕겠다고? 상인이 아니어서 그런지 계산이 둔하군. 이젠 자네가 어떤 제안을 하더라도 평범한 제안이 될 수가 없네."

"제가 목줄을 쥐면 목숨이 위험하기는 합니까?"

"……?"

"단주님께서 진왕비를 따로 만나 금붙이를 바치며 하소연 한 마디만 얹으시면 저와 천룡표국은 상당한 곤욕을 치를 것임을 잘 알고 있습니다. 안 그렇습니까?"

노지량은 잠시 사이를 두었다가 말했다.

"날 어떻게 돕겠다는 건가?"

"진왕과 그의 왕비께서 더는 금룡표국을 신뢰하지 않도록 만들어 드리겠습니다. 하면 단주님께서도 어미 없는 호랑이 새끼의 눈치를 더 이상 볼 필요가 없겠지요."

"어떻게 말인가?"

"단주님의 성품을 보아하니 지금은 제가 어떤 말씀을 드려도 믿지 않으실 것 같습니다. 이렇게 하지요. 어떤 핑계를 대시든 금룡표국과의 재계약을 열흘만 늦추어주십시오. 하면 그사이 제가 그림을 하나 그려보겠습니다."

"열흘이면 진왕이 도착하는 날이군."

"그렇습니다."

"금룡표국주는 바보가 아닐세. 그리고 항주에는 진왕과 그 일족을 자신들의 원림에 모시고 싶어 하는 거상과 지주들이 줄을 섰지."

"무릇 노련한 표사는 두 가지를 잘할 줄 알아야 합니다. 하나는 싸움이고, 다른 하나는 오랜 말타기로 말미암아 하루가 멀다 하고 엉덩이에 생기는 종기를 짜는 일입니다."

"……?"

"대신 싸워 드리고 종기도 짜드리겠다는데, 그 정도 각오도 없다시면 저희야말로 더 얘기할 것이 없습니다."

노지량은 또다시 나를 한참이나 뚫어지게 바라보았다. 이번엔 눈으로 심장까지 후벼 팔 기세다.

이윽고 그가 착 가라앉은 음성으로 말했다.

"삼 년 동안 날지 않았으나 날기 시작하면 하늘을 찌르고, 삼 년 동안 울지 않았으나 울면 세상을 놀라게 한다."

"……?"

"요즘 항주 상계에 떠도는 소문이라고 하네. 오늘 직접 그 당사자를 보니 아무래도 헛소문이 아닌 듯하군."

"……?"

"계약서를 놓고 가게. 열흘 후 내 이것을 화로에 태워 버릴지, 직인 하나를 더 추가해 다시 자네에게 돌려줄지를 결정하겠네."

"감사합니다."

안개가 내려앉은 겨울 강은 고즈넉했다. 갑작스럽게 찾아온 맹추위에 나룻배 한 척이 얼음을 쩍쩍 깨뜨리며 도강을 시도하고 있었다. 그러나 힘에 부치는지 채 십 장도 나아가지 못하고 돌아와 버렸다.

나는 황자충과 함께 포구에 서서 그 모습을 바라보고 있었다. 조금 떨어진 곳에서는 황룡당의 표사 다섯 명이 대기 중이었다. 옆에는 튼튼한 마차와 말도 충분히 준비해 놓았다.

"경항운하에 얼음이 어는 건 10년 만에 보는군. 그것도 이렇게 갑자기 얼어버릴 줄이야."

"겨울 날씨는 조석으로 달라진다고 하지 않습니까."

"진왕께서 정말 이 포구에서 하선하실 것 같은가? 항상 배를 대는 포구는 여기서 십 리 정도 아래에 있는 양촌(陽村)포구이네만."

"양촌이라는 이름에서도 알 수 있다시피 그곳의 강물은 볕이 좋아 강남의 추위 정도로는 어는 법이 없습니다. 한데 보시다시피 밤사이 얼음은 여기서부터 이미 살짝 얼어버려 배를 더 운항하기가 어려운 처지고요."

"새삼스러운 말이지만 정말 대단한 통찰력일세. 자네를 칭찬하면서 새삼스럽다는 말을 하게 될 날이 오다니. 허허."

"이틀 전부터 추위가 기승을 부리다 지난 밤사이에는 기온이 심상치 않게 떨어져 새벽에 한 바퀴 돌아보았을 뿐입니다. 통찰력이라뇨. 가당치 않습니다."

"그럴 생각을 했다는 것 자체가 통찰력이지. 금룡표국과 남경상단은 그것도 모르고 지금 양촌포구에서 눈이 빠져라 대기 중이라고 하네. 사실 우리도 자네 아니었으면 운하에 얼음이 얼 거라고 생각이나 했겠나."

"문제는 그다음입니다. 여기서 이화원까지는 불과 십 리. 아무리 천천히 가도 한 식경 이상은 끌지 못할 겁니다. 그 안에 진왕과 왕비를 우리 편으로 만들어야 합니다."

"한 식경 안에 무슨 수로, 차라리 자객이라도 나타나서 우리가 멋지게 퇴치해 준다면 또 모를까."

"나타날 수도 있지요."

"혹시 무얼 알고 하는 소린가?"

"예?"

"요즘 장로회의에서 자네가 하는 얘기들을 들어보면 아무래도 따로 정보를 받는 곳이 있는 것 같아서 하는 말이네."

"그렇게 보이셨습니까?"

"다른 사람들은 모르는 귀한 정보들을 훤히 꿰고 있으니 어찌 그런 생각이 들지 않겠나? 처음엔 총표두님을 의심했었네. 한데 청룡당주는 아무래도 자네가 하오문과 손을 잡은 것 같다더군."

"하오문이라고요?"

"자네가 근 십 년을 하오문의 터전에서 그들과 부대끼며 살았기 때문이네. 자네의 신분과 숨겨둔 능력을 생각해 보면 끈을 만들어두지 않았다는 것이 오히려 더 이상한 일이지."

나는 망치로 뒤통수를 한 대 얻어맞은 것 같았다. 왜 그 생각을 못 했을까? 죽은 이정룡은 기루와 노름방을 제집처럼 드나들었다. 장삼의 말을 들어보면 다른 부잣집 공자들처럼 진상짓을 부리지 않아 기녀들과 어깨들도 아주 좋아했단다.

미래 지식을 아는 것만으로는 한계가 있을 때가 많다. 그럴 때 하오문의 손을 빌릴 수만 있다면 금상첨화다.

시간이 나면 하오문과 접촉해 봐야겠다. 아무짝에도 쓸모없을 줄 알았던 이정룡의 인맥을 이렇게 써먹을 줄이야. 청룡당주 유지평이 이렇게 사람을 도와주는구나.

"그냥 해본 소리입니다. 일전에 북경에 갔을 때 황실 돌아가는 사정이 복잡하여 왕야들께서 몸을 사린다고 하더군요. 그때 진왕의 이름이 거론되는 것도 들었습니다."

"이것 보라지. 분명히 누군가 있다니까."

"저도 그랬으면 좋겠습니다."

"그나저나 한 식경은 너무 짧네. 가장 좋은 건 왕비를 구워삶는 것인데, 신분이 신분이다 보니 먼저 하문하시기 전에는 함부로 말을 붙여 볼 수가 없으니……."

"너무 걱정하지 마십시오. 만약 진왕께서 이 포구에 내리시기만 해도, 금룡표국과 달리 작은 것까지 세심하게 신경을 쓴 우리에게 호감을 느낄 수밖에 없을 겁니다."

"알았네. 나도 최대한 애를 써보겠네."

사실 자객들은 진짜 나타난다. 심지어 그들은 진왕이 양촌포구가 아닌 이곳에서 하선할 거라는 것까지 알고 있었다. 짐작하건대 거사 날짜를 정해놓고 계속 동선을 추적했던 것 같다.

하지만 나는 한발 더 나아가 그들이 어디에서 몇 명이 나타나는지까지 알고 있다. 다만 이걸 황자충에게는 자세히 말해줄 수가 없다. 어떻게 알았는지 설명해 줄 도리도 없을뿐더러, 자칫하면 괜한 오해를 살 수도 있기 때문이다.

전생에서는 진왕의 사병들이 절반 정도 목숨을 잃는 끝에 자객들을 격퇴하는 데 성공한다. 이번 생에서는 아까운 희생을 최대한으로 줄여야 한다. 그러면서도 천룡표국이라는 변수로 말미암아 자객들이 작전을 취소해서도 안 된다. 해서 일부러 다섯 명밖에 데려오지 않았다.

대신 전부 일류고수들인 표두들로 하여금 평범한 표사 복장으로 갈아입게 했다. 표두 한 명이 표사 세 명과 맞먹을 정도의 무력을 지녔으니, 실제로는 열다섯 명 정도의 표사들을 이끌고 온 셈이었다.

거기다 황자충이라는 절정의 고수가 있다. 일초반식도 모르지만 힘은 엄청나게 센, 그러나 조절이 전혀 안 되는 나도 있고.

"배가 오고 있습니다."

척후를 살피러 갔던 가불염이 돌아와 말했다.

표두들을 전부 황룡당에서 차출해 오면서도 나는 가불염을 끼워 넣었다. 계획의 다소 세밀한 부분까지도 사전에 알고 나를 보조해 줄, 그러면서도 이유를 꼬치꼬치 캐묻지 않을 사람이 필요했기 때문이다.

잠시 후, 쩍쩍 얼음 깨는 소리와 함께 두 척의 배가 안개를 뚫고 나타났다. 배가 워낙 큰 데다 얼음까지 깨뜨리며 오다 보니 속도가 말도 못 하게 느렸다. 예상했던 대로 배는 포구 쪽으로 방향을 잡았다. 그러다 십여 장을 앞두고 갑자기 뚝 멈추었다.

선수의 갑판으로 갑옷 차림에 창검을 든 무인들이 우르르 나타나 우리 쪽을 살폈다. 진왕의 사병들이었다. 난데없이 도검으로 무장한 무인 대여섯 명이 말을 탄 채 포구에 버티고 있으니 경계를 하는 것이다.

"대낮에 어떤 자들이 칼을 들고 서 있는가!"

사병의 수장으로 보이는 자가 큰 소리로 물었다.

"이 몸은 항주 천룡표국에서 온 황자충이라고 하오. 왕야께 옛 친구가 인사를 드리고 싶어 한다고 전해주시오."

친구라는 말에 나는 깜짝 놀랐다. 그저 조금 아는 사이일 줄 알았더니 친구라는 말을 쓸 정도로 가까웠다고?

"어떻게 된 겁니까?"

"큰 기대 말게. 오래전 금의위에 있을 당시 진왕께서 머물던 궁을 일 년 정도 호위한 적 있네. 그때 당신을 벗처럼 대하라고 하신 말씀이 생각나 잠시 객기를 부려본 것이네."

어쩌면 진왕이 어떻게 나오는지에 따라 오늘의 운수를 점칠 수도 있을 것 같다.

잠시 후, 앞쪽에 있는 배의 선실에서 부슬부슬한 모피 옷을 입은 사십 줄의 중년인이 모습을 드러냈다. 작은 체구에 못생긴 얼굴, 하지만 황족답게 귀티가 좔좔 흘렀다. 드디어 진왕이 등장한 것이다.

"황 노야가 나를 보러 왔다고?"

"전하, 그간 강녕하셨습니까?"

"이런, 진짜 황 노야잖소."

"신 황자충, 진왕 전하를 뵙습니다!"

황자충은 그 자리에서 무릎까지 꿇으며 넙죽 엎드리는 것으로 황족에 대한 예를 갖췄다.

"진왕 전하를 뵙습니다!"

나와 표사들도 우렁차게 외치며 절을 올렸다.

무장을 하고 나타난 무리가 적이 아니라는 게 밝혀지자 선실에서 두 명의 여자가 더 나타났다. 두 여자 모두 두꺼운 모피 옷에 눈처럼 하얀 여우 털로 목을 감쌌는데, 복장도 복장이지만 용모가 예사롭지 않았다.

"옛 친구를 가까이서 봐야겠다. 빨리 배를 대라!"

잠시 후, 배가 포구에 닿았고 진왕의 사병 사십여 명이 장수의 인솔하에 우르르 내렸다. 뒤를 이어 진왕과 두 명의 여자가 차례로 내렸다.

뒤쪽의 표두들 사이에서 '아아!' 하는 신음이 미세하게 새어 나왔다.

가까이에서 본 두 여자의 용모는 충격적이었다. 도저히 나이를 짐작할 수 없는 첫 번째 여자는 얼굴이 백옥처럼 투명한 데다, 마치 이 세상 사람이 아닌 것처럼 아름다웠다. 저 여자에 비하면 조영영과 남궁소소는 야광주 앞에서 얼쩡대는 반딧불이처럼 느껴질 정도였다.

열예닐곱 살쯤 되어 보이는 두 번째 여자는 첫 번째 여자의 손을 꼭 잡고 있었는데, 새털 같은 귀밑머리며 호기심 가득한 눈동자가 그렇게 귀여울 수가 없었다.

포구 전체가 시간이 멈춘 것처럼 고요해졌다.

정적을 깬 것은 황자충이다. 그가 두 여자를 향해 또다시 대례를 올렸다.

"왕비마마와 공주마마를 뵙습니다!"

나와 표사들도 자동적으로 예를 갖추었다.

"왕비마마와 공주마마를 뵙습니다!"

진왕이 그의 비를 아끼는 마음이 지극해 어지간한 청은 전부 들어준다고 해서 속으로 비웃었다. 그런데 오늘 직접 진왕비를 보니 솔직히 나라도 그랬을 것 같다. 딸의 나이를 생각하면 서른 중반은 되었을 텐데, 실로 불가사의한 미모였다.

어머니의 아름다운 용모에 비하면 공주는 오히려 평범했다. 가까이서 보니 얼굴에 주근깨도 많고. 하지만 나는 왠지 어리고 순수한 얼굴의 공주가 더 귀엽고 예뻤다.

'전생에서 나도 결혼에 성공했더라면 저만한 딸이 세 명은 있었을지도. 빙당호로라도 하나 사주고 싶다.'

순간, 공주와 눈이 딱 마주쳤다. 공주가 고개를 갸우뚱했다. 나는 황급히 눈을 내리깔고 고개를 숙였다.

"황 노야, 여긴 어쩐 일이십니까?"

"왕야를 기다리고 있습니다."

"제가 이곳으로 올 줄 어떻게 알고요?"

"이틀 동안 강남에 어울리지 않게 맹추위가 찾아와 운하 곳곳이 얼어붙었습니다. 하여 아무래도 양촌포구까지 못 가시고 여기쯤에서 하선하실 듯싶었습니다."

"그러게 말입니다. 추위를 피해서 내려왔더니만 오히려 추위를 찾아온 격입니다. 한데 금룡표국과 남경상단 사람들은 어찌 안 보이는 것입니까?"

"그들은 본래의 목적지인 양촌포구에서 기다리는 것으로 알고 있습니다. 양촌은 얼음이 얼지 않아서 운하의 사정을 잘 모르는 것 같습니다."

"황 노야께서는 어찌 미리 아시고요?"

"저희는 밤사이 기온이 특히 수상하여 새벽에 근처의 운하를 조금 살펴보았습니다."

"이렇게 고마울 데가 있나."

"실은 제가 아니라 모두 이 친구가 한 일입니다. 새벽에 운하를 살핀 것도, 왕야께서 타신 배가 이쯤에서 멈출 거라고 예상한 것도요."

"으음?"

"제가 몸담은 천룡표국주 이종산의 넷째 아들입니다. 당년 회시에 장원급제를 한 후 현재 낙향하여 벼슬이 내려지길 기다리는 중이지요."

"오호, 그래요?"

회시의 장원급제라는 말에 진왕의 눈빛이 달라졌다. 잠시 주변 풍경을 눈에 담던 왕비와 공주도 일부러 고개를 돌려 나를 바라보았다.

"어서 인사 올리시게."

"소생 이정룡, 진왕 전하를 뵙습니다."

"자네가 새벽같이 일어나 운하를 살폈다고?"

"대수롭지 않은 일이옵니다."

"정성을 쏟는 일 중에 대수롭지 않은 일이란 없지. 정성을 쏟는 일 중에 목적이 없는 일 또한 없고 말이야."

"……?"

"내 짐작이 틀리지 않는다면 다음 순서는 우리를 이화원까지 호위하는 일일 것 같군. 저 말과 마차는 나와 비와 공주를 태우기 위해 준비한 것이고."

"그렇습니다."

"이화원의 보호권 때문인가?"

"……!"

"……!"

나도 황자충도 한순간 머리가 띵 했다. 그걸 간파한 것도 놀랍지만, 옛 친구를 만난 기쁨이 채 가시기도 전에 이렇게 웃는 얼굴로 면전에서 질러 버릴 줄이야. 보통 인물이 아니다. 생긴 것과는 영 딴판이다.

작았던 사람이 갑자기 커다랗게 보인다. 하기사 이러니 다른 왕야들로부터 견제를 한 몸에 받지.

"내가 너무 정곡을 찔렀나 보군."

"전하, 실은……."

"그렇습니다."

내가 황자충의 말을 자르고 들어갔다. 상대가 이미 내 수를 다 읽고 있는데, 여기서 주저리주저리 변명을 해보아야 음험한 사람으로만 비칠 뿐이다.

"솔직하군."

"감히 어느 안전이라고 눈속임을 하겠습니까."

"당당하기도 하고."

"전하와 마마님들을 편안하고 안전하게 모시려는 일입니다. 영광스러운 일이니 당당하지 못할 것이 없습니다."

"금룡표국주가 내게 서신을 보내왔더군. 나와 비가 머무는 동안 이 화원의 보호권을 따내려는 표국들의 경쟁이 심하니 부디 옥석을 가려달라고 말이야."

금룡표국주가 먼저 손을 썼구나. 가만히 당하고 있지 않을 줄은 알았지만, 이렇게 진왕비에게 도움을 요청하는 편지까지 썼을 줄이야.

"옥석은 핑계고, 자신들에게 힘을 실어달란 소리지. 한데 아시다시피 나도 남경상단주에게 신세를 지는 형편인데 말이야. 왕비께서는 어떻게 생각하시오?"

"신첩은 전하의 뜻을 따르겠습니다."

촉촉한 목소리가 귀에 착착 감긴다. 이게 정녕 인간의 목구멍에서 나온 소리가 맞나 싶을 정도로 아찔하다.

"하하하. 내가 또 왕비의 입장을 곤란케 한 모양이군."

진왕은 별것도 아닌 일에 소리 내어 웃더니 황자충을 돌아보며 거침 없이 말했다.

"미안하지만, 이번엔 황 노야께서 양보를 하셔야겠습니다. 실은 금 룡표국주가 왕비의 외사촌 오라비랍니다. 그가 있는 항주에 와 머물면 서 면을 세워주지 않는다면 왕비의 체면은 또 뭐가 되겠습니까? 안 그렇습니까?"

"물론 그러시겠지요."

황자충이 다소 뜨뜻미지근한 태도를 보였다.

이러면 안 된다. 금룡표국주를 대하는 왕비의 체면이 있는 것처럼, 왕비를 대하는 진왕의 체면도 있다. 특히 진왕은 왕비를 지극히 아끼는 사람. 우선은 왕비 앞에서 진왕의 체면을 확실하게 세워주어야 한다.

"진왕 전하, 소생들은 그러한 깊은 사정까지 있는 줄 미처 몰랐습니다. 전하의 말씀을 받들어 저희 천룡표국은 이번 입찰에서 빠지겠습니다."

"오오, 그리 말해주면 고맙고."

"하지만 기왕에 준비한 말과 마차이오니 이화원까지만이라도 모실 수 있게 해주십시오. 하면 두고두고 영광으로 알겠습니다."

"그렇게 하시지요. 전하. 추운 날씨에 왕비마마와 공주마마께서 마차를 기다리시다 고뿔이라도 걸리실까 염려됩니다."

황자충도 옆에서 거들었다.

우리가 가져온 마차를 타지 않으려면 사병들이 가까운 역참이나 관청으로 가서 마차를 징발해 와야 한다. 아무리 빠른 말로 달려갔다가 온다고 해도 최소 두 식경은 걸릴 것이다.

"그렇게 하십시다. 내가 황 노야께 이 정도 신세를 지면서 눈치를 볼 사이는 아니니까 말이오."

"이를 말씀입니까. 이화원 이야기는 그만 잊고, 가는 동안 저와 함께 오랜만에 옛날이야기나 도란도란하시지요."

"그럴까요?"

"아, 두 분 마마는 마차로 모시고, 전하께서는 저와 함께 말을 타고 나란히 걷는 것이 어떻습니까? 겨울에 보는 항주의 풍경이 제법 고즈넉하고 좋습니다."

"그것도 좋지요."

"뭣들 하는가. 어서 전하께서 타실 말을 가져오고, 마마님들을 마차로 모시게."

그러면서 황자충은 내게 덧붙였다.

"자네는 가 표사와 함께 마차의 좌우를 호위토록 하게. 마마님들께서 불편하신 점이 없는지 각별히 신경 쓰고."

늙은 생강이 맵다더니, 나는 마지막 순간 터져 나온 황자충의 노련한 기지에 속으로 크게 웃고 말았다.

황자충은 방금 나로 하여금 진왕비의 곁에 붙어 있을 구실을 만들어주었다. 이화원까지 가는 동안 어떻게든 한번 구워삶아 보라는 뜻이다. 이를 위해 함께 말을 타고 가자는 말로 진왕을 꼬드겨 제거해 주기까지 했다.

"알겠습니다. 당주님."

장수의 이름은 연철산이라고 했다. 그는 진왕이 북경에서부터 데려온 사병들 중 절반을 이끌고 선두에서 길을 잡았다. 그 뒤를 황자충이 진왕과 함께 말을 탄 채 표사들의 밀착 호위를 받으며 따랐다.

나는 가불염과 함께 세 번째 대열에서 역시 말을 탄 채 진왕비와 공주가 탄 마차를 호위하며 가고 있었다. 진왕비는 마차 안에서 코빼기도 보이지 않았다. 대신 공주만 아까부터 창틀에 양팔까지 척 얹고는 나를 빤히 바라보고 있었다.

대체 왜 저러는지 모르겠다. 아까 포구에서 내가 자신의 얼굴을 빤히 쳐다본 것 때문에 불쾌해 저러나?

사실 황족을, 그것도 어린 여자를 그렇게 오래 바라보는 건 불경죄에 해당하는 일이었다. 아는 사람과 닮아서 그랬다고 할까?

"희한하네."

"……?"

"똑똑한 유생들은 하나같이 다 못생겼던데."

지금 이거 나보고 잘생겼다고 하는 말인 것 같은데?

하기사 이정룡이 자기 엄마를 닮아 인물 하나는 기생오라비 뺨치게 잘생겼다. 팔다리도 시원하게 쭉쭉 잘 빠졌고.

됐다. 화가 나서 그러는 것 같진 않다.

"천룡표국주의 자제분이시라고요?"

"넷째 아들입니다. 공주마마."

"말끝마다 공주마마라고 안 그러셔도 돼요. 무림인들이 세상의 법도에 크게 얽매이지 않는다는 것 정도는 저도 알고 있어요."

"알겠습니다. 마마."

"마마도요."

"알겠습니다."

"천룡표국은 저도 좀 알아요. 절강성에서 가장 큰 표국인 데다 또 부호라면서요? 황족이 부럽지 않다던데."

"받잡기 어렵습니다."

"거기다 회시에 장원까지 하셨다고요?"

"민망합니다."

"아버님께서 뿌듯해하시겠어요."

"워낙 내색을 잘 않는 분이셔서요."

"어떤 벼슬을 하고 싶으세요?"

난 당분간 벼슬을 할 수 없는 몸이다. 하고 싶지도 않고. 하지만 그런 사정을 일일이 설명할 수도 없다.

"글쎄요."

"장원을 하면 보통 한림원으로 들어가던데, 만약 그렇다면 북경에서 머물게 되시겠네요?"

"아마도요."

"북경에 지내실 곳은 있고요?"

"아직은 없습니다."

"올해 연세가 어떻게 되세요?"

이거 무슨 호구조사 하는 것도 아니고, 이쯤 되면 진왕비라도 나서서 만류할 듯한데 어쩐 일인지 조용히 지켜만 본다.

"스물둘입니다."

"저보다 조금 오라버니시네요. 전 열일곱이에요."

"그러시군요."

"포구에서는 왜 그렇게 절 빤히 쳐다보셨어요?"

순간, 나는 머리끝이 쭈뼛하고 섰다. 하필 진왕비가 듣는 데서 저걸 물어보다니. 예법에 밝은 왕비라면 얼마든지 문제 삼을 수 있다. 점수를 따도 모자랄 판에 책부터 잡히게 생겼다.

나는 오해를 사지 않으면서도 만만한 사람으로다가 얼른 끌어다 붙였다.

"소생의 어미와 닮아서 그만."

"예에?"

"다음부턴 조심하겠습니다."

"힝!"

공주는 갑자기 홱 토라지더니 창문의 휘장을 거칠게 닫아버렸다. 그러자 안에서 공주를 조용히 나무라는 진왕비의 꿀물 같은 목소리가 흘러나왔다.

"공주, 사람들에게 무례하게 굴면 안 된다고 어미가 말하지 않았더냐. 더구나 저분들은 우리를 도와주러 오신 분들이다."

"죄송해요."

다행이다. 진왕비는 이 일을 별로 심각하게 생각하지 않는 것 같았다. 그런데 공주는 왜 저러지? 내가 또 뭘 잘못했나? 하여튼 어린 계집애들은 까탈스럽기 이를 데 없다.

어느 순간 뜨뜻미지근한 시선이 느껴져서 돌아보니 마차의 건너편에서 가불염이 나를 보고 있었다. 그러다 눈이 마주치자 그가 고개를 절레절레 흔들었다.

'왜요?'

그때였다.

두두두두두!

길 앞쪽으로부터 지축이 울려대기 시작했다. 황급히 시선을 던져보니 집채만 한 황소 떼가 이쪽을 향해 미친 듯이 질주해 오고 있었다. 숫자는 어림잡아도 사십여 마리.

말도 아니고 황소가 저렇게 달리는 법은 없다. 게다가 줄줄 흐르는 침까지, 아무리 봐도 정상이 아니었다. 무얼 잘못 처먹고 미쳐 날뛰는 소들이다.

미친 소 사십 마리가 한꺼번에 나타난다고? 절대로 우연일 리가 없다. 자객들의 기습이 시작됐다. 한데 전생과는 장소가 크게 다르다. 황소도 예상에 없던 것이다. 천룡표국이라는 변수가 또 다른 변수를 만들어냈다.

주변을 돌아보니 담벼락이 높게 솟은 골목으로 이미 진입한 상태라 피할 곳도 없었다. 진왕과 왕비와 공주들만 담벼락 위로 끌어올려 황소를 피하면? 그건 오히려 세 사람을 적들에게 무방비 상태로 노출하는 짓이다. 죽으나 사나 골목 안에서 문제를 해결해야 한다.

"대방진(大防陣)을 펼쳐라!"

선두에서 연철산이 일갈을 내질렀다. 진왕의 사병들이 일사불란하게 움직이기 시작했다. 먼저 앞쪽에 있던 창병 스무 명이 대형을 좁히는 한편, 사자 갈기 세우듯 장창을 일제히 쭉 뻗었다. 그다음엔 후미로부터 초승달처럼 휘어진 대월도(大月刀)를 든 도병 열 명이 날아와 진왕의 앞을 막아섰다. 마지막으로 가장 뒤쪽에 남은 열 명의 궁수가 활에 화살을 쟀다. 이 모든 것이 그야말로 눈 깜짝할 사이에 이루어졌다.

사병들이라 무시하는 마음이 없지 않았는데, 칼 같은 움직임들을 보니 진왕가의 기강이 어떠한지를 알 것 같았다.

황자충도 표사들에게 명령했다.

"지금부터 황소든 사람이든 왕야가 계신 곳에서 십 장 이내로 들어오는 건 하나도 놓치지 말고 무조건 베어버린다!"

"존명!"

그사이 연철산의 명령이 떨어졌다.

"발시!"

열 발의 화살이 뒤쪽으로부터 쏘아졌다. 화살은 단 한 발의 낭비도 없이 선두에서 달려오던 황소들의 등에 우수수 박혔다.

화살은 세 번을 더 쏘아졌고, 그때마다 황소들의 등을 뚫었다. 그러나 미친 황소 떼의 질주를 막기엔 역부족이었다. 정면에서 쏘니 목줄기의 급소를 뚫고 들어가지 못한 것이다. 그사이 거리는 삼십여 장으로 가까워졌다. 더는 화살에만 의존할 수 없게 됐다.

"창병 돌진!"

선두에 선 창병 스무 명이 질주해 오는 황소들을 향해 마주 달려 나갔다. 일말의 주저함이나 두려움도 찾아볼 수가 없었다.

푹! 푸푹! 푹!

퍽! 퍼퍽! 퍽퍽!

창이 황소의 가슴에 꽂히고, 뿔이 갑옷 입은 창병들의 가슴을 들이받았다. 삽시간에 선두에서 달려오던 황소 십여 마리가 앞으로 고꾸라졌다. 고꾸라지고도 달려오던 힘 때문에 한참을 미끄러진 후에야 비로소 멈췄다.

창병 스무 명은 전부 뿔에 받혀 나가떨어지거나, 뒤에서 달려오는 황소들에게 짓밟혔다. 아수라장이 따로 없었다. 그래도 갑옷과 투구 때문에 발굽이 인중을 밟아 찌그러뜨릴 정도로 아주 재수가 없지 않은 한 죽을 것 같지 않았다.

"도병 돌진!"

창병들에 이어 대월도를 든 도병 열 명이 질풍처럼 뛰쳐나갔다.

쩍! 쩍쩍! 쩍!

대가리와 목에 칼을 맞고 쓰러진 황소는 고작 다섯 마리에 불과했다. 반면 도병 열 명은 모조리 뿔에 받히거나 발굽에 깔려 나가떨어졌다. 공터였다면 황소 백 마리가 몰려와도 얼마든지 상대할 수 있었을 것이다. 하지만 좁은 골목이다 보니, 성벽처럼 밀고 들어오는 황소 떼를 도저히 감당할 수가 없었다.

남은 황소는 이제 스물다섯 마리. 거리는 순식간에 이십여 장까지 좁혀졌다.

"왕야를 에워싸라!"

황자충이 일갈을 터뜨리고 달려가더니 말 안장으로부터 비호처럼 솟구쳤다. 체공 상태에서 이미 칼을 뽑아 하늘로 치켜든 그는 선두에서 달려오는 황소의 목 옆으로 떨어졌다.

쩍!

곧바로 무언가 내려치는 소리와 함께 그 큰 황소의 머리가 뚝 떨어졌다. 그리고 바로 선 자리에서 질풍처럼 돌아서며 또 한 번 일도양단의 기세로 칼을 내려쳤다. 또 다른 황소 머리가 떨어졌다.

그사이 천룡표국의 표사 다섯 명은 둘로 나뉘었다. 세 명은 진왕을 말에서 끌어 내린 후 삼각형으로 에워싸고는 바깥을 향해 칼을 들고 섰다. 다른 두 명은 황자충과 함께 돌진해 오는 황소 떼 속으로 뛰어들어 칼춤을 추었다. 연철산과 궁사들도 칼을 뽑아 들고 달려 나가 황소들과 사투를 벌였다. 사정이 너무 다급했기에, 나도 가불염도 앞으로 뛰쳐나갔다.

나는 왼쪽 담벼락을 쓸며 달려오는 황소와 맞닥뜨렸다.

땅!

벼락처럼 칼을 휘둘러 보지만 애꿎은 뿔만 때리고 튕겨 나갔다.

"빌어먹을!"

성난 황소가 방향을 틀더니 나를 냅다 들이받았다. 찰나의 순간, 본능적으로 뿔을 양손으로 덥석 잡았다.

뿔만 잡는다고 되나. 나는 황소의 정수리에 받쳐 그대로 넘어가 버렸다. 그 와중에도 이 괴수의 질주를 멈춰야 한다는 생각에 쇠뿔을 놓치지 않고 꺾었다. 어찌 된 영문인지 소 대가리가 생각보다 쉽게 꺾였다. 쇠뿔은 땅바닥에 처박혔고, 그 바람에 황소는 밀고 들어오는 힘을 주체하지 못해 그대로 공중으로 한 바퀴를 돌아버렸다. 바로 그 아래에 내가 아직도 뿔을 잡은 채 누워 있었다.

"어어!"

텅!

하늘에서 떨어지는 황소의 등에 깔려본 사람이 있을까? 장담하건대 항주에서는 내가 최초일 것이다. 한순간 눈앞이 캄캄해졌다. 숨이 턱 막히고, 오장육부가 무언가에 짓이겨지는 느낌이었다.

천만다행으로 내 상체는 소의 등과 머리통 사이의 부드러운 부분에 깔렸고, 그 덕분에 산 채로 으스러지는 것만큼은 피할 수 있었다.

그 순간, 어디선가 칼 한 자루가 날아와 나를 덮친 황소의 목줄기를 꿰뚫었다. 피가 팍 터지며 얼굴과 가슴을 덮쳤다.

"공자님!"

멀리서 나를 부르는 가불염의 목소리가 들렸다. 칼을 던져 황소가 더는 나를 공격하지 못하도록 숨통을 끊어놓은 것도 가불염이었다.

"다른 황소는!"

일어날 사이도 없이 누운 채로 옆을 돌아보았다. 잠깐 사이에 십수 마리의 황소가 황자충을 비롯한 표사들의 칼에 맞아 쓰러져 뒹굴고 있었다. 제아무리 엄한 훈련을 받았어도 사병과 무림인의 차이가 이토록 큰 것이다.

그때 구릿빛의 시뻘건 황소 한 마리가 방어막을 뚫고 달려 나왔다. 이미 칼을 맞아 피가 철철 흐르는데도 불구하고 황소는 마차를 향해 미친 듯이 질주했다. 한데 지금 마차 옆엔 아무도 없었다.

"왕비마마, 공주마마, 마차 밖으로 나오십시오!"

연철산이 혼전 중에도 일갈을 내질렀다.

"나오면 안 됩니다!"

나는 반대로 고함을 질렀다. 전생에서 자객들의 기습이 있었을 당시 사병들을 절반이나 쓰러뜨린 데 결정적인 역할을 한 것은 황소가 아니라 단 한 명의 궁사였다. 검은 복면을 쓴 자객 십여 명이 뛰어들어 난전을 벌이는 가운데, 어디선가 비범한 실력을 지닌 궁사가 나타나 화살 한 대에 사병 한 명씩을 차곡차곡 쓰러뜨린 것이다.

지금은 복면의 자객들이 황소로 바뀌었다. 천룡표국의 표사들에게 자객 중 한 명이라도 사로잡혀 꼬리가 밟힐 것을 우려한 탓이다. 황소는 마차 안에 있는 진왕비와 공주를 밖으로 불러내기 위한 미끼였다. 이럴 경우를 대비해 화살이 뚫지 못하는 철갑 마차를 끌고 왔다. 황소 뿔에 받히면 마차야 흔들리거나 뒤집히겠지만 그렇다고 안에 탄 사람이 죽지는 않는다.

그때 마차 문이 열리면서 공주가 먼저 상체를 반쯤 내밀었다.

"빌어먹을!"

극도의 긴장과 함께 이능력이 저절로 발동되었다. 나는 미칠 듯한 집중력으로 사방의 허공을 훑었다. 예상이 맞았다. 저 멀리 서쪽으로 보이는 높다란 지붕 위에서 검은 인영이 활을 쏘는 자세로 서 있었다.

활이 출렁이는 게 느껴졌다. 화살은 보이지도 않았다. 그게 보이면 내 실력으로 이미 늦은 거다.

찰나의 순간, 나도 모르게 지난 보름 동안 수천 번도 더 연습한 귀영무의 보법이 펼쳐졌다.

타닥 탁!

어디서 그런 힘과 움직임이 튀어나왔는지는 모른다. 나는 마차를 향해 질주해 오는 황소의 대가리를 발로 밟아 땅바닥에 처박은 후, 그대로 도약하며 허공을 날았다.

저 멀리 지붕 위의 검은 인영과 마차 밖으로 상체를 내민 공주 사이의 일직선상에 내가 놓이는 순간.

쒜애액!

귀청을 찢는 파공성과 함께 화살이 눈앞에 나타났다.

나는 사력을 다해 화살을 왼쪽에서 오른쪽으로 잡아챘다. 하지만 잡히는 건 허공의 바람 한 줌뿐, 화살은 내 왼쪽 가슴에 정확히 박혔다.

퍽!

"억!"

나는 화살을 가슴에 박은 채 나가떨어졌다.

"자객이다!"

"서쪽 붉은 지붕 위다!"

"놈이 달아난다!"

"표사들은 왕야의 곁을 떠나지 마라!"

마차의 뒤쪽으로 떨어진 나는 까무룩 해지는 의식을 필사적으로 붙잡으며 가슴을 더듬었다. 한데 옷에 작은 구멍만 났을 뿐 멀쩡했다.

'용린신갑!'

죽지 않는다는 걸 아니, 정신이 번쩍 들었다. 주변을 둘러보니 바로 옆에 화살이 떨어져 있었다. 가슴에 박혔다고 생각한 건 순전히 내 착각이었다.

"공자님!"

가불염이 옆으로 뚝 떨어져 내렸다. 내가 화살에 맞는 것을 봤으니 영락없이 사경을 헤맬 거라고 생각한 모양이다. 한데 눈동자를 반짝이자 어리둥절한 표정을 지었다.

"괜찮으십니까?"

순간, 머릿속을 번개처럼 스치는 생각이 있었다.

"전낭 좀 줘보세요!"

"예?"

"시간 없어요. 빨리!"

가불염은 어리둥절해서 하면서도 품속에서 동전이 든 전낭을 꺼내주었다. 나는 그것을 내 품속에 넣어 화살 구멍에 맞추고는 떨어진 화살을 오른손에 주워 들었다.

"공자님, 뭐 하시는……."

"쉿!"

용린신갑을 입은 줄 알면 약발이 떨어진다. 맨몸으로, 아무 대책도 없이, 부지불식간에 본능적으로 뛰어든 줄 알아야 한다.

나는 화살을 힘차게 찔러 넣었다. 화살은 동전 서너 개를 우습게 뚫고 들어가 박혀 버렸다.

"사공자!"

딱 맞춰 연철산과 궁수들이 우르르 나타났다. 그들은 내가 왼쪽 가슴에 박힌 화살을 잡고 고통스러워하는 모습을 보고 기겁을 했다. 그러나 나는 사람들 사이로 진왕과 왕비와 공주가 차례로 얼굴을 드러낼 때까지 기다렸다.

잠시 후, 세 사람이 표사들의 엄중한 호위를 받으며 나타났다. 왕비와 공주는 놀랐는지 손으로 입까지 가린 채 눈이 동그래져 있었다.

진왕이 내 옆에 무릎을 털썩 꿇어앉으며 말했다.

"손을 치워보라!"

나는 그제야 가슴에 박힌 화살을 아무렇지도 않게 쑥 뽑았다. 그리

고 다른 손을 품속에 넣어 화살에 꿰뚫린 전낭을 꺼내고는 조용히 읊
조렸다.

"휴우, 이거 아니었으면 죽을 뻔했네."

"하늘이 도왔군."

"저보다 공주마마께서는?"

"덕분에 무사하네."

"다행이군요."

"다른 곳은 다치지 않았나? 온몸에 피가 흥건하네만."

"전부 소 피가 튄 것입니다."

"아까 황소한테 깔리셨어요. 제가 봤어요."

공주가 나를 가리키며 격앙된 목소리로 말했다. 눈동자에는 걱정이
가득했다.

진왕이 잠시 공주를 바라보았다가 다시 내게로 고개를 돌리며 물었다.

"그렇다는데?"

나는 온몸의 뼈마디가 욱신거리는 와중에도 아무렇지 않은 것처럼
손을 탈탈 털고 일어나면서 말했다.

"이화접목이라는 수법입니다. 달려오는 소의 육중한 힘을 땅으로 옮
긴 다음 그것을 역이용해 뒤집어 넘긴 것이지요. 무공을 모르는 사람
의 눈에는 마치 깔린 것처럼 보일 수 있습니다."

"잠깐 정신을 잃는 것 같던데……."

다시 공주가 말했다.

"위험하니 공주는 마차로 돌아가 있으라."

진왕비가 마침 적절한 때에 나서주었다. 공주는 걱정이 가시지 않는

지 좀처럼 내게서 시선을 떼지 못하더니 결국 마차로 돌아갔다.

한편, 주변은 아수라장이 따로 없었다. 진왕과 왕비가 표사들의 엄중한 호위를 받고 있는 가운데 사병들은 분주히 오가며 상황을 수습하고 정리했다.

골목의 앞뒤로는 어느새 몰려든 구경꾼들로 북새통을 이루었다. 황소 사십여 마리가 곳곳에서 피를 쏟아내고 쓰러져 있는 광경은 확실히 아무 데서나 볼 수 있는 구경거리가 아니었다.

"보고하라!"

주변이 대충 정리되었다고 느낄 때쯤 진왕이 묵직하게 명령했다. 조금 떨어진 곳에서 수하들을 살피던 연철산이 황급히 달려와 보고했다.

"창병 일곱과 도병 다섯 그리고 궁병 세 명이 골절상을 입었습니다. 그 외 크고 작은 부상들을 입었지만 심각한 수준은 아닙니다."

"사망자는?"

"없습니다."

"앞으로 나올 가능성은?"

"전무합니다."

조금 떨어진 곳에서 듣고 있던 나는 '휴우' 하고 안도의 한숨을 내쉬었다. 사병이든 누구든, 이번 생에는 아무도 죽지 않았다는 사실이 기뻤다.

어쩌다 보니 나의 그런 모습을 진왕이 보았다. 눈이 마주치자 나는 얼른 고개를 숙이고는 가불염과 함께 마차를 점검했다.

때마침 홀로 자객을 뒤쫓아 갔던 황자충이 돌아왔다. 그가 진왕에게 상황을 보고했다.

"자객의 경신공이 워낙 뛰어나 도착했을 때는 이미 종적을 감춘 후였습니다. 곧 날이 어두워질 테니 아무래도 흔적을 찾기가 어려울 듯합니다."

"예상했던 일입니다. 그것보다……."

진왕이 말꼬리를 흐리며 나를 돌아보았다. 내 말을 하려는 것이 아니라 내게 할 말이 있다는 뜻이다.

나는 얼른 달려가 황자충의 옆으로 나란히 섰다.

"두 사람에게 궁금한 것이 있습니다. 이 질문에 대한 답을 누가 가지고 있을지 모르나, 한 점의 숨김도 없이 말해주길 바랍니다."

무슨 곤란한 질문을 하려고 이렇게 힘을 주시나.

"하문하십시오. 전하."

황자충이 말했다.

"우선 두 분 중 누가 주장입니까?"

"당연히 황 당주님께서 주장이십니다. 표사들 역시 황룡당의 표사들이고요. 소생은 그저 작은 각을 이끄는 각주에 불과합니다."

"주장(主將-우두머리)이야 당연히 황 노야시겠지. 하지만 난 왠지 주장(主掌-책임자)은 이 공자 같네만, 새벽같이 일어나 운하를 살핀 것도 그렇고, 내가 두촌포구에서 하선할 거라는 걸 정확히 예측한 것도 그렇고."

"그건……."

"그리고 표사들이 맞긴 맞는가?"

"예?"

"단언컨대 저들의 무공은 평범한 표사들 수준이 아니네. 내 짐작엔 황룡당의 표두들이 아닐까 싶네만. 그렇지 않은가?"

"전하의 말씀이 맞습니다. 저들은 소신이 거느리고 있는 표두들입니다."

황자충이 이실직고하며 머리를 조아렸다.

"한 점도 숨기지 말라고 부탁했거늘."

"죄송합니다. 전하."

"지난 10년간 나는 해마다 겨울이 되면 항주로 와서 이화원에 머물렀습니다. 그때마다 황 노야께서는 바쁘신 와중에도 이화원으로 날 보러 오셨지요. 하지만 포구로 마중을 나온 것은 이번이 처음입니다."

"······?"

"······?"

"나는 지금 이 상황이 매우 공교롭습니다. 도착하는 날짜를 정확히 아는 것도 그렇고, 새벽같이 일어나 운하를 둘러본 것도 그렇고, 이리 마중을 나오신 것도 그렇고, 급기야 자객들까지······."

이 양반이 지금 무슨 소리를 하고 있는 거지? 설마 우리가 자객들과 내통하고 있다고 생각하는 건가?

나는 어리둥절했다. 진왕이 여러 가지 사건들을 조합해 공교롭다고 느끼고 의구심을 갖는 것은 당연하다. 솔직히 말하면 감탄스러울 정도다. 그 아수라장 속에서도 이렇게 상황을 냉정하게 분석하고 있었나 싶어서.

한데 우리를 의심하는 건 말이 안 된다. 그랬다면 내가 공주를 대신해 목숨 걸고 화살을 맞을 이유가 없었다.

옆을 돌아보니 진왕비 또한 의구심이 가득한 얼굴이다. 나는 등이 축축해지는 것 같았다.

"전하, 그것은……."

황자충이 무언가 변명을 하려다 가로막혔다.

"내 짐작이 틀리지 않다면 천룡표국은 우연한 기회에 불순한 자들이 우리를 기습할 거란 첩보를 입수했습니다. 그리고 그 첩보를 손에 넣은 사람은 십중팔구 이 공자이고요. 그렇지 않습니까?"

"……?"

"……?"

"놀라는 걸 보니 내 말이 모두 맞나 보군요."

엉뚱한 생각을 한 건 진왕과 왕비가 아니라 나였다. 도둑이 제 발 저린다고 하더니, 숨기고 감추는 것이 많다 보니 나도 모르게 오해를 한 모양이다.

얼른 포권지례를 했다.

"송구합니다. 전하."

"왜 숨겼는가?"

"출처가 확인이 안 된 부정확한 첩보인지라 함부로 말씀드릴 수가 없었습니다. 해서 황 노야와 상의한 끝에 호위 인원을 최소한으로 하는 대신 표두들로만 구성을 한 것입니다."

"만에 하나 자객의 기습이 없었다면, 이화원 입찰 문제로 자네가 거짓말을 했다고 내가 오해할 것이 두려웠던 것은 아니고?"

듣고 보니 이게 더 그럴듯한 변명이다. 진왕이 알아서 척척 변명을 만들어주니 나로서는 오히려 더 할 말이 없어졌다.

사람이 너무 똑똑해도 이런 문제가 있구나. 어쩌면 평생 황실의 복잡한 암투와 언제 자객이 찾아올지 모른다는 두려움 속에 살다 보니 생긴 습관일지도.

여기까지 생각이 미치고 보니 문득 마차 안에 있는 어린 공주가 불쌍하게 느껴졌다. 한데 화살에 맞아 죽을 뻔한 여자아이치고는 그렇게 놀란 것 같지 않던데…….

"나도 비도, 두 분의 호의에 어떻게 감사를 드려야 할지 모르겠군요. 덕분에 우리 내외와 공주가 모두 무사할 수 있었습니다. 오늘 일은 잊지 않겠습니다."

"받잡기 민망합니다."

"받잡기 민망합니다."

그때였다.

두두두두두!

어디선가 또다시 지축을 울리는 소리가 들려왔다.

잠시 후, 우리가 지나온 골목의 뒤쪽에 있는 구경꾼들이 썰물처럼 갈라졌다. 그리고 저 멀리 중무장을 한 무림인 오십여 명이 말을 탄 채 전속력으로 달려오는 모습이 보였다.

그중 선두에서 달려오는 무사 한 명이 황금색의 펄럭이는 깃발을 들었다. 깃발엔 금룡표국이라는 네 글자가 선명하게 쓰여 있었다. 달리는 말들 사이로 요란하게 치장한 마차도 두 대나 보였다.

이윽고 선두의 기마인들이 십여 장 앞까지 도착했다. 말들은 전속력으로 질주를 해온 것이 무색할 만큼 빠르게 멈추고 대열을 갖추었다. 기마인들의 솜씨가 하나같이 예사롭지 않았다.

그중 사납게 뻗친 눈썹이 인상적인 초로인 하나가 표표한 신법으로 말에서 훌쩍 뛰어내렸다. 그는 잰걸음으로 달려와 진왕과 왕비 앞에 한쪽 무릎을 털썩 꿇으며 한 손을 바닥에 짚었다.

"신 냉악비, 진왕 전하와 왕비마마를 뵙습니다."

금룡표국의 국주인 금룡도(金龍刀) 냉악비가 나타난 것이다. 한 자루 대도를 귀신처럼 휘두른다는 그는 양촌포구에서 이곳까지 제법 먼 길을 쉬지 않고 달려왔을 텐데도 불구하고 숨소리 하나 흐트러지지 않았다.

잠시 후에는 마차에서 비단옷과 모피로 한껏 멋을 낸 백발의 노인, 남경상단주 노지량이 서둘러 내렸다. 그 역시 진왕과 왕비 앞으로 달려오더니 경황 중에도 일부러 소 피가 흥건한 바닥을 골라 한쪽 무릎을 털썩 꿇었다.

"신 노지량, 진왕 전하와 왕비마마를 뵙습니다."

"두 분 모두 오시느라 고생 많으셨습니다. 예의는 그만하면 충분히 차렸으니 이제 일어들 나시지요. 겨울이라 바닥이 차갑습니다."

그제야 냉악비와 노지량이 자리에서 일어났다.

"전하께서 두촌포구로 하선하셨다는 기별을 받고 급하게 달려오는 길입니다. 한데 이게 다 무슨 일인지……."

냉악비가 말했다.

"별일 아닙니다. 난데없이 소 떼가 나타나서 한바탕 소동이 벌어졌지 뭐겠습니까. 다행히 옛 친구와 새로 사귄 친구가 마중을 나와주는 바람에 큰일은 겪지 않았습니다."

새로 사귄 친구는 아무래도 나를 말하는 것 같았다. 황족이 나이를 떠나 누군가를 친구로 대하고 인정해 준다는 것은 당사자에겐 대단한 영광이었다.

내가 얼떨떨해하는 사이 황자충이 먼저 냉악비에게 정중한 포권지례를 올렸다. 냉악비는 경쟁 표국의 국주이기 이전에 무림의 선배였다.

"그간 강녕하셨습니까? 국주님."

"황 당주께서도 잘 지내셨소이까?"

그러면서 냉악비는 내게로 시선을 옮겼다. 진왕이 나를 두고 새로 사귄 친구라 소개한 것이 영 찜찜한 모양이다.

"처음 뵙겠습니다. 이정룡입니다."

"요즘 항주를 떠들썩하게 한다는 표왕의 넷째 자제분이시군. 만나서 반갑네."

말과 달리 눈동자에는 초조한 기색이 가득하다. 경쟁 관계에 있는 표국의 사공자와 당주가 자신들의 최고 고객과 함께 있으니 지금쯤 오장육부가 쫀득쫀득할 것이다.

냉악비는 다시 진왕을 바라보며 물었다.

"한데 어찌하여 아무런 말씀도 없이 두촌포구에서 하선을 하신 겁니까? 소신은 그것도 모르고 양촌포구에서 줄곧……."

"냉 오라버니께서는 대체 뭐 하시는 분인가요?"

갑자기 끼어든 사람은 진왕비였다. 목소리에 노기가 가득하다. 그녀의 꿀물 같은 목소리를 기억하고 있는 내게는 흡사 예리한 칼이 칼집에서 뽑혀 나오는 것처럼 서늘하게 들렸다.

"예?"

"여태 우리가 두촌포구에서 하선한 이유도 모르고 오셨단 말씀입니까? 하면, 자객이 전하를 노리는 줄은 아셨나요?"

"자객이라고요?"

"하마터면 전하께서 옥체를 크게 상하실 뻔했습니다. 다행히 친구분들께서 미리 알고 마중을 나와주셨기에 망정이지."

진왕비가 흥분을 삭이느라 잠시 말을 멈추었다.

나는 진왕비의 분노를 충분히 이해할 수 있었다. 남편과 딸이 목숨을 잃을 뻔한 것도 문제지만, 사촌 오라비에게 항주에서 지내는 동안의 호위를 맡긴 그녀의 체면 또한 말이 아닐 것이다. 만에 하나 진왕이 화살을 맞기라도 했다면, 왕비와 그의 집안은 황실 종친들로부터 엄청난 지탄을 받았을 것이 분명했다.

"제가 냉 오라버니를 그동안 너무 과신했던 것 같습니다. 10년이면 길가의 바위도 모양이 달라지는 법인데, 하물며 나태하기 쉬운 인간의 마음이야 당연한 것을⋯⋯."

"마마, 소인이 죽을죄를 지었습니다."

"사실 따지고 보면 냉 오라버니의 잘못만도 아닙니다. 하선 장소를 바꾼 것도 우리고, 자객의 습격 또한 쉽게 예상할 수 있는 일이 아니니까요."

"마마⋯⋯."

"그러나 문제는 이 와중에도 누군가는 우리가 하선 장소를 바꿀 거라는 것도 알았고, 사전에 자객이 나타날지 모른다는 첩보도 입수하여 만반의 준비를 했다는 것이죠. 심지어 우리가 의뢰를 한 것이 아닌데도 불구하고요."

"마마, 다시는 실수가 없도록⋯⋯."

"아뇨. 전 자객들보다 한발 빠르고 멀리 보는 최고의 실력자들에게 전하의 안전을 맡기고 싶어요. 옥체를 보중하는 일에 또 '다시는'이라는 말이 나와서는 안 되니까요."

진왕비는 이어 진왕에게 공손히 말했다.

"전하, 남경상단주께서 이화원의 보호를 천룡표국에게 맡길 수 있도록 전하께서 힘을 좀 써주세요."

"글쎄요. 우리도 신세를 지는 입장에서 어찌 이래 달라, 저래 달라 할 수 있겠소만. 그래도 남경상단주께서 내 말은 잘 들어주시는 편이니 부탁은 한번 해보겠소."

그러면서 진왕은 시치미를 뚝 떼고 바로 옆에 있는 노지량에게 말했다.

"단주……"

"그렇게 하겠습니다. 전하."

노지량이 얼른 허리를 숙였다. 그는 제 눈으로 보고도 믿기지 않는지 연신 입에 침을 바르면서 나를 힐끔거렸다.

냉악비는 어쩔 줄을 몰라 했다. 진왕과 왕비 앞에서 얼굴을 일그러뜨릴 수도 없고, 그렇다고 우리에게 화를 낼 수도 없고, 아주 환장할 노릇일 것이다.

남경상단주가 나와 황자충을 돌아보며 물었다.

"어느 분께 말씀을 드려야 하오?"

"당연히 당주님께 말씀하셔야지요."

"험험, 나 남경상단주 노지량은 진왕 전하와 왕비마마 그리고 공주마마께서 머무시는 겨울 동안 이화원의 보호를 천룡표국에 정식으로 의뢰하는 바이오. 부디 맡아주시오."

"최선을 다해 안전하고 편안하게 모시겠습니다."

"오늘부터, 아니, 지금 당장부터 이화원까지 안전하게 모셔주셔야겠소이다."

"물론이지요. 서둘러 표사들을 증원하고 부상자들을 태우고 갈 마차도 여러 대 준비토록 하겠습니다."

그때였다.

두두두두.

이번에는 골목의 앞쪽으로부터 앞선 두 번의 경우보다 훨씬 큰 소리가 지축을 울리며 달려왔다. 구경꾼들이 썰물처럼 갈라지자 용 같고 범 같은 기세의 무인들이 무려 백여 명이나 말을 타고 나타났다. 마차도 십여 대가량 되었다.

이번 역시 선두의 무사가 금룡표국의 두 배나 될 것 같은 커다란 깃발을 들고 있었다. 푸른색의 펄럭이는 깃발에는 천룡표국이라는 네 글자가 선명하게 쓰여 있었다.

이윽고 말들이 십여 장 밖까지 접근했다. 백 기의 기마인들은 달려오는 기세가 무색하게 마치 칼로 토막 치듯 그 자리에서 뚝 멈춰 섰다.

"와아아!"

구경꾼들 사이에서 우레와 같은 함성이 터져 나왔다.

그 순간, 한 명의 초로인이 말에서 훌쩍 뛰어내리더니 나는 듯이 달려왔다. 그 모습이 흡사 바람처럼 표표한 데다 위압적이어서 지켜보는 모두가 숨을 죽였다. 앞서 금룡표국주 냉악비가 보인 신법과는 차원이 달랐다.

초로인은 진왕과 왕비로부터 딱 다섯 걸음 떨어진 곳에서 멈추었다. 그러곤 앞자락을 절도있게 탁 젖히고는 당당하게 한쪽 무릎을 꿇었다.

"천룡표국주 이종산, 진왕 전하와 왕비마마께 인사드립니다."

"천룡표국이라고 쓰인 깃발을 보고 혹시나 하며 기대를 했더니만, 정말 표국주께서 직접 오셨구료. 반갑습니다."

"진왕 전하와 왕비마마께서 곤란한 일을 겪고 계시다는 기별을 받고 서둘러 달려왔습니다. 혹, 옥체를 상하진 않으셨는지요?"

"보시다시피 아주 멀쩡합니다."

이종산이 돌연 나를 돌아보며 냉엄하게 물었다.

"자객은 잡았느냐?"

"놓쳤습니다."

"일을 어떻게 하는 것이냐!"

"죄송합니다."

"이 공자의 잘못이 아닙니다. 황 노야의 잘못도 아니고요. 오히려 두 사람 덕택에 우리가 모두 무사한 것이니 국주께서는 더는 문제 삼지 마십시오."

"송구합니다. 전하."

"그것보다 표사와 마차들을 잔뜩 이끌고 오셨군요. 때마침 남경상단이 천룡표국에 이화원의 보호를 의뢰한 줄을 어찌 아시고요. 이것 참 공교롭습니다. 그려. 하하하."

"예에?"

이종산이 깜짝 놀란 얼굴로 나와 황자충을 바라보았다. 십 장 밖에서 말을 탄 채 대기 중인 오십여 명의 사람들도 하나같이 눈이 휘둥그레졌다.

진왕의 말처럼 공교롭게도 그곳엔 이갑룡, 을룡, 병룡은 물론이거니와 총표두 곽석산, 적룡당주 양진각, 청룡당주 유지평도 있었다. 이종산이 검까지 차고 운신하자 수뇌부 전부가 휘하의 표두와 표사들을 이끌고 함께 달려온 것이다.

여기에는 십중팔구 금룡표국도 나타날 것이니, 진왕 앞에서 천룡표국의 위세를 보여야 한다는 누군가의 절묘한 조언이 있었을 것이다. 부상자들을 태우기 위한 마차도 여러 대 끌고 가서 세심한 준비성까지 보여주고.

유지평의 머리에서 나온 생각이 틀림없다. 이화원의 보호권을 따내는 데 측면 지원할 목적이었다면 이미 한발 늦었지만 말이다.

황자충이 한걸음 나서서 말했다.

"방금 남경상단주께서 겨울 동안 이화원의 보호를 우리 천룡표국에 의뢰하셨습니다. 진왕 전하와 왕비마마께서 특별히 남경상단주께 부탁을 드렸고요."

이종산은 그대로 목석처럼 굳어버렸다. 정말로 이화원 보호권을, 그것도 단 한 번 진왕과 조우하는 것으로 하루아침에 따낼 줄은 상상도 못 했기 때문이다.

솔직히 말하면 나도 얼떨떨했다. 잘 둔 바둑 한 수가 대국 전체를 살린다더니, 예정에도 없던 화살을 한 발 대신 맞아준 것이 이렇게 판을 뒤집어엎어 버릴 줄이야.

계속